都道府県
Data Book

話のネタ帳

日本食糧新聞社
Nissyoku

CONTENTS

CONTENTS

統計一覧

◆農業生産
農林水産省「生産農業所得統計」（令和元年速報）

〔都道府県の食〕
耕地面積（田畑計）、コメの作付面積・収穫量
農林水産省「作物統計」（2020年）
注 ：コメの作付面積・収穫量は水稲・子実用。

飼育頭数（肉用牛、豚、鶏（ブロイラー））
農林水産省「畜産統計」（2020年）
注 ：豚・鶏については、令和2年は調査が休止されたため、平成31年の数字。

海面漁業漁獲量（天然・養殖）
農林水産省「海面漁業生産統計」（2019年）
注 ：養殖は種苗養殖を除く。

食料自給率（カロリーベース）
農林水産省「平成30年度都道府県別食料自給率」
注 ：2018年度概算値。

エンゲル係数
総務省「家計調査」（2020年）
注 ：2人以上の世帯。

食品出荷額
経済産業省「工業統計」（2020年速報）
注 ：従業者4人以上の事業所での2019年実績。

年間支出（調味料、酒類、調理食品、外食）
総務省「家計調査」（2019年）
注 ：2人以上の世帯。

〔都道府県の民力〕
◆人 口
人口、人口増減数
総務省「住民基本台帳に基づく人口、人口動態及び世帯数」（令和2年）
注 ：1月1日現在。

人口密度
平成27年国勢調査 最終報告書「日本の人口・世帯」統計表

出生率、死亡率
厚生労働省「人口動態調査」（2019年）

外国人の割合
法務省「在留外国人統計」、総務省統計局「人口推計」
注 ：総人口は2019年10月、外国人は2020年6月末の数値。

交通事故死亡者数
警察庁「交通事故死者数について」（2020年）

自殺者数
警察庁「令和2年中における自殺の状況」（速報）、総務省「人口推計」
注 ：自殺者数は、死体が発見された都道府県に計上している。

婚姻率、離婚率
厚生労働省「人口動態調査」（2019年）

◆暮らし
貯蓄現在高（平均値）、負債現在高（平均値）、延べ床面積
総務省「家計調査」（貯蓄・負債編）（2019年）
注 ：2人以上の世帯。

持ち家率、水道光熱費、保健医療費
総務省「家計調査」（2020年）
注 ：2人以上の世帯。

大学進学率、高卒の割合
文部科学省「令和2年度 学校基本調査」
注 ：通信教育を含む全日制・定時制の計。「高卒の割合」は高校卒業者（通信教育を含む全日制・定時制の計）に占める就職者の割合。

犯罪認知件数
警察庁「犯罪統計」（令和2年）
注 ：2020年1～12月の刑法犯総数。

少年犯罪数
警察庁「令和元年中における少年の補導及び保護の概況」
注 ：中高生徒数1,000人当たりの刑法犯検挙・補導人員。生徒数は文部科学省学校基本調査に基づくもの。

◆経済・労働
県内総生産、県民所得
内閣府「県民経済計算」（2017年度）
注 ：平成23年基準計数。「県内総生産」は生産側、実質、連鎖方式。

物価格差
総務省「小売物価統計調査（構造編）」（2019年）
注 ：全国平均＝100。

有効求人倍率、正社員新規求人数
厚生労働省「職業安定業務統計月報」（2020年）
注 ：「有効求人倍率」は受理地のパートタイムを含む一般の実数年平均。「正社員新規求人数」は受理地の労働力人口当たり実数年平均。

失業率
総務省「労働力調査」（2020年）
注 ：モデル推計値。

大卒初任給、パート時給、勤続年数
厚生労働省「賃金構造基本統計調査」（2019年）
注 ：「パート時給」は企業規模10人以上のパートタイマー1時間当たり所定内給与額。「勤続年数」は一般労働者。

◆産 業
総事業所数、製造品出荷額
経済産業省「工業統計」（2020年速報）

年間商品販売額、卸売販売額、小売販売額
資料：経済産業省「2019年経済構造実態調査」

上場企業数、代表取締役出身数
帝国データバンク
注 ：2020年8月時点。

企業倒産数
㈱東京商工リサーチ「全国企業倒産白書20

【Data で見る都道府県】

世　帯

家族世帯率、単身者世帯率、高齢者世帯率
総務省「国勢調査」（平成 27 年）

帯数、平均人員
総務省「住民基本台帳に基づく人口、人口動態及び世帯数」（令和 2 年）
注　：1 月 1 日現在。

主年齢、子どもの人員、高齢者の人員
総務省「家計調査」（2020 年）
注　：2 人以上の世帯。「子どもの人員」は 18 歳未満の人員。「高齢者の人員」は 65 歳以上の人員。

保護世帯数
厚生労働省「平成 30 年度被保護者調査」

気　候

気象庁（2020 年）

男　女

年齢
厚生労働省「人口動態調査」（2019 年）
注　：夫・妻の年齢は、結婚式をあげたとき、または、同居を始めたときのうち早いほうの年齢。

命
厚生労働省「都道府県別生命表」（2015 年）

給与
厚生労働省「令和元年賃金構造基本統計調査」
注　：所定内給与額。

、体重
文部科学省「学校保健統計調査」（2019 年度）
注　：17 歳の平均値。

地　価

国土交通省「令和 2 年地価公示」

旅行者

観光庁「宿泊旅行統計調査」（令和 2 年速報）

学校・施設

数
厚生労働省「医師・歯科医師・薬剤師統計」（2019年）、総務省「人口推計」（2018 年）

数、一般診療所数
厚生労働省「令和元年医療施設（動態）調査」
注　：10 万人当たりの数。

福祉施設数、老人福祉センター数
厚生労働省「社会福祉施設等調査」（2019 年）、総務省統計局「人口推計」
注　：10 万人当たりの数。2019 年 10 月 1 日時点の数字。

幼稚園数、小学校数、高校数、大学数
文部科学省「令和 2 年度 学校基本調査」
注　：「高校数」は全日制・定時制の本校と分校の合計。「大学数」は大学本部の所在地。

博物館数、図書館数
文部科学省「社会教育調査」2018 年度、総務省統計局「人口推計」（2018 年）
注　：10 万人当たりの数。2018 年 10 月 1 日時点の数字。

映画館数
（一社）日本映画製作者連盟、総務省統計局「人口推計」（2019 年）
注　：2020 年 12 月末現在。10 万人当たりの数。

学校の IT 化
文部科学省「令和元年度 学校における教育の情報化の実態等に関する調査結果」
注　：教育用コンピューター 1 台当たりの児童生徒数（小中高校、中等教育、特別支援学校）。令和 2 年 3 月 1 日現在。

保育所数
厚生労働省「社会福祉施設等調査」（2019 年）

◆ 消　費

※「消費変化」のグラフは、前年の値を 0（太線）とし、各項目の対前年比を表しています。六角形のグラフは、対前年比プラスの場合は外側、マイナスは内側になっています。
総務省「家計調査」（2020 年）
注 1：2 人以上の世帯。
注 2：「教養娯楽費」は教養娯楽用の耐久財・教養娯楽用品・サービス、書籍・新聞・雑誌等。「通信費」は郵便料、電話通信料、運送料等。「交通費」は運賃、定期代、タクシー代、自動車等関係費。「教育費」は授業料等、教科書・学習参考教材、補習教育。
注 3：「菓子」のうち「アイスクリーム」はシャーベットを含む。

※統計について、以下の記号は次のとおり。
0：単位に満たないもの
－：事実のないもの
X：個人又は法人その他の団体に関する秘密を保護するため、統計数値を公表しないもの

早わかり

2021

都道府県

Data Book

北海道・東北

北海道

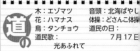

道の
木：エゾマツ　　音頭：北海ばやし
花：ハマナス　　体操：どさんこ体操
鳥：タンチョウ　道民の日：
道民歌：　　　　　　　　7月17日
　　　光あふれて

農業生産

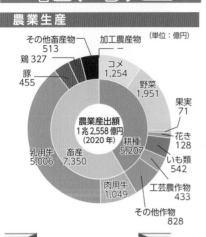

（単位：億円）

その他畜産物 513
加工農産物 —
鶏 327
豚 455
コメ 1,254
野菜 1,951
果実 71
花き 128
いも類 542
工芸農作物 433
その他作物 828
工芸農作物 433
肉用牛 1,049
畜産 7,350
耕種 5,207
乳用牛 5,006

農業産出額
1兆2,558億円
（2020年）

凡　例
━━━ 新幹線
━━━ ＪＲ
──── 国道
────── 道・郡境

農業物産出額上位 **10** 品目

① 生乳　3,945 億円
② 米　　1,254 億円
③ 乳牛　1,060 億円
④ 肉用牛 1,049 億円
⑤ たまねぎ 581 億円
⑥ じゃがいも 542 億円
⑦ 軽種馬 487 億円
⑧ 豚 455 億円
⑨ てんさい 427 億円
⑩ 小麦 316 億円

Fゆり根／真狩村ほか
大正時代に食用ユリの栽培
が始まった。現在では、国
産の99%が北海道産。

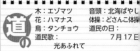

ビート／道内広域

砂糖の原料の甜菜。なかでもオホーツク地方で多く作付けされている。

ナチュラルチーズ／十勝、釧路・根室地域ほか

道内にチーズ工場・工房は100カ所以上あり、多様なチーズがつくられている。

Ａ士別サフォークラム／士別市

食用羊のなかでもおいしいとされるサフォーク種めん羊を、市で約1,100頭飼育。

Ｂつぶつぶでんぷん／更別村

昔ながらの自然沈殿方法と低温長時間乾燥によって作られた、大粒子の片栗粉。

Ｃ鵡川ししゃも／むかわ町ほか

 シシャモは北海道でのみ獲れる。流通している「シシャモ」はカペリンという品種。

Ｄハスカップ／厚真町ほか

北海道最大の群生地をもつ。ハスカップおにぎりは、厚真のソウルフード。

Ｅアロニア／千歳市、伊達市、滝川市、旭川市ほか

北方系小果樹として機能性食材として注目されている果実。ジャムなどに加工される。

Ｇヤマゴボウ／厚沢部町

中京圏の郷土食、山菜のモリアザミ。京都の料亭でも使用される高級食材。

Ｈキレイマメ／本別町

「豆の町」本別町で発祥した黒豆「中生光黒大豆」を使った加工品ブランド。

北海道 の 食

＊札幌市の1世帯当たりの年間支出金額

耕地面積(田畑計)	コメの作付面積(水稲延べ)	コメの収穫量(水稲)
114万 3,000ha (第 1 位)	10万 2,300ha (第 2 位)	59万 4,400 t (第 2 位)

肉用牛(飼育頭数)	養豚(飼育頭数)	ブロイラー(飼育頭数)
52万 4,700頭 (第 1 位)	69万 1,600頭 (第 3 位)	492万羽 (第 5 位)

漁獲量・天然(海面漁業)	漁獲量・養殖(海面養殖)
88万 2,301t (第 1 位)	7万 3,851t (第 4 位) 

食料自給率(カロリーベース)	エンゲル係数*	食品出荷額
196% (第 1 位)	25.7 (第 39 位)	2兆 2,076億 4,200万円 (第 1 位)

コロナ禍での消費変化～【グラフ】月別増減率～

調味料
* 4万 1,483円 (第 28 位)

(円)
— 2019年 — 2020年
5,000 / 4,400 / 3,800 / 3,200 / 2,600 / 2,000
1 2 3 4 5 6 7 8 9 10 11 12 (月)

酒 類
* 6万 3,985円 (第 1 位)

(円)
— 2019年 — 2020年
9,000 / 7,400 / 5,800 / 4,200 / 2,600 / 1,000
1 2 3 4 5 6 7 8 9 10 11 12 (月)

調理食品
* 10万 6,349円 (第 47 位)

(円)
— 2019年 — 2020年
20,000 / 17,200 / 14,400 / 11,600 / 8,800 / 6,000
1 2 3 4 5 6 7 8 9 10 11 12 (月)

外 食
* 12万 8,621円 (第 23 位)

(円)
— 2019年 — 2020年
28,000 / 22,800 / 17,600 / 12,400 / 7,200 / 2,000
1 2 3 4 5 6 7 8 9 10 11 12 (月)

北海道民力

人 口

人口	526万7,762人	第8位
人口増減数	-36,651人	第47位
人口密度	69人／㎢	第47位
出生率	6.0人／千人	第43位
死亡率	12.6人／千人	第22位
外国人の割合	0.76%	第41位
交通事故死亡者数	2.74人／10万人	第24位
自殺者数	17.6人／10万人	第22位
婚姻率	4.5人／千人	第14位
離婚率	1.89人／千人	第4位

暮らし

貯蓄額*	1,336万円	第39位
負債総額*	666万円	第11位
持ち家率*	74.2%	第42位
延べ床面積*	102.2㎡	第37位
水道高熱費*	32万7,712円	第3位
保健医療費*	1万4,251円	第18位
大学進学率	47.7%	第33位
高卒の割合	22.3%	第24位
犯罪認知件数	1万8,467件	第9位
少年犯罪数	2.01人／千人	第21位

*は札幌市の値

経済・労働

average

県内総生産	18兆6,206億円 第9位	11兆6,058億円
県民所得	268万円／人 第36位	330.4万円
物価価格差	99.9 第10位	100.0

就 職

第40位	第33位	第7位
1.03	0.50人	2.96%
有効求人倍率	正社員新規求人数	失業率
1.19	0.51人	2.8%

仕 事

第29位	第34位	第36位
19.90万円	1,040円	11.9年
大卒初任給	パート時給	勤続年数
21.02万円	1,081円	12.4年

産 業

製 造

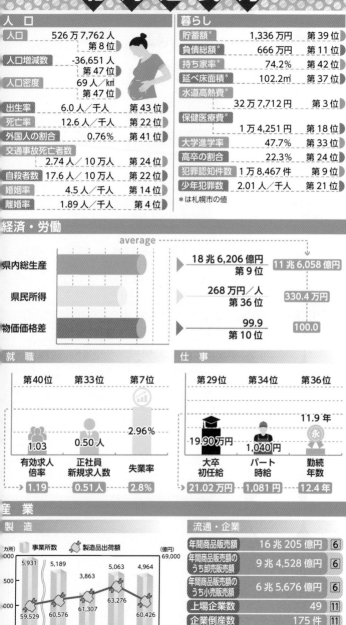

	2010年	2016年	2017年	2018年	2019年
事業所数	5,931	5,189	3,863	5,063	4,964
製造品出荷額	59,529	60,576	61,307	63,276	60,426

流通・企業

年間商品販売額	16兆205億円	6
年間商品販売額のうち卸売販売額	9兆4,528億円	6
年間商品販売額のうち小売販売額	6兆5,676億円	6
上場企業数	49	11
企業倒産数	175件	11
代表取締役出身者数	5万7,245人	2

□は全国順位

Data で見る 北海道

世帯

他 6.8%
高齢者世帯 13.4%

279万286世帯
7位

単身者世帯 37.3%
核家族世帯 55.9%

- 平均人員 1.89 人（47 位）
- 世帯主年齢 60.4 歳（11 位）
- 子どもの人員 0.50 人（40 位）
- 高齢者の人員 0.85 人（12 位）
- 生活保護世帯数 17.4 世帯／千世帯（7 位）

気候

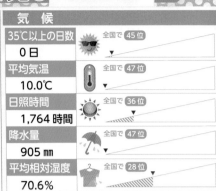

35℃以上の日数	0 日		全国で 45 位
平均気温	10.0℃		全国で 47 位
日照時間	1,764 時間		全国で 36 位
降水量	905 mm		全国で 47 位
平均相対湿度	70.6%		全国で 28 位

（札幌管区気象台 2020 年）
最低気温 -14.9℃／最高気温 34.3℃

（20 位）	30.8 歳	初婚年齢 29.4 歳	（28 位）
（34 位）	80.28 歳	寿命 86.77 歳	（37 位）
（26 位）	30.48 万円	月額給与 23.83 万円	（14 位）
（18 位）	170.6cm	身長 158.2cm	（7 位）
（11 位）	63.4kg	体重 53.4kg	（15 位）

地価

地価平均価格

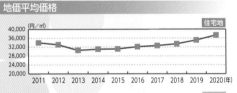

住宅地
(円/㎡)
40,000 / 36,000 / 32,000 / 28,000 / 24,000 / 20,000
2011 2012 2013 2014 2015 2016 2017 2018 2019 2020(年)

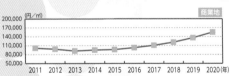

商業地
(円/㎡)
200,000 / 170,000 / 140,000 / 110,000 / 80,000 / 50,000
2011 2012 2013 2014 2015 2016 2017 2018 2019 2020(年)

用途別の平均変動率

住宅地	2.2%	5 位
商業地	4.5%	7 位
工業地	1.0%	20 位

住宅地の平均価格*
7 万 8,800 円／㎡ 18 位
（＋ 5,900 円）

商業地の最高値*
520 万円／㎡ 8 位
（＋75 万円）

*は札幌市の値

旅行者（対前年同月比）

月別の宿泊者数

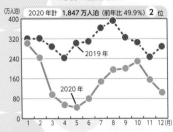

(万人泊) 2020 年計 1,847 万人泊（前年比 49.9%）2 位
400 / 320 / 240 / 160 / 80 / 0
2019 年
2020 年
1 2 3 4 5 6 7 8 9 10 11 12(月)

月別の客室稼働率

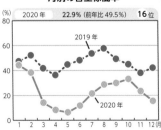

(%) 2020 年 22.9%（前年比 49.5%）16 位
80 / 60 / 40 / 20 / 0
2019 年
2020 年
1 2 3 4 5 6 7 8 9 10 11 12(月)

学校・施設

- 医師数 243.1 人／10 万人（26 位）
- 病院数 10.5 施設／10 万人（10 位）
- 一般診療所数
  64.7 施設／10 万人（43 位）
- 児童福祉施設数
  33.1 施設／10 万人（33 位）
- 老人福祉センター数
  5.07 施設／10 万人（26 位）
- 小学校数 999 校（2 位）
- 高校数 276 校（4 位）

- 大学数 37 校（4 位）
- 博物館数 1.21 施設／10 万人（22 位）
- 映画館数 2.13 施設／10 万人（39 位）
- 図書館数 2.88 施設／10 万人（29 位）
- 学校の IT 化 4.83 人／台（17 位）
- 保育所数 1,020 カ所（9 位）
- 幼稚園数 385 校（9 位）

消　費（札幌市の 1 世帯当たりの年間支出金額）

年間消費支出
362 万 197 円　8 位
（対前年比 102.4%）

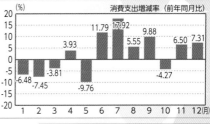

消費支出増減率（前年同月比）

-6.48 -7.45 -3.81 3.93 -9.76 11.79 17.92 5.55 9.88 -4.27 6.50 7.31

消費変化（対前年比較）

衣 (-12.2)
(6.3) 学　　食 (4.9)
(-9.2) 動　　楽 (-8.5)
(11.7) 通

※太線の外側は前年。
太線の外側は
前年対比プラス、
内側はマイナス

衣：被服・履物費	11 万 6,012 円	18
食：食費	98 万 5,904 円	13
楽：教養娯楽費	33 万 687 円	11
通：通信費	19 万 1,425 円	5
動：交通費	30 万 6,650 円	27
学：教育費	11 万 2,900 円	24

■は全国順位

鮮　魚

4 万 5,701 円（2 位）

サ　ケ	7,832 円
マグロ	6,122 円
エ　ビ	3,912 円
カ　ニ	2,830 円
イ　カ	2,501 円

飲　料

5 万 8,040 円（25 位）

コーヒー	8,691 円
果実・野菜ジュース	8,504 円
炭酸飲料	8,072 円
茶飲料	6,705 円
コーヒー飲料	4,610 円

生鮮野菜

8 万 1,111 円（11 位）

トマト	9,262 円
たまねぎ	3,813 円
きゅうり	3,782 円
ね　ぎ	3,619 円
キャベツ	3,498 円

菓　子

9 万 2,875 円（10 位）

アイスクリーム	1 万 69 円
ケーキ	9,193 円
チョコレート	8,474 円
スナック菓子	6,902 円
せんべい	4,973 円

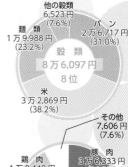

他の穀類
6,523 円
(7.6%)

パン
2 万 6,717 円
(31.0%)

麺類
1 万 9,988 円
(23.2%)

穀類
8 万 6,097 円
8 位

米
3 万 2,869 円
(38.2%)

その他
7,606 円
(7.6%)

鶏肉
1 万 8,448 円
(18.4%)

豚肉
3 万 6,333 円
(36.3%)

肉類
10 万 22 円
23 位

加工肉
2 万 1,597 円
(21.6%)

牛肉
1 万 6,039 円
(16.0%)

青森県

農業生産

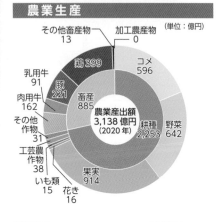

（単位：億円）

その他畜産物 13 ／ 加工農産物 0

鶏 399
乳用牛 91
豚 221
肉用牛 162
その他作物 31
工芸農作物 38
いも類 15
花き 16
果実 914
畜産 885
コメ 596
野菜 642
耕種 2,253

農業産出額 3,138 億円（2020 年）

G糠塚きゅうり／八戸市
糠塚地区で江戸時代から作られている伝統野菜。パリパリの食感にほのかな苦み。

農業物産出額上位 **10** 品目

①	りんご	869 億円
②	米	596 億円
③	豚	221 億円

④ ブロイラー 204 億円	⑧ にんにく 127 億円
⑤ 鶏卵 178 億円	⑨ 生乳 78 億円
⑥ 肉用牛 162 億円	⑩ だいこん 63 億円
⑦ やまのいも 131 億円	

外ヶ浜町
今別町
中泊町
五所川原市
蓬田村
中泊町
つがる市
五所川原市
鶴田町
青森
黒石
板柳町
鰺ヶ沢町
藤崎町
田舎館村
E 弘前市
深浦町
西目屋村
大鰐町
F 平川市

N

H初雪たけ／田子町、青森市、平川市
ナメコの突然変異種で、青森県の固有種。初雪を思わせるような白いきのこ。

青森シャモロック／五戸町、六戸町、大鰐町
1990 年にデビューしたオリジナル地鶏。宮内庁御料牧場へひなが出荷される。

ふじりんご／県内広域
藤崎町は、リンゴの国内生産量ナンバーワンの品種「ふじ」誕生の地。

Ａトゲクリガニ／外ヶ浜町、野辺地町、横浜町、むつ市
小ぶりだが毛ガニのような味。小説「津軽」にも登場し、太宰治も好んだといわれる。

Ｂ横浜なまこ／横浜町
年末数日間だけ水揚げされる正月料理の必需品。やわらかく生食が美味。

Ｃ地まきホタテ／野辺地町
むつ湾の海底に直接ホタテの稚貝をまいて生育。養殖ホタテとは一味違う。

Ｄフジツボ／陸奥湾
青森で昔から食される魚介類、七子八珍の一つ。現在では希少な珍味。

Ｅ清水森ナンバ／弘前市
津軽地方のトウガラシの在来種。まろやかな甘みと豊かな風味が特徴。

凡　例
━ ━ ━ 新幹線
ーーーー ＪＲ
ーーー 国　道
━━━ 誕生・関連地

大間町
風間浦村
佐井村
むつ市
東通村
Ａ
横浜町
六ヶ所村
Ａ
Ａ
Ｂ
野辺地町
Ｃ
Ａ
平内町
東北町
小川原湖
三沢市
七戸町
おいらせ町
十和田市
六戸町
五戸町
Ｉ
Ｉ
新郷村
階上町
三戸町
八戸市
南部町
Ｇ
田子町
Ｈ
十和田湖

Ｆ大鰐温泉もやし／大鰐町
温泉の熱で地温を高める土耕栽培により350年以上前から栽培される秘伝の野菜。

青森県 の 食

※青森市の1世帯当たりの年間支出金額

耕地面積（田畑計）
14万
9,800ha
（第 4 位）

コメの作付面積（水稲延べ）
4万
5,200ha
（第 11 位）

コメの収穫量（水稲）
28万
3,900 t
（第 10 位）

肉用牛（飼育頭数）
5万
3,700頭
（第 12 位）

養豚（飼育頭数）
35万
1,800頭
（第 10 位）

ブロイラー（飼育頭数）
694万
3,000羽
（第 4 位）

漁獲量・天然（海面漁業）
8万
473t
（第 11 位）

漁獲量・養殖（海面養殖）
9万
9,138t
（第 2 位）

食料自給率
（カロリーベース）
120%
（第 4 位）

エンゲル係数*
29.9
（第 4 位）

食品出荷額
3,784億
800万円
（第 25 位）

コロナ禍での消費変化～【グラフ】月別増減率～

調味料
* 4万832円 （第 32 位）

酒 類
* 6万1,275円 （第 2 位）

調理食品
*12万5,720円（第 29 位）

外 食
* 9万6,422円（第 45 位）

青森県民力

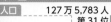

人 口

人口	127万5,783人	第31位
人口増減数	-16,926人	第42位
人口密度	136人／㎢	第41位
出生率	5.8人／千人	第45位
死亡率	14.9人／千人	第2位
外国人の割合	0.51%	第46位
交通事故死亡者数	2.25人／10万人	第32位
自殺者数	20.7人／10万人	第8位
婚姻率	3.7人／千人	第45位
離婚率	1.62人／千人	第28位

暮らし

貯蓄額*	922万円	第46位
負債総額*	343万円	第41位
持ち家率*	87.4%	第8位
延べ床面積*	136.7㎡	第8位
水道高熱費*	33万4,048円	第2位
保健医療費*	1万1,863円	第42位
大学進学率	46.6%	第34位
高卒の割合	30.1%	第4位
犯罪認知件数	3,409件	第35位
少年犯罪数	1.21人／千人	第42位

*は青森市の値

経済・労働

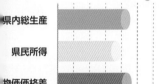

average

県内総生産	4兆2,935億円 第33位	11兆6,058億円
県民所得	249万円／人 第44位	330.4万円
物価価格差	98.4 第30位	100.0

就 職

第43位	第22位	第6位
0.99	0.59人	2.99%
有効求人倍率	正社員新規求人数	失業率
1.19	0.51人	2.8%

仕 事

第44位	第47位	第17位
19.02万円	944円	12.6年
大卒初任給	パート時給	勤続年数
21.02万円	1,081円	12.4年

産 業

製 造

（カ所）	事業所数	製造品出荷額	（億円）
800			26,000

年	2010年	2016年	2017年	2018年	2019年
事業所数	1,561	1,386	986	1,377	1,338
製造品出荷額	15,107	18,070	19,121	17,793	17,253

流通・企業

年間商品販売額	3兆562億円	27
年間商品販売額のうち卸売販売額	1兆6,682億円	28
年間商品販売額のうち小売販売額	1兆3,881億円	29
上場企業数	4	41
企業倒産数	44件	34
代表取締役出身者数	1万6,052人	26

□は全国順位

Data で見る 青森県

世 帯

59 万 2,822 世帯 30 位

- 他 16.6%
- 高齢者世帯 11.1%
- 単身者世帯 30.1%
- 核家族世帯 53.3%

- 平均人員 2.15 人 (33 位)
- 世帯主年齢 61.1 歳 (8 位)
- 子どもの人員 0.52 人 (37 位)
- 高齢者の人員 0.95 人 (5 位)
- 生活保護世帯数 22.8 世帯／千世帯 (4 位)

気 候

35℃以上の日数	**2 日**	☀	全国で 41 位
平均気温	**11.6℃**	🌡	全国で 45 位
日照時間	**1,599 時間**	☀	全国で 44 位
降水量	**1,419 ㎜**	☂	全国で 37 位
平均相対湿度	**75.8%**	👕	全国で 7 位

(青森管区気象台 2020 年)

最低気温 -7.4℃／最高気温 35.7℃

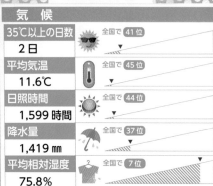

(24 位)	30.9 歳	初婚年齢	29.3 歳	(22 位)
(47 位)	78.67 歳	寿命	85.93 歳	(47 位)
(47 位)	26.52 万円	月額給与	20.40 万円	(46 位)
(10 位)	171.0㎝	身長	157.8㎝	(22 位)
(1 位)	65.5kg	体重	54.1kg	(4 位)

地 価

地価平均価格

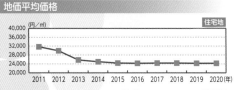

住宅地

商業地

用途別の平均変動率

住宅地	-0.4%	29 位
商業地	-0.3%	27 位
工業地	-0.1%	34 位

住宅地の平均価格*
3 万 3,300 円／㎡ 45 位
(＋ 100 円)

商業地の最高値*
19 万 9,000 円／㎡ 42 位
(＋2,000 円)

*は青森市の値

旅行者 (対前年同月比)

月別の宿泊者数

2020 年計 **308 万人泊** (前年比 66.9%) **33 位**

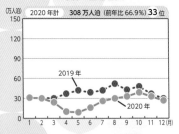

月別の客室稼働率

2020 年 **23.8%** (前年比 65.9%) **10 位**

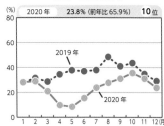

学校・施設

- 医師数 203.3／10 万人（42 位）
- 病院数 7.5 施設／10 万人（21 位）
- 一般診療所数
  70.4 施設／10 万人（42 位）
- 児童福祉施設数
  52.9 施設／10 万人（6 位）
- 老人福祉センター数
  6.66 施設／10 万人（13 位）
- 小学校数 269 校（29 位）
- 高校数 77 校（25 位）

- 大学数 10 校（20 位）
- 博物館数 0.40 施設／10 万人（46 位）
- 映画館数 3.53 施設／10 万人（8 位）
- 図書館数 2.77 施設／10 万人（33 位）
- 学校のIT化 4.59 人／台（23 位）
- 保育所数 480 カ所（21 位）
- 幼稚園数 87 校（34 位）

消　費（青森市の1世帯当たりの年間支出金額）

消費変化（対前年比較）

年間消費支出
302 万 2,572 円 **43 位**
（対前年比 103.4%）

消費支出増減率（前年同月比）

(%)	1	2	3	4	5	6	7	8	9	10	11	12(月)
	0.66	-5.69	-22.28	2.92	-8.16	-6.55	-16.91	22.37	4.13	47.91	23.70	18.87

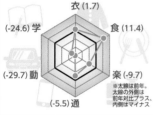

衣 (1.7)
(-24.6) 学　　食 (11.4)
(-29.7) 動　　楽 (-9.7)
(-5.5) 通

※太線は前年。
太線の外側は
前年対比プラス、
内側はマイナス

衣：被服・履物費	9 万 1,238 円	**45**
食：食費	94 万 9,057 円	**25**
楽：教養娯楽費	23 万 2,313 円	**46**
通：通信費	14 万 9,417 円	**40**
動：交通費	20 万 4,148 円	**45**
学：教育費	4 万 6,146 円	**47**

■は全国順位

鮮　魚
4 万 3,028 円（11 位）

サ　ケ	7,324 円
マグロ	4,929 円
イ　カ	3,376 円
エ　ビ	3,033 円
ブ　リ	2,348 円

飲　料
6 万 9,367 円（2 位）

果実・野菜ジュース	1 万 97 円
茶飲料	9,577 円
炭酸飲料	9,530 円
コーヒー	7,874 円
コーヒー飲料	6,002 円

生鮮野菜
8 万 127 円（12 位）

トマト	9,588 円
たまねぎ	3,737 円
きゅうり	3,544 円
キャベツ	3,515 円
ブロッコリー	3,335 円

菓　子
8 万 1,452 円（39 位）

アイスクリーム	9,356 円
ケーキ	6,567 円
チョコレート	6,455 円
スナック菓子	6,000 円
せんべい	5,649 円

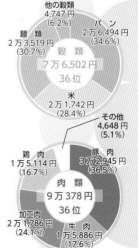

他の穀類
4,747 円
(6.2%)

パン
2 万 6,494 円
(34.6%)

麺　類
2 万 3,519 円
(30.7%)

穀　類
7 万 6,502 円
36 位

米
2 万 1,742 円
(28.4%)

その他
4,648 円
(5.1%)

鶏　肉
1 万 5,114 円
(16.7%)

豚　肉
3 万 2,945 円
(36.5%)

肉　類
9 万 378 円
36 位

加工肉
2 万 1,786 円
(24.1%)

牛　肉
1 万 5,886 円
(17.6%)

岩手県

農業生産

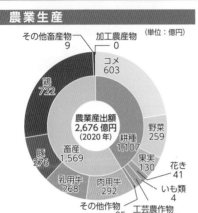

（単位：億円）

農業産出額
2,676億円
（2020年）

- その他畜産物 9
- 加工農産物 0
- コメ 603
- 鶏 722
- 豚 276
- 畜産 1,569
- 乳用牛 268
- 肉用牛 292
- その他作物 25
- 工芸農作物 44
- いも類 4
- 花き 41
- 果実 130
- 野菜 259
- 耕種 1,107

農業物産産出額上位 **10** 品目

① 米		603億円
② ブロイラー		549億円
③ 肉用牛		292億円
④ 豚 276億円	⑧ 葉たばこ 41億円	
⑤ 生乳 234億円	⑨ 乳牛 34億円	
⑥ 鶏卵 135億円	⑩ ひな※ 32億円	
⑦ りんご 106億円		

※他都道府県販売

C 二戸市

D 岩手町

八幡平市

盛岡市

滝沢市

雫石町

矢巾町

紫波町

F 西和賀町

花巻市

北上市

金ケ崎町

H 奥州市

平泉町

Fワラビ／西和賀町
西和賀町の「西わらび」は、とくに太くて粘りがあり、アクが少ない。

H江刺りんご／奥州市
完全無袋、わい化栽培で育てられる。完熟したものは最高級品として取引される。

A干しアワビ／洋野町
肉厚で歯ごたえがある三陸のアワビを天日で乾燥。中華料理の高級食材。

Bアマランサス／軽米町
国内生産量の100％が岩手県産の雑穀。栄養豊富なスーパーフード。

Cいわて短角和牛／岩泉町、久慈市、二戸市、盛岡市
和牛品種の一つ、日本短角種は、岩手がトップシェア。旨みのある赤身の肉。

Dいわて春みどり／岩手町
キャベツの産地で誕生。やわらかくて緑色が濃く、甘みのある春系キャベツ。

E岩泉まつたけ／岩泉町
古くからマツタケの産地、岩泉町産のなかでも味・香り・形に優れる。

戸町

A
B
洋野町
軽米町
九戸村
久慈市
C
野田村
葛巻町
普代村
C E
田野畑村
岩泉町
G 宮古市
山田町
大槌町
遠野市
釜石市
G
住田町
大船渡市
G
陸前高田市
一関市

N

G南部鼻曲り鮭／宮古市、大船渡市、釜石市
陸中海岸の川で捕れる鼻がカギ状に曲がった雄のシロサケ。寒風干しは贈答品に。

ヨーグルト／県内広域
盛岡は乳製品の支出金額が第1位。県内各地にヨーグルトの名産品がある。

凡例
━━━ 新幹線
━ ━ ━ JR
━━━ 国道
━━━ 県道・都道

岩手県 の 食

*盛岡市の1世帯当たりの年間支出金額

耕地面積(田畑計)
14万9,500ha
(第 5 位)

コメの作付面積(水稲延べ)
5万400ha
(第 10 位)

コメの収穫量(水稲)
27万8,700t
(第 11 位)

肉用牛(飼育頭数)
9万1,100頭
(第 5 位)

養豚(飼育頭数)
40万2,400頭
(第 8 位)

ブロイラー(飼育頭数)
2,164万7,000羽
(第 3 位)

漁獲量・天然(海面漁業)
9万2,774t
(第 9 位)

漁獲量・養殖(海面養殖)
2万9,570t
(第 11 位)

食料自給率(カロリーベース)
106%
(第 6 位)

エンゲル係数*
27.3
(第 17 位)

食品出荷額
3,900億3,200万円
(第 23 位)

コロナ禍での消費変化～【グラフ】月別増減率～

調味料
* 4万5,525円 (第 3 位)
(円)
— 2019年 — 2020年

酒 類
* 5万268円 (第 13 位)
(円)
— 2019年 — 2020年

調理食品
* 12万5,939円 (第 28 位)
(円)
— 2019年 — 2020年

外 食
* 10万8,554円 (第 40 位)
(円)
— 2019年 — 2020年

岩手県民力

人口

人口	123万5,517人	第32位
人口増減数	-14,625人	第39位
人口密度	84人／㎢	第46位
出生率	5.7人／千人	第46位
死亡率	14.6人／千人	第5位
外国人の割合	0.66%	第45位
交通事故死亡者数	3.75人／10万人	第8位
自殺者数	22.3人／10万人	第6位
婚姻率	3.7人／千人	第45位
離婚率	1.44人／千人	第41位

暮らし

貯蓄額*	1,330万円	第40位
負債総額*	525万円	第22位
持ち家率*	76.3%	第37位
延べ床面積*	117.0m	第24位
水道高熱費*	32万5,550円	第4位
保健医療費*	1万3,034円	第26位
大学進学率	45.2%	第40位
高卒の割合	28.4%	第8位
犯罪認知件数	2,553件	第43位
少年犯罪数	1.40人／千人	第37位

*は盛岡市の値

経済・労働

average

県内総生産	4兆4,573億円 第29位	11兆6,058億円
県民所得	277万円／人 第32位	330.4万円
物価価格差	99.1 第20位	100.0

就職

第33位	第31位	第23位
1.09	0.52人	2.37%
有効求人倍率	正社員新規求人数	失業率
1.19	0.51人	2.8%

仕事

第36位	第41位	第17位
19.32万円	997円	12.6年
大卒初任給	パート時給	勤続年数
21.02万円	1,081円	12.4年

産業

製造

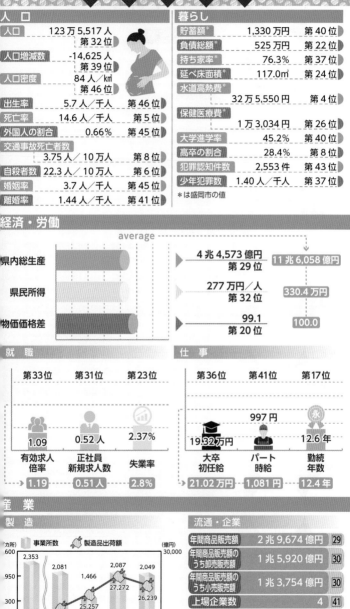

事業所数　製造品出荷額

年	事業所数	製造品出荷額
2010年	2,353	20,991
2016年	2,081	23,717
2017年	1,466	25,257
2018年	2,087	27,272
2019年	2,049	26,239

流通・企業

年間商品販売額	2兆9,674億円	29
年間商品販売額のうち卸売販売額	1兆5,920億円	30
年間商品販売額のうち小売販売額	1兆3,754億円	30
上場企業数	4	41
企業倒産数	42件	36
代表取締役出身者数	1万2,874人	35

□は全国順位

25

Data で見る 岩手県

世 帯

52万8,691世帯 33位

- 他 18.3%
- 高齢者世帯 10.9%
- 単身者世帯 30.4%
- 核家族世帯 51.3%

- 平均人員 2.34人（12位）
- 世帯主年齢 59.1歳（22位）
- 子どもの人員 0.62人（24位）
- 高齢者の人員 0.77人（27位）
- 生活保護世帯数 12.5世帯／千世帯（23位）

気 候

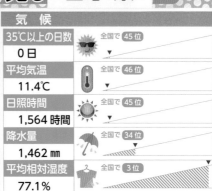

35℃以上の日数	0日	全国で 45位
平均気温	11.4℃	全国で 46位
日照時間	1,564時間	全国で 45位
降水量	1,462mm	全国で 34位
平均相対湿度	77.1%	全国で 3位

（盛岡管区気象台 2020年）

最低気温 -10.2℃／最高気温 34.9℃

		初婚年齢		
（24位）	30.9歳	初婚年齢	29.2歳	（18位）
（45位）	79.86歳	寿命	86.44歳	（42位）
（46位）	26.73万円	月額給与	20.93万円	（43位）
（5位）	171.3cm	身長	157.9cm	（19位）
（5位）	64.1kg	体重	54.8kg	（1位）

地 価

地価平均価格

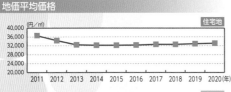
住宅地

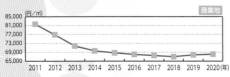
商業地

用途別の平均変動率

住宅地	-0.1%	24位
商業地	-0.7%	39位
工業地	1.9%	13位

住宅地の平均価格*
4万7,800円／㎡ 37位
（+300円）

商業地の最高値*
31万1,000円／㎡ 33位
（+3,000円）

*は盛岡市の値

旅行者（対前年同月比）

月別の宿泊者数

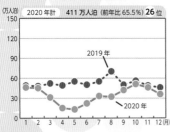

2020年計 411万人泊（前年比65.5%）26位

2019年
2020年

月別の客室稼働率

2020年 22.9%（前年比72.9%）16位

2019年
2020年

学校・施設

- 医師数 201.7人／10万人（43位）
- 病院数 7.4施設／10万人（22位）
- 一般診療所数
  71.6施設／10万人（41位）
- 児童福祉施設数
  49.1施設／10万人（9位）
- 老人福祉センター数
  6.93施設／10万人（10位）
- 小学校数 304校（26位）
- 高校数 79校（21位）

- 大学数 6校（34位）
- 博物館数 1.69施設／10万人（9位）
- 映画館数 1.87施設／10万人（43位）
- 図書館数 3.79施設／10万人（12位）
- 学校のIT化 4.61人／台（22位）
- 保育所数 382カ所（28位）
- 幼稚園数 85校（35位）

消 費（盛岡市の1世帯当たりの年間支出金額）

消費変化（対前年比較）

年間消費支出
325万825円 **30位**
（対前年比 91.7%）

消費支出増減率（前年同月比）

月	(%)
1	-4.89
2	8.37
3	-17.65
4	-4.03
5	-30.72
6	-19.82
7	-1.36
8	2.85
9	-6.54
10	-11.84
11	-2.26
12	-3.68

衣 (-23.6)
食 (-3.0)
(-38.7) 学
楽 (-27.5)
(-12.9) 動
(1.1) 通

※太線は前年。太線の外側は前年対比プラス、内側はマイナス

衣：被服・履物費	9万8,980円	**39**
食：食費	92万9,971円	**32**
楽：教養娯楽費	24万8,796円	**42**
通：通信費	17万560円	**18**
動：交通費	31万6,847円	**24**
学：教育費	7万8,899円	**41**

■は全国順位

鮮 魚

3万5,356円（42位）

マグロ	5,978円
サ ケ	5,639円
エ ビ	2,327円
イ カ	2,039円
カツオ	1,847円

生鮮野菜

7万3,291円（26位）

トマト	6,375円
きゅうり	3,501円
ブロッコリー	3,373円
キャベツ	3,355円
たまねぎ	3,253円

飲 料

6万854円（15位）

果実・野菜ジュース	9,072円
炭酸飲料	7,919円
コーヒー	7,509円
茶飲料	7,487円
コーヒー飲料	4,738円

菓 子

8万9,049円（15位）

アイスクリーム	9,625円
ケーキ	7,535円
チョコレート	7,294円
せんべい	6,689円
スナック菓子	5,138円

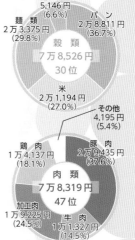

穀 類
7万8,526円
30位

- 他の穀類 5,146円（6.6%）
- 麺 類 2万3,375円（29.8%）
- パン 2万8,811円（36.7%）
- 米 2万1,194円（27.0%）
- その他 4,195円（5.4%）

肉 類
7万8,319円
47位

- 鶏 肉 1万4,137円（18.1%）
- 豚 肉 2万9,435円（37.6%）
- 加工肉 1万9,225円（24.5%）
- 牛 肉 1万1,327円（14.5%）

宮城県

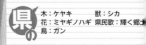

県の
木：ケヤキ　　　獣：シカ
花：ミヤギノハギ　県民歌：輝く郷土
鳥：ガン

農業生産

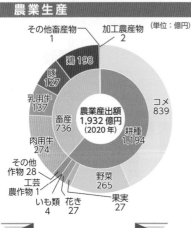

（単位：億円）

その他畜産物 1
加工農産物 2
鶏 198
豚 127
乳用牛 137
畜産 736
肉用牛 274
コメ 839
耕種 1,194
野菜 265
果実 27
花き 27
いも類 4
工芸農作物 1
その他作物 28

農業産出額
1,932 億円
（2020 年）

農業物産出額上位 **10** 品目

① 米	839 億円	
② 肉用牛	274 億円	
③ 鶏卵	131 億円	
④ 豚	127 億円	⑧ きゅうり 30 億円
⑤ 生乳	121 億円	⑨ トマト 29 億円
⑥ いちご	61 億円	⑩ ねぎ 26 億円
⑦ ブロイラー	57 億円	

◢ツルムラサキ
／蔵王町、角田市、柴田町ほか
東南アジア原産の栄養豊富
な夏野菜。1972 年頃に蔵王
町で栽培が始まる。

凡例
－■－■－ 新幹線
－■■－ J R
――― 国 道
――― 鉄・軌道

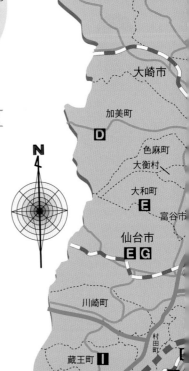

栗原市 **C**

大崎市

加美町 **D**

色麻町
大衡村

大和町 **E**
富谷市

仙台市 **E** **G**

川崎町

村田町

蔵王町 **◢**

七ケ宿町

白石市

柴田町

大河原町

角田市 **◢**

丸森町

N

Aサンマ／女川町、気仙沼市
女川魚市場の水揚げ魚種の
4分の1を占める。サンマ
水揚げ量は本州一。

Bマボヤ／石巻市、女川町、
南三陸町、気仙沼市
三陸沿岸で養殖が盛ん。3
～4年かけてじっくり育て
られ、夏に水揚げされる。

Cパプリカ／栗原市、登米市ほか
大手工場の排熱を利用した
大規模ハウス栽培により、
出荷量は国内トップクラス。

気仙沼市　**A B**
南三陸町　**B**
登米市　**C**
涌谷町
石巻市
F
美里町
大郷町
女川町　**A B**
東松島市
松島町
塩竈市
七ヶ浜町
利府町
多賀城市　**F G H**
名取市
沼市

D仙台白菜／加美町、岩沼市ほか
現在流通している結球白菜
の原型の1つとされる。や
わらかく甘みがある。

E仙台曲がりねぎ／
仙台市、
大和町ほか
土がかぶさり曲がることが
ネギのストレスとなり、甘
くやわらかく成長する。

Fセ リ／名取市、石巻市
宮城の在来野菜で、生
産量も全国トップクラ
ス。せり鍋は郷土料理。

Gちぢみゆきな／
仙台市、名取市ほか
中国野菜ターサイが原種と
される。ちぢれた肉厚の葉
はクセがなく使いやすい。

Hミョウガタケ
／名取市ほか
ショウガの仲間の香
味野菜で、若い茎を
軟白栽培したもの。
ツマやサラダに。

宮城県 の 食

※仙台市の1世帯当たりの年間支出金額

耕地面積（田畑計）
12万 5,800ha
（第 8 位）

コメの作付面積（水稲延べ）
6万 8,300ha
（第 4 位）

コメの収穫量（水稲）
37万 7,000t
（第 5 位）

肉用牛（飼育頭数）
8万 900頭
（第 7 位）

養豚（飼育頭数）
18万 6,100頭
（第 16 位）

ブロイラー（飼育頭数）
216万 6,000羽
（第 14 位）

漁獲量・天然（海面漁業）
19万 5,460t
（第 4 位）

漁獲量・養殖（海面養殖）
7万 5,268t
（第 3 位）

食料自給率（カロリーベース）
74%
（第 11 位）

エンゲル係数*
28.8
（第 7 位）

食品出荷額
6,579億 2,600万円
（第 15 位）

コロナ禍での消費変化～【グラフ】月別増減率～

調味料
* 4万2,635円 （第 18 位）

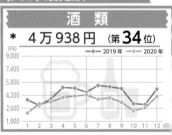

（円）
5,000 / 4,400 / 3,800 / 3,200 / 2,600 / 2,000
━●━ 2019年　━●━ 2020年
1 2 3 4 5 6 7 8 9 10 11 12（月）

酒 類
* 4万938円 （第 34 位）

（円）
9,000 / 7,400 / 5,800 / 4,200 / 2,600 / 1,000
━●━ 2019年　━●━ 2020年
1 2 3 4 5 6 7 8 9 10 11 12（月）

調理食品
*12万6,615円 （第 25 位）

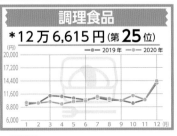

（円）
20,000 / 17,200 / 14,400 / 11,600 / 8,800 / 6,000
━●━ 2019年　━●━ 2020年
1 2 3 4 5 6 7 8 9 10 11 12（月）

外 食
*11万4,015円 （第 37 位）

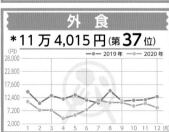

（円）
28,000 / 22,800 / 17,600 / 12,400 / 7,200 / 2,000
━●━ 2019年　━●━ 2020年
1 2 3 4 5 6 7 8 9 10 11 12（月）

宮城県民力

人 口

人口	229万2,385人	第14位
人口増減数	-10,713人	第28位
人口密度	321人／k㎡	第19位
出生率	6.5人／千人	第30位
死亡率	11.0人／千人	第36位
外国人の割合	1.00%	第32位
交通事故死亡者数	1.91人／10万人	第39位
自殺者数	18.3人／10万人	第16位
婚姻率	4.4人／千人	第20位
離婚率	1.66人／千人	第19位

暮らし

貯蓄額*	1,950万円	第11位
負債総額*	636万円	第12位
持ち家率*	74.0%	第43位
延べ床面積*	110.4㎡	第29位
水道高熱費*	27万2,606円	第13位
保健医療費*	1万2,655円	第30位
大学進学率	50.0%	第29位
高卒の割合	23.2%	第17位
犯罪認知件数	1万193件	第15位
少年犯罪数	1.30人／千人	第41位

*は仙台市の値

経済・労働

		average	
県内総生産	9兆2,050億円 第14位		11兆6,058億円
県民所得	294万円／人 第24位		330.4万円
物価価格差	99.3 第17位		100.0

就 職

第18位	第20位	第8位
1.26	0.60人	2.94%
有効求人倍率	正社員新規求人数	失業率
1.19	0.51人	2.8%

仕 事

第8位	第33位	第13位
20.70万円	1,046円	12.8年
大卒初任給	パート時給	勤続年数
21.02万円	1,081円	12.4年

産 業

製 造

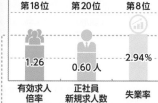

（カ所）	事業所数	製造品出荷額	（億円）
200	3,084		60,000
400	2,618		
	1,888	2,579 2,519	
600		44,696 46,656 45,256	
800	35,689 41,128		30,000

2010年　2016年　2017年　2018年　2019年

流通・企業

年間商品販売額	9兆2,531億円	12
年間商品販売額のうち卸売販売額	6兆5,045億円	10
年間商品販売額のうち小売販売額	2兆7,486億円	14
上場企業数	20	21
企業倒産数	113件	15
代表取締役出身者数	1万8,065人	23

□は全国順位

世 帯

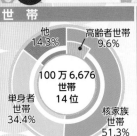

他 14.3%
高齢者世帯 9.6%

100万6,676世帯 14位

単身者世帯 34.4%

核家族世帯 51.3%

・平均人員 2.28人（20位）
・世帯主年齢 60.2歳（12位）
・子どもの人員 0.60人（25位）
・高齢者の人員 0.85人（12位）
・生活保護世帯数
　8.1世帯／千世帯（33位）

気 候

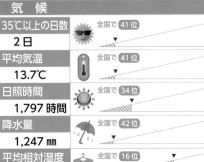

35℃以上の日数		全国で 41位	
2日			
平均気温		全国で 41位	
13.7℃			
日照時間		全国で 34位	
1,797 時間			
降水量		全国で 42位	
1,247 mm			
平均相対湿度		全国で 16位	
73.6%			

〈仙台管区気象台 2020 年〉

最低気温 -4.7℃／最高気温 35.5℃

（31位）	31.0歳	初婚年齢	29.4歳	（28位）
（15位）	80.99歳	寿命	87.16歳	（20位）
（17位）	31.51万円	月額給与	23.04万円	（24位）
（23位）	170.5cm	身長	157.6cm	（28位）
（10位）	63.5kg	体重	53.8kg	（7位）

地 価

地価平均価格

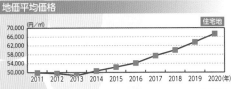

住宅地

(円／㎡)										
70,000 66,000 62,000 58,000 54,000 50,000	2011	2012	2013	2014	2015	2016	2017	2018	2019	2020(年)

商業地

(円／㎡)										
400,000 350,000 300,000 250,000 200,000 150,000	2011	2012	2013	2014	2015	2016	2017	2018	2019	2020(年)

用途別の平均変動率

住宅地	3.5%	2位
商業地	6.2%	6位
工業地	5.3%	4位

住宅地の平均価格*
9万7,200円／㎡ 14位
（+ 6,400円）

商業地の最高値*
402万円／㎡ 9位
（+40万円）

＊は仙台市の値

旅行者（対前年同月比）

月別の宿泊者数

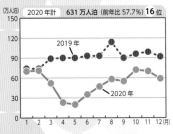

2020年計 631万人泊（前年比 57.7%）16位

（万人泊）
150
120
90
60
30
0

2019年
2020年

1　2　3　4　5　6　7　8　9　10　11　12(月)

月別の客室稼働率

2020年 24.1%（前年比 59.5%）8位

（%）
80
60
40
20
0

2019年
2020年

1　2　3　4　5　6　7　8　9　10　11　12(月)

学校・施設

- 医師数 238.4人／10万人（29位）
- 病院数 6.0施設／10万人（33位）
- 一般診療所数
  72.5施設／10万人（39位）
- 児童福祉施設数
  49.3施設／10万人（8位）
- 老人福祉センター数
  3.90施設／10万人（36位）
- 小学校数 381校（17位）
- 高校数 95校（17位）
- 大学数 14校（14位）
- 博物館数 0.78施設／10万人（38位）
- 映画館数 2.86施設／10万人（20位）
- 図書館数 1.51施設／10万人（45位）
- 学校のIT化 4.80人／台（18位）
- 保育所数 481カ所（20位）
- 幼稚園数 232校（13位）

消　費（仙台市の1世帯当たりの年間支出金額）

年間消費支出
317万7,803円 **37位**
（対前年比 95.9%）

消費支出増減率（前年同月比）

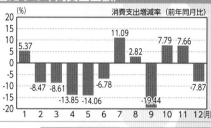

		(%)
1	5.37	
2	-8.47	
3	-8.61	
4	-13.85	
5	-14.06	
6	-6.78	
7	11.09	
8	-19.44	
9	2.82	
10	7.79	
11	7.66	
12	-7.87	

消費変化（対前年比較）

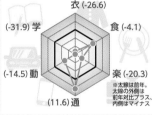

衣 (-26.6)
(-31.9)学
食 (-4.1)
(-14.5)動
楽 (-20.3)
(11.6)通

※太線は前年。
太線の外側は
前年対比プラス、
内側はマイナス

衣：被服・履物費	10万4,195円	**32**
食：食費	96万597円	**21**
楽：教養娯楽費	27万6,652円	**36**
通：通信費	15万7,394円	**35**
動：交通費	22万4,122円	**42**
学：教育費	8万3,464円	**38**

■は全国順位

鮮　魚

4万1,638円（15位）

マグロ	7,252円
サ　ケ	5,832円
エ　ビ	2,709円
カツオ	2,699円
ブ　リ	2,177円

飲　料

6万1,214円（14位）

コーヒー	8,264円
果実・野菜ジュース	8,064円
茶飲料	7,415円
炭酸飲料	6,894円
乳酸菌飲料	4,616円

生鮮野菜

8万5,017円（6位）

トマト	8,002円
きゅうり	3,877円
キャベツ	3,559円
たまねぎ	3,215円
ねぎ	3,170円

菓　子

9万1,348円（12位）

アイスクリーム	1万77円
ケーキ	7,688円
チョコレート	7,077円
せんべい	5,826円
スナック菓子	4,897円

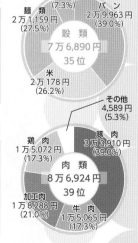

穀　類
7万6,890円
35位

- 他の穀類 5,590円（7.3%）
- 麺類 2万1,159円（27.5%）
- パン 2万9,963円（39.0%）
- 米 2万178円（26.2%）

肉　類
8万6,924円
39位

- その他 4,589円（5.3%）
- 鶏肉 1万5,072円（17.3%）
- 豚肉 3万3,910円（39.0%）
- 加工肉 1万8,288円（21.0%）
- 牛肉 1万5,065円（17.3%）

秋田県

県の
木：秋田杉　歌：
花：フキノトウ　秋田県民歌、県民
鳥：ヤマドリ　　　の歌
魚：ハタハタ

農業生産

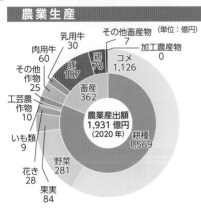

（単位：億円）

農業産出額
1,931億円
（2020年）

- その他畜産物 7
- 加工農産物 0
- 乳用牛 30
- 肉用牛 60
- 豚 187
- 鶏 78
- コメ 1,126
- その他作物 25
- 工芸農作物 10
- いも類 9
- 花き 28
- 果実 84
- 野菜 281
- 畜産 362
- 耕種 1,569

農業物産出額上位10品目

①	米	1,126億円
②	豚	187億円
③	鶏卵	64億円
④	肉用牛 60億円	⑧ えだまめ※ 26億円
⑤	りんご 52億円	⑨ トマト 22億円
⑥	ねぎ 34億円	⑩ 大豆 21億円
⑦	生乳 26億円	

※未成熟のもの

藤里町
八峰町
能代市
三種町　Ｉ
大潟村
八郎潟町
男鹿市　Ｂ
五城目町
井川町
潟上市
由利本荘市　Ｄ
Ｄ
にかほ市

Ｂ真　鯛／男鹿市
天然の真鯛が産卵のため男鹿沖を回遊する5～6月頃、男鹿の鯛まつりが開催。

Ｈひろっこ／湯沢市
アサツキの若芽で、雪の下で萌芽したところを収穫する。早春の味。

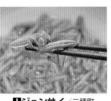

Ｉジュンサイ／三種町
三種町森岳地区の天然沼から転作田で栽培されるようになる。日本最大の産地。

凡例
新幹線
ＪＲ
国道
鉄道・地下鉄

十和田湖

小坂町

大館市
Ａ

鹿角市

北秋田市

仙北市
Ｃ

田市

田沢湖

仙市

美郷町

横手市

東成瀬村
Ｅ

湯沢市
Ｆ Ｇ Ｈ

山菜 県内広域
アイコ（ミヤマイラクサ）やシドケ（モミジガサ）は、秋田で人気の山菜。

Ａとんぶり 大館市
ホウキグサの実を加工して食用としたもの。伝統野菜の一つに数えられている。

Ｃ生保内たけのこ／仙北市
生保内（おぼない）たけのこは駒ヶ岳山麓に自生する根曲がり竹（チシマザサ）。

Ｄからとり芋
／由利本荘市、にかほ市
葉柄と親イモを食用とするサトイモの一種で、葉柄は乾燥させ、保存食として使用。

Ｅ平良かぶ／東成瀬村
東成瀬村の平良地区でのみ栽培されてきた伝統野菜。こうじ漬など漬物にされる。

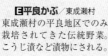

Ｆチョロギ／湯沢市
中国原産のシソ科の宿根草。サクサクした歯応えがあり、おせちにも入る。

Ｇ三関せり／湯沢市
葉や茎が太く、根がしっかりしている。きりたんぽ鍋には根も一緒に入れる。

秋田県 の 食

＊秋田市の1世帯当たりの年間支出金額

耕地面積(田畑計)	コメの作付面積(水稲延べ)	コメの収穫量(水稲)
14万 6,700ha	8万 7,600ha	52万 7,400t
(第 6 位)	(第 3 位)	(第 3 位)

肉用牛(飼育頭数)	養豚(飼育頭数)	ブロイラー(飼育頭数)
1万 9,400 頭	27万 2,100 頭	x
(第 31 位)	(第 12 位)	(第 37 位)

漁獲量・天然(海面漁業)	漁獲量・養殖(海面養殖)
5,652t	166t
(第 37 位)	(第 34 位)

食料自給率 (カロリーベース)	エンゲル係数＊	食品出荷額
190%	27.5	1,114 億 8,000 万円
(第 2 位)	(第 14 位)	(第 44 位)

コロナ禍での消費変化～【グラフ】月別増減率～

調味料
＊ 4 万 490 円 (第 35 位)

酒 類
＊ 5 万 9,331 円 (第 3 位)

調理食品
＊ 11 万 588 円 (第 46 位)

外 食
＊ 11 万 2,565 円 (第 39 位)

秋田県民力

人口

人口	98万5,416人	第38位
人口増減数	-14,807人	第41位
人口密度	88人／km²	第45位
出生率	4.9人／千人	第47位
死亡率	16.4人／千人	第1位
外国人の割合	0.45%	第47位
交通事故死亡者数	3.83人／10万人	第6位
自殺者数	19.9人／10万人	第10位
婚姻率	3.3人／千人	第47位
離婚率	1.33人／千人	第45位

暮らし

貯蓄額*	1,375万円	第37位
負債総額*	493万円	第26位
持ち家率*	92.8%	第3位
延べ床面積*	123.6m²	第13位
水道高熱費*	30万8,920円	第6位
保健医療費*	1万1,625円	第44位
大学進学率	45.0%	第42位
高卒の割合	30.9%	第3位
犯罪認知件数	2,382件	第45位
少年犯罪数	1.03人／千人	第47位

*は秋田市の値

経済・労働

average

項目	値	全国平均
県内総生産	3兆4,381億円　第39位	11兆6,058億円
県民所得	270万円／人　第35位	330.4万円
物価価格差	98.4　第30位	100.0

就職

	第14位	第2位	第4位
	有効求人倍率	正社員新規求人数	失業率
秋田	1.29	0.75人	3.02%
全国	1.19	0.51人	2.8%

仕事

	第45位	第46位	第1位
	大卒初任給	パート時給	勤続年数
秋田	19.01万円	969円	13.6年
全国	21.02万円	1,081円	12.4年

産業

製造

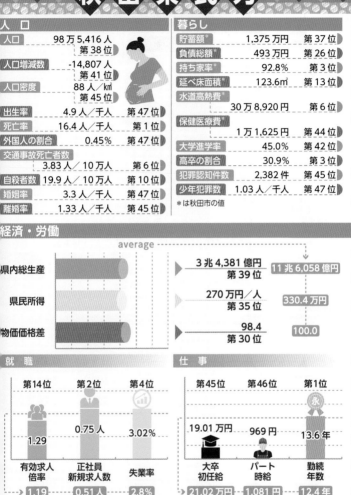

	2010年	2016年	2017年	2018年	2019年
事業所数	2,080	1,800	1,306	1,711	1,637
製造品出荷額	13,176	12,353	13,755	13,358	12,845

流通・企業

年間商品販売額	2兆1,910億円	38
年間商品販売額のうち卸売販売額	1兆888億円	38
年間商品販売額のうち小売販売額	1兆1,022億円	38
上場企業数	2	46
企業倒産数	44件	34
代表取締役出身者数	1万2,164人	37

□は全国順位

Data で見る 秋田県

世 帯

42万5,547世帯
38位

- 他 20.1%
- 高齢者世帯 12.7%
- 単身者世帯 27.9%
- 核家族世帯 52.0%

- 平均人員 2.32人（17位）
- 世帯主年齢 62.8歳（2位）
- 子どもの人員 0.32人（47位）
- 高齢者の人員 1.04人（2位）
- 生活保護世帯数 16.4世帯／千世帯（9位）

気 候

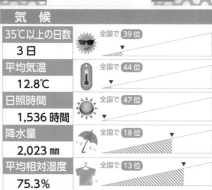

35℃以上の日数	3日	全国で 39位
平均気温	12.8℃	全国で 44位
日照時間	1,536時間	全国で 47位
降水量	2,023㎜	全国で 18位
平均相対湿度	75.3%	全国で 13位

（秋田管区気象台 2020年）

最低気温 -6.7℃／最高気温 36.1℃

（37位）	31.2歳	初婚年齢	29.7歳	（41位）
（46位）	79.51歳	寿命	86.38歳	（44位）
（45位）	26.85万円	月額給与	20.98万円	（42位）
（2位）	171.6㎝	身長	158.2㎝	（7位）
（2位）	65.4kg	体重	53.1kg	（22位）

地 価

地価平均価格

住宅地

2011 2012 2013 2014 2015 2016 2017 2018 2019 2020(年)

商業地

2011 2012 2013 2014 2015 2016 2017 2018 2019 2020(年)

用途別の平均変動率

住宅地	-0.9%	44位
商業地	-0.8%	42位
工業地	-0.7%	46位

住宅地の平均価格*
3万2,300円／㎡ 47位
（＋300円）

商業地の最高値*
17万円／㎡ 43位
（＋4,000円）

*は秋田市の値

旅行者（対前年同月比）

月別の宿泊者数

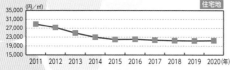

2020年計 232万人泊（前年比63.5%）41位

2019年
2020年

月別の客室稼働率

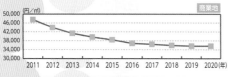

2020年 19.8%（前年比66.4%）32位

2019年
2020年

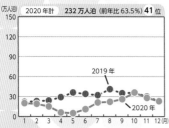

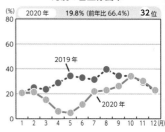

学校・施設

- 医師数 234.0 人／10 万人（30 位）
- 病院数 7.0 施設／10 万人（25 位）
- 一般診療所数 83.0 施設／10 万人（25 位）
- 児童福祉施設 43.9 施設／10 万人（16 位）
- 老人福祉センター数 8.28 施設／10 万人（4 位）
- 小学校数 191 校（41 位）
- 高校数 54 校（35 位）

- 大学数 7 校（30 位）
- 博物館数 1.12 施設／10 万人（26 位）
- 映画館数 1.76 施設／10 万人（44 位）
- 図書館数 4.89 施設／10 万人（7 位）
- 学校の IT 化 4.42 人／台（28 位）
- 保育所数 277 カ所（39 位）
- 幼稚園数 36 校（46 位）

消　費（秋田市の 1 世帯当たりの年間支出金額）

年間消費支出
317 万 9,064 円　**36 位**
（対前年比 101.3%）

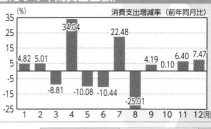

消費支出増減率（前年同月比）

月	1	2	3	4	5	6	7	8	9	10	11	12
(%)	4.82	5.01	-8.81	34.04	-10.08	-10.44	22.48	-25.01	4.19	0.10	6.40	7.47

消費変化（対前年比較）

- 衣 (-19.3)
- (-52.0) 学
- (-10.0) 動
- (6.3) 通
- (-2.3) 楽
- 食 (5.6)

※太線は前年。太線の外側は前年対比プラス、内側はマイナス

衣：被服・履物費	8 万 6,085 円	46
食：食費	93 万 79 円	30
楽：教養娯楽費	28 万 2,318 円	33
通：通信費	16 万 6,506 円	26
動：交通費	29 万 7,061 円	30
学：教育費	5 万 2,951 円	45

■は全国順位

鮮 魚

4 万 4,958 円（5 位）

サ ケ	5,324 円
マグロ	4,948 円
エ ビ	3,095 円
イ カ	2,698 円
カレイ	2,570 円

飲 料

5 万 2,184 円（45 位）

果実・野菜ジュース	7,954 円
コーヒー	7,370 円
茶飲料	6,189 円
炭酸飲料	4,938 円
乳酸菌飲料	4,687 円

生鮮野菜

8 万 6,948 円（4 位）

トマト	9,155 円
さやまめ	4,505 円
きゅうり	3,925 円
キャベツ	3,729 円
ね ぎ	3,373 円

菓 子

8 万 4,604 円（26 位）

アイスクリーム	9,636 円
ケーキ	6,025 円
チョコレート	5,798 円
せんべい	4,552 円
スナック菓子	3,019 円

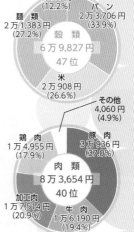

穀 類
6 万 9,827 円
47 位

- 他の穀類 3,831 円（12.2%）
- パン 2 万 3,706 円（33.9%）
- 麺 類 2 万 1,383 円（27.2%）
- 米 2 万 908 円（26.6%）
- その他 4,060 円（4.9%）

肉 類
8 万 3,654 円
40 位

- 鶏 肉 1 万 4,955 円（17.9%）
- 豚 肉 3 万 936 円（37.0%）
- 加工肉 1 万 7,514 円（20.9%）
- 牛 肉 1 万 6,190 円（19.4%）

山形県

農業生産

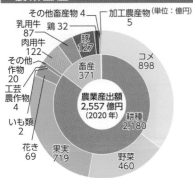

その他畜産物 4
加工農産物（単位：億円）5
乳用牛 87
鶏 32
豚 127
肉用牛 122
その他作物 20
工芸農作物 4
いも類 2
花き 69
果実 719
野菜 460
畜産 371
コメ 898
耕種 2,180
農業産出額 2,557 億円（2020 年）

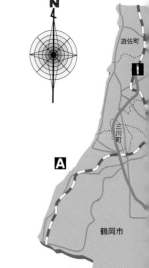

遊佐町
三川町
鶴岡市
小国町
飯豊
A
I

農業物産出額上位 **10** 品目

	品目	金額
①	米	898 億円
②	黄桃	362 億円
③	豚	127 億円
④	ぶどう	123 億円
⑤	肉用牛	122 億円
⑥	りんご	102 億円
⑦	生乳	71 億円
⑧	西洋なし	59 億円
⑨	すいか	58 億円
⑩	トマト	51 億円

G小野川豆もやし／米沢市
小野川温泉で冬期のみ栽培されている。「もやし豆」という在来種の大豆を使用。

Hウコギ／米沢市、川西町
上杉鷹山公が防犯や非常食用に垣根として推奨した。ウコギご飯は郷土料理。

I平田赤ねぎ／酒田市
枝分かれせず真っ直ぐ伸びる。生食だと辛みがあるが、熱を通すと甘い口当たり。

凡例
- 新幹線
- JR
- 国道
- 縣・郡道線

雪うるい／最上地域
ウルイはオオバギボウシの別名。モミガラを入れて茎を軟化して栽培する。

A寒鱈／庄内地方
寒の時期に獲れるマダラ。タラを丸ごと使ったどんがら汁で身体の芯まで温まる。

B漆野いんげん／金山町
伝統野菜。若さやでも食べられるが、さやごと乾燥させたものを戻して食べる。

Cアケビ
白鷹町、朝日町、天童市ほか
全国の約9割が山形県産。春の新芽、秋の果実・皮が食用、つるは細工物に利用。

D山形セルリー
／山形市ほか
苦みが少なく筋が柔らかい。大株の「とのセルリー」と「ひめセルリー」がある。

E山形赤根ほうれんそう
／山形市、天童市、上山市
葉が横に伸びて立ち上がり育つ。一株が大株で味が濃く、独特の甘さをもつ。

Fオカヒジキ
／山形市、南陽市
アカザ科の一年草で栄養豊富。海草のヒジキに似ていることから命名された。

山形県 の 食

*山形市の1世帯当たりの年間支出金額

耕地面積 (田畑計)
11万6,900ha
(第 11 位)

コメの作付面積 (水稲延べ)

6万4,700ha
(第 7 位)

コメの収穫量 (水稲)

40万2,400t
(第 4 位)

肉用牛 (飼育頭数)
4万200頭
(第 18 位)

養豚 (飼育頭数)
15万4,600頭
(第 18 位)

ブロイラー (飼育頭数)

x
(第 37 位)

漁獲量・天然 (海面漁業)
3,686t
(第 38 位)

漁獲量・養殖 (海面養殖)

—
(第 一 位)

食料自給率 (カロリーベース)
135%
(第 3 位)

エンゲル係数*
26.3
(第 33 位)

食品出荷額
3,272億8,100万円
(第 29 位)

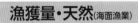

コロナ禍での消費変化～【グラフ】月別増減率～

調味料
* 4万3,742円 (第 12 位)

酒 類
* 4万3,521円 (第 21 位)

調理食品
* 12万5,198円 (第 30 位)

外 食
* 12万6,330円 (第 27 位)

山形県民力

人口

人口	108万2,296人	第36位
人口増減数	-13,087人	第34位
人口密度	121人／km²	第42位
出生率	6.0人／千人	第43位
死亡率	14.7人／千人	第4位
外国人の割合	0.75%	第42位
交通事故死亡者数	2.78人／10万人	第22位
自殺者数	18.0人／10万人	第19位
婚姻率	3.8人／千人	第43位
離婚率	1.34人／千人	第44位

暮らし

貯蓄額*	1,299万円	第41位
負債総額*	598万円	第16位
持ち家率*	85.8%	第13位
延べ床面積*	134.5m²	第9位
水道高熱費*	35万5,080円	第1位
保健医療費*	1万2,431円	第32位
大学進学率	46.1%	第36位
高卒の割合	28.0%	第9位
犯罪認知件数	3,085件	第38位
少年犯罪数	1.43人／千人	第35位

*は山形市の値

経済・労働

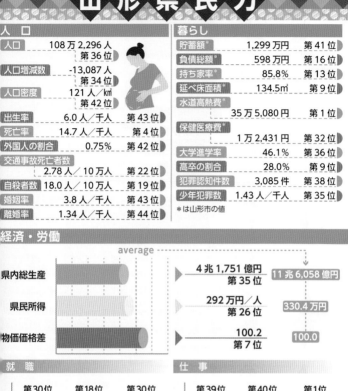

average

県内総生産	4兆1,751億円 第35位	11兆6,058億円
県民所得	292万円／人 第26位	330.4万円
物価価格差	100.2 第7位	100.0

就職

第30位	第18位	第30位
1.15	0.62人	2.22%
有効求人倍率	正社員新規求人数	失業率
1.19	0.51人	2.8%

仕事

第39位	第40位	第1位
19.26万円	999円	13.6年
大卒初任給	パート時給	勤続年数
21.02万円	1,081円	12.4年

産業

製造

事業所数　製造品出荷額

	2010年	2016年	2017年	2018年	2019年
事業所数	2,867	2,496	1,757	2,436	2,338
製造品出荷額	27,559	26,634	28,987	28,654	28,451

流通・企業

年間商品販売額	2兆4,059億円	36
年間商品販売額のうち卸売販売額	1兆2,349億円	35
年間商品販売額のうち小売販売額	1兆1,710億円	34
上場企業数	5	38
企業倒産数	38件	40
代表取締役出身者数	1万5,721人	27

□は全国順位

Data で見る 山形県

世 帯

高齢者世帯 10.7%
他 24.7%

41万7,088世帯 40位

単身者世帯 25.5%
核家族世帯 49.8%

・平均人員 2.59 人 （2位）
・世帯主年齢 59.9 歳 （14位）
・子どもの人員 0.53 人 （35位）
・高齢者の人員 0.94 人 （6位）
・生活保護世帯数 15.0 世帯／千世帯 （15位）

気 候

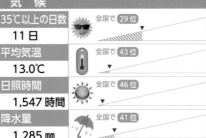

35℃以上の日数	11 日	全国で 29 位
平均気温	13.0℃	全国で 43 位
日照時間	1,547 時間	全国で 46 位
降水量	1,285 mm	全国で 41 位
平均相対湿度	75.3%	全国で 14 位

（山形管区気象台 2020 年）

最低気温 -6.4℃／最高気温 37.0℃

（24位）	30.9 歳	初婚年齢	29.0 歳	（7位）
（29位）	80.52 歳	寿命	86.96 歳	（29位）
（42位）	27.26 万円	月額給与	20.40 万円	（46位）
（18位）	170.6cm	身長	158.3cm	（6位）
（4位）	64.4kg	体重	54.2kg	（3位）

地 価

地価平均価格

住宅地

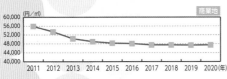

商業地

用途別の平均変動率

住宅地	0.1%	20 位
商業地	-0.5%	35 位
工業地	0.9%	21 位

住宅地の平均価格*
5 万 3,800 円／㎡ 31 位
（＋ 1,800 円）

商業地の最高値*
21 万 3,000 円／㎡ 41 位
（＋2,000 円）

*は山形市の値

旅行者 （対前年同月比）

月別の宿泊者数

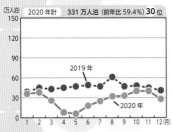

2020 年計 331 万人泊（前年比 59.4%）30 位

2019 年
2020 年

月別の客室稼働率

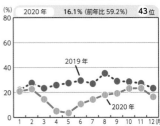

2020 年 16.1%（前年比 59.2%）43 位

2019 年
2020 年

学校・施設

- 医師数 226.0 人／10 万人（35 位）
- 病院数 6.3 施設／10 万人（30 位）
- 一般診療所数
  85.3 施設／10 万人（19 位）
- 児童福祉施設数
  46.2 施設／10 万人（12 位）
- 老人福祉センター数
  4.45 施設／10 万人（31 位）
- 小学校数 244 校（33 位）
- 高校数 61 校（31 位）
- 大学数 6 校（34 位）
- 博物館数 1.56 施設／10 万人（16 位）
- 映画館数 4.82 施設／10 万人（2 位）
- 図書館数 3.67 施設／10 万人（14 位）
- 学校の IT 化 4.55 人／台（25 位）
- 保育所数 288 カ所（37 位）
- 幼稚園数 69 校（38 位）

消　費（山形市の 1 世帯当たりの年間支出金額）

年間消費支出
352 万 2,430 円 **15 位**
（対前年比 95.8%）

消費支出増減率（前年同月比）

月	増減率(%)
1	20.99
2	0.31
3	-6.10
4	0.63
5	-17.49
6	-4.26
7	-9.57
8	-3.72
9	-14.68
10	4.74
11	2.51
12	-15.15

衣 (-15.2)
(-30.8) 学
食 (-1.5)
(-17.3) 動
楽 (-15.6)
(3.3) 通

※太線は前年。
太線の外側は前年対比プラス、内側はマイナス

衣：被服・履物費	10 万 6,418 円	30
食：食費	98 万 7,459 円	12
楽：教養娯楽費	27 万 7,434 円	35
通：通信費	19 万 5,075 円	3
動：交通費	37 万 3,169 円	16
学：教育費	10 万 2,788 円	31

■は全国順位

鮮　魚
3 万 3,997 円（44 位）

マグロ	5,824 円
サ　ケ	4,056 円
エ　ビ	3,213 円
カツオ	2,235 円
イ　カ	2,217 円

生鮮野菜
7 万 7,742 円（15 位）

トマト	6,399 円
きゅうり	4,165 円
ねぎ	3,494 円
キャベツ	2,964 円
たまねぎ	2,818 円

飲　料
6 万 490 円（19 位）

炭酸飲料	9,035 円
果実・野菜ジュース	8,101 円
茶飲料	8,017 円
コーヒー	6,883 円
乳酸菌飲料	4,316 円

菓　子
9 万 4,513 円（6 位）

アイスクリーム	1 万 576 円
ケーキ	8,573 円
せんべい	7,881 円
チョコレート	7,577 円
スナック菓子	5,564 円

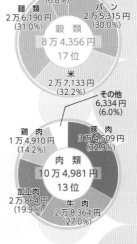

穀　類
8 万 4,356 円
17 位

- 他の穀類 5,717 円（6.8%）
- パン 2 万 5,315 円（30.0%）
- 麺類 2 万 6,190 円（31.0%）
- 米 2 万 7,133 円（32.2%）

肉　類
10 万 4,981 円
13 位

- その他 6,334 円（6.0%）
- 豚肉 3 万 4,509 円（32.9%）
- 牛肉 2 万 8,364 円（27.0%）
- 加工肉 2 万 864 円（19.9%）
- 鶏肉 1 万 4,910 円（14.2%）

福島県

県の
木：ケヤキ　　歌：福島県民の歌
花：ネモトシャクナゲ　県民の日：8月21日
鳥：キビタキ

農業生産

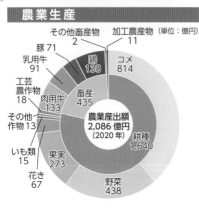

農業産出額
2,086 億円
（2020 年）

その他畜産物 2
加工農産物 11 （単位：億円）
鶏 138
コメ 814
豚 71
乳用牛 91
工芸農作物 18
肉用牛 133
畜産 435
その他作物 13
いも類 15
花き 67
果実 273
野菜 438
耕種 1,640

農業物産出額上位 10 品目

① 米　　　　814 億円
② 肉用牛　　133 億円
③ もも　　　126 億円

④ 鶏卵 108 億円		⑧ トマト 67 億円	
⑤ きゅうり 106 億円		⑨ なし 45 億円	
⑥ 生乳 76 億円		⑩ りんご 45 億円	
⑦ 豚 71 億円			

C赤かぼちゃ／金山町
濃いオレンジ色の皮と、お尻に大きな「へそ」があり、インパクト大。

D御前人参／郡山市
高カロテンで甘みの強い品種。生搾りは香りが良く、フルーツのジュースのよう。

Fサンショウウオ／檜枝岐村
ハコネサンショウウオは山人（やもーど）料理の珍味。天ぷらなどで出される。

エゴマ／県内広域
福島では、食べると 10 年長生きすることから「じゅうねん」などとも呼ばれる。

喜多方市
北塩原村
磐梯町
会津坂下町
西会津町
湯川村
会津若松市
金山町 C
三島町
柳津町
会津美里町
只見町
昭和村
下郷町
南会津町
檜枝岐村 F

N

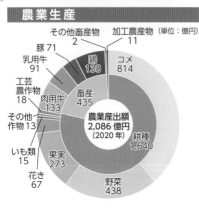

Ⓑホッキガイ／相馬市
親潮と黒潮が交わる潮目の
相双沖でよく獲れる。ホッ
キ飯は郷土の味。

Ⓐあかつき／福島市
福島県オリジナルのブラン
ド品種。ほとんどが無袋栽
培で、甘みが強い桃。

アスパラガス／会津地方ほか
県オリジナル品種もあり、
会津ではグリーン・ホワイ
ト・紫の3種を販売。

あづましずく／県内広域
大粒の種なしブドウで、県
オリジナル品種。酸味が少
なく食べやすい。

Ⓔメヒカリ／いわき市ほか
福島では古くから親しまれ
ている魚。「常磐もの」は
皮が薄く、脂が乗っている。

ナメコ／県内広域
天然ナメコを起源にオリジ
ナル品種を開発。ナメコ本
来の風味と濃い味わい。

凡　例
- ■■■ 新幹線
- J R
- 国　道
- 高速・有料道

福島県 の 食

＊福島市の1世帯当たりの年間支出金額

耕地面積(田畑計)	コメの作付面積(水稲延べ)	コメの収穫量(水稲)
13万 8,400ha	6万 5,300ha	36万 7,000t
(第 7 位)	(第 6 位)	(第 6 位)

肉用牛(飼育頭数)	養豚(飼育頭数)	ブロイラー(飼育頭数)
4万 9,300頭	12万 4,500頭	78万 5,000羽
(第 16 位)	(第 20 位)	(第 26 位)

漁獲量・天然(海面漁業)	漁獲量・養殖(海面養殖)
6万 9,415t	125t
(第 14 位)	(第 35 位)

食料自給率(カロリーベース)	エンゲル係数＊	食品出荷額
78%	27.1	3,126億 5,000万円
(第 9 位)	(第 21 位)	(第 31 位)

コロナ禍での消費変化～【グラフ】月別増減率～

調味料
＊ 4万 1,915円 (第 25 位)

(円) ー●ー 2019年 ー●ー 2020年
4,400 / 3,800 / 3,200 / 2,600 / 2,000
1 2 3 4 5 6 7 8 9 10 11 12 (月)

酒 類
＊ 5万 394円 (第 12 位)

(円) ー●ー 2019年 ー●ー 2020年
9,000 / 7,400 / 5,800 / 4,200 / 2,600 / 1,000
1 2 3 4 5 6 7 8 9 10 11 12 (月)

調理食品
＊ 12万 6,509円 (第 26 位)

(円) ー●ー 2019年 ー●ー 2020年
20,000 / 17,200 / 14,400 / 11,600 / 8,800 / 6,000
1 2 3 4 5 6 7 8 9 10 11 12 (月)

外 食
＊ 9万 7,460円 (第 44 位)

(円) ー●ー 2019年 ー●ー 2020年
28,000 / 22,800 / 17,600 / 12,400 / 7,200 / 2,000
1 2 3 4 5 6 7 8 9 10 11 12 (月)

福島県民力

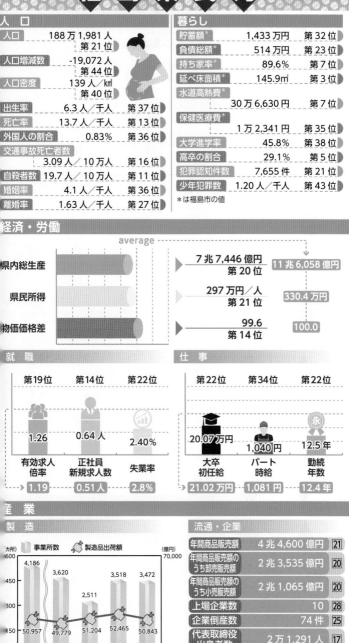

人 口

人口	188万1,981人	第21位
人口増減数	-19,072人	第44位
人口密度	139人／km²	第40位
出生率	6.3人／千人	第37位
死亡率	13.7人／千人	第13位
外国人の割合	0.83%	第36位
交通事故死亡者数	3.09人／10万人	第16位
自殺者数	19.7人／10万人	第11位
婚姻率	4.1人／千人	第36位
離婚率	1.63人／千人	第27位

暮らし

貯蓄額*	1,433万円	第32位
負債総額*	514万円	第23位
持ち家率*	89.6%	第7位
延べ床面積*	145.9m²	第3位
水道高熱費*	30万6,630円	第7位
保健医療費*	1万2,341円	第35位
大学進学率	45.8%	第38位
高卒の割合	29.1%	第5位
犯罪認知件数	7,655件	第21位
少年犯罪数	1.20人／千人	第43位

*は福島市の値

経済・労働

average

県内総生産	7兆7,446億円 第20位	11兆6,058億円
県民所得	297万円／人 第21位	330.4万円
物価価格差	99.6 第14位	100.0

就 職

第19位	第14位	第22位
1.26	0.64人	2.40%
有効求人倍率	正社員新規求人数	失業率
1.19	0.51人	2.8%

仕 事

第22位	第34位	第22位
20.07万円	1,040円	12.5年
大卒初任給	パート時給	勤続年数
21.02万円	1,081円	12.4年

産 業

製 造

（カ所）	事業所数		製造品出荷額		（億円）
600	4,186	3,620		3,518	3,472
450			2,511		
300					70,000
150	50,957	49,779	51,204	52,465	50,843
0	2010年	2016年	2017年	2018年	2019年

流通・企業

年間商品販売額	4兆4,600億円	21
年間商品販売額のうち卸売販売額	2兆3,535億円	20
年間商品販売額のうち小売販売額	2兆1,065億円	20
上場企業数	10	28
企業倒産数	74件	25
代表取締役出身者数	2万1,291人	17

□は全国順位

Data で見る　福島県

世帯

78万8,304世帯　23位

- 他 18.0%
- 高齢者世帯 10.6%
- 核家族世帯 51.4%
- 単身者世帯 30.6%

・平均人員 2.39 人 （8 位）
・世帯主年齢 63.9 歳 （1 位）
・子どもの人員 0.35 人 （46 位）
・高齢者の人員 1.15 人 （1 位）
・生活保護世帯数
　6.8 世帯／千世帯 （39 位）

気候

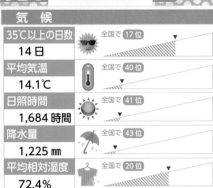

35℃以上の日数	14 日	全国で 17 位
平均気温	14.1℃	全国で 40 位
日照時間	1,684 時間	全国で 41 位
降水量	1,225 mm	全国で 43 位
平均相対湿度	72.4%	全国で 20 位

（福島管区気象台 2020 年）

最低気温 -6.5℃／最高気温 38.2℃

（24 位）	30.9 歳	初婚年齢	29.0 歳	（7 位）
（41 位）	80.12 歳	寿命	86.40 歳	（43 位）
（35 位）	28.73 万円	月額給与	21.55 万円	（37 位）
（43 位）	169.7cm	身長	157.7cm	（26 位）
（7 位）	63.8kg	体重	54.0kg	（5 位）

地価

地価平均価格

住宅地

商業地

用途別の平均変動率

住宅地	0.4%	15 位
商業地	0.5%	22 位
工業地	0.3%	29 位

住宅地の平均価格*
4 万 7,600 円／㎡　38 位
（＋ 1,000 円）

商業地の最高値*
24 万 5,000 円／㎡　39 位
（＋7,000 円）

＊は福島市の値

旅行者 （対前年同月比）

月別の宿泊者数

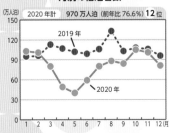

2020 年計　970 万人泊（前年比 76.6%）12 位

2019 年
2020 年

月別の客室稼働率

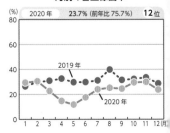

2020 年　23.7%（前年比 75.7%）12 位

2019 年
2020 年

学校・施設

- 医師数 204.9 人／10 万人（41 位）
- 病院数 6.8 施設／10 万人（26 位）
- 一般診療所数
  72.9 施設／10 万人（38 位）
- 児童福祉施設数
  30.7 施設／10 万人（37 位）
- 老人福祉センター数
  4.93 施設／10 万人（30 位）
- 小学校数 428 校（15 位）
- 高校数 110 校（13 位）

- 大学数 8 校（27 位）
- 博物館数 0.91 施設／10 万人（35 位）
- 映画館数 1.73 施設／10 万人（45 位）
- 図書館数 3.65 施設／10 万人（16 位）
- 学校の IT 化 3.87 人／台（40 位）
- 保育所数 375 カ所（29 位）
- 幼稚園数 233 校（12 位）

消費（福島市の 1 世帯当たりの年間支出金額）

消費変化（対前年比較）

年間消費支出
321 万 6,036 円 **34 位**
（対前年比 97.1%）

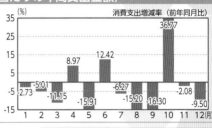

消費支出増減率（前年同月比）

月	%
1	-2.73
2	-5.01
3	-11.15
4	8.97
5	-15.91
6	12.42
7	-6.27
8	-15.20
9	-16.30
10	36.77
11	-2.08
12	-9.50

衣 (-24.7)
食 (-1.7)
(-52.0) 学
楽 (-19.4)
(1.8) 動
(-3.3) 通

※太線は前年。太線の外側は前年対比プラス、内側はマイナス

衣：被服・履物費	9 万 3,979 円	42
食：食費	93 万 4,240 円	29
楽：教養娯楽費	26 万 3,214 円	40
通：通信費	16 万 8,785 円	23
動：交通費	33 万 4,366 円	20
学：教育費	4 万 8,234 円	46

■は全国順位

鮮魚

3 万 7,019 円（30 位）

マグロ	6,693 円
サ ケ	4,917 円
カツオ	3,330 円
エ ビ	2,941 円
ブ リ	1,861 円

飲料

6 万 4,510 円（6 位）

茶飲料	8,410 円
炭酸飲料	8,199 円
コーヒー	7,304 円
乳酸菌飲料	7,071 円
果実・野菜ジュース	6,784 円

生鮮野菜

7 万 6,277 円（20 位）

トマト	6,931 円
きゅうり	4,235 円
キャベツ	3,401 円
たまねぎ	3,102 円
ね ぎ	2,969 円

菓子

8 万 7,717 円（21 位）

アイスクリーム	1 万 569 円
せんべい	7,782 円
チョコレート	6,611 円
ケーキ	6,135 円
スナック菓子	4,932 円

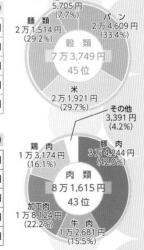

穀類
7 万 3,749 円
45 位

- 他の穀類 5,705 円（7.7%）
- 麺類 2 万 1,514 円（29.2%）
- パン 2 万 4,609 円（33.4%）
- 米 2 万 1,921 円（29.7%）

肉類
8 万 1,615 円
43 位

- その他 3,391 円（4.2%）
- 鶏肉 1 万 3,174 円（16.1%）
- 豚肉 3 万 4,244 円（42.0%）
- 加工肉 1 万 8,124 円（22.2%）
- 牛肉 1 万 2,681 円（15.5%）

家計 ミニトピックス 手袋への支出

寒い季節になると防寒具はかかせません。手袋を身に着ける方もいらっしゃるのではないでしょうか。

「手袋」の支出は12月に最も多い

「手袋」の支出を月別にみると、12月は150円と最も多く、次いで、1月（131円）、11月（101円）となっています。全国的に1月から2月にかけて最も気温が低くなりますが、寒さが厳しくなる前に「手袋」の支出が最も多くなっています。

北海道では全国平均の1.7倍の売れ行き

地方別では「手袋」の支出は、北海道地方で最も多く（1,103円）、全国平均の1.7倍となっています。

次いで、東北地方、関東地方などとなっています。また、沖縄地方で最も少なく、全国平均の3分の1以下となっています。手袋の支出は、比較的寒い地域で多く、暖かい地域で少ないことが分かります。

また、時系列的には被服全体の売り上げが減少している中、手袋の売り上げはほぼ横ばいとなっています。

手袋の地方別購入金額
（1世帯当たり地方別年間支出金額：円／H27～29年平均）

No.1
1,103　730　682　　　　　　　　　　　　　203

北海道　東北　関東　北陸　東海　近畿　中国　四国　九州　沖縄

全国平均（650円）

出典：「家計調査結果」（総務省統計局）
家計ミニトピックス平成30年11月15日発行
http://www.stat.go.jp/data/kakei/tsushin/index.htm より作成

家計 ミニトピックス さんまへの支出

秋に購入のピークを迎える

名前に「秋」を冠するものの代表として「秋刀魚（さんま）」がありますが、近年は環境の変化などが原因で不漁が続いており、2020年7月に行われた初競りで落札されたものが、店頭で1尾5,980円もの値がついたことが話題になりました。

「さんま」の1世帯当たりの購入数量を月別に見ると、8月から増加し始め、9月～10月にピークを迎えます。さんまは秋頃から産卵のため北海道の根室沖から太平洋側を南下していき、この時期が最も旬となり漁が最盛期を迎えますが、この時期を過ぎると流通量も少なくなるため、冬以降は購入数量も少なくなっています

さんまの購入数量は盛岡市が1位

「さんま」の1世帯当たり年間支出金額及び購入数量を都道府県庁所在市及び政令指定都市別に見ると、いずれも盛岡市が最も多くなっています。また、仙台市、秋田市など、東北地方の市が上位になっています

さんまの購入数量
（年間購入数量：g／2017年～2019年平均）

No.1
2,219　1,753　1,720　1,654　1,541

盛岡市　青森市　秋田市　札幌市　仙台市

出典：「家計調査結果」（総務省統計局）
「家計調査通信第560号（2020年10月15日発行）」より作成

早わかり

2021

都道府県
Data Book

関東

茨城県

農業生産

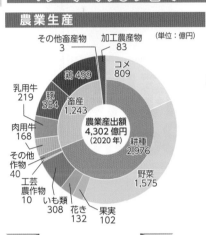

（単位：億円）

その他畜産物 3
加工農産物 83
コメ 809
鶏 499
乳用牛 219
豚 354
畜産 1,243
肉用牛 168
その他作物 40
工芸農作物 10
いも類 308
花き 132
果実 102
野菜 1,575
耕種 2,976

農業産出額 4,302億円 （2020年）

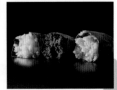

べにはるか・ふくむらさき・シルクスイート／県内広域
3品種とも高糖度の蜜イモ。「ふくむらさき」は紫サツマイモの新品種。

農業物産出額上位 **10** 品目

① 米	809億円
② 鶏卵	453億円
③ 豚	354億円

④ さつまいも 269億円	⑧ レタス 121億円
⑤ 生乳 194億円	⑨ ねぎ 120億円
⑥ 肉用牛 168億円	⑩ ピーマン 115億円
⑦ メロン 123億円	

F夏みつば／つくばみらい市
遮光し軟白栽培した切りミツバのなかでも香り高く、姿が美しいため高級食材。

N

大子町

常陸大宮市

城里町

桜川市　笠間市

結城市

筑西市　石岡市　小美玉

下妻市

古河市　八千代町

境町　つくば市　土浦市

五霞町　坂東市　常総市

阿見町　美

つくばみらい市　牛久市　稲

守谷市　龍ケ崎市　C

取手市　河内町

利根町

常陸大黒／県北中山間地域
ベニバナインゲン（花豆）の県オリジナル品種。黒一色のものは花豆で唯一。

タマゴ／県内広域
昔から養鶏が盛んで、鶏卵出荷量は全国1位。奥久慈しゃもの卵は濃厚なうまみ。

Ａヒラメ／茨城沖
肉厚な冬の寒ビラメは、濃厚な味わい。なかでも「常磐もの」は一級品。

Ｂちぢみこまつな／鉾田市
鹿行地区で冬期のみ出荷される。えぐみが少ないので生でも食べられる。

Ｃ惣ろにがうり／古河市
「えらぶ」という品種のニガウリ。苦みがやわらかく、爽やかな味わい。

Ｄレンコン／霞ヶ浦周辺
40年以上も栽培を続けている日本一のレンコン産地。全国のシェアは約50%。

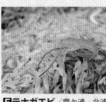

Ｅテナガエビ／霞ケ浦、北浦
体長10cm程度で、皮ごと食べられる川エビ。稚エビは「ざざえび」と呼ばれる。

Ｇ江戸崎かぼちゃ／稲敷市
畑で完熟してから収穫されるため、甘くほくほくとした食感のカボチャ。

凡　例
- ■■■■■ 新幹線
- ーーー Ｊ　Ｒ
- ——— 国　道
- ——— 謎・飯飯謎

北茨城市
高萩市
日立市
常○大正○
那珂市
東海村
戸市
大洗町
○潟・鷹沼町
ひたちなか市
鉾田市
方市
北浦
潮来市
鹿嶋市
神栖市

茨城県 の 食

＊水戸市の1世帯当たりの年間支出金額

耕地面積 (田畑計)
16万
3,600ha
(第 3 位)

コメの作付面積 (水稲延べ)
6万
7,800ha
(第 5 位)

コメの収穫量 (水稲)
36万t
(第 7 位)

肉用牛 (飼育頭数)
5万
200頭
(第 15 位)

養豚 (飼育頭数)
46万
6,400頭
(第 6 位)

ブロイラー (飼育頭数)
113万
5,000羽
(第 21 位)

漁獲量・天然 (海面漁業)
29万
796t
(第 2 位)

漁獲量・養殖 (海面養殖)
x
(第 ― 位)

食料自給率 (カロリーベース)
70%
(第 13 位)

エンゲル係数＊
26.0
(第 36 位)

食品出荷額
1兆4,472億
7,400万円
(第 7 位)

コロナ禍での消費変化～【グラフ】月別増減率～

調味料
＊3万8,519円 (第 43 位)

(円)
2019年 — 2020年

5,000
4,400
3,800
3,200
2,600
2,000

1 2 3 4 5 6 7 8 9 10 11 12 (月)

酒類
＊3万3,144円 (第 46 位)

(円)
2019年 — 2020年

9,000
7,400
5,800
4,200
2,600
1,000

1 2 3 4 5 6 7 8 9 10 11 12 (月)

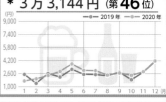

調理食品
＊12万9,874円 (第 20 位)

(円)
2019年 — 2020年

20,000
17,200
14,400
11,600
8,800
6,000

1 2 3 4 5 6 7 8 9 10 11 12 (月)

外食
＊11万5,556円 (第 36 位)

(円)
2019年 — 2020年

28,000
22,800
17,600
12,400
7,200
2,000

1 2 3 4 5 6 7 8 9 10 11 12 (月)

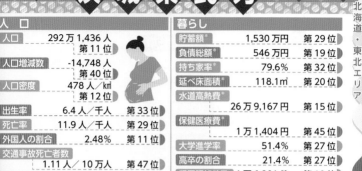

茨城県民力

人口

人口	292万1,436人	第11位
人口増減数	-14,748人	第40位
人口密度	478人/km	第12位
出生率	6.4人/千人	第33位
死亡率	11.9人/千人	第29位
外国人の割合	2.48%	第11位
交通事故死亡者数	1.11人/10万人	第47位
自殺者数	78.2人/10万人	第2位
婚姻率	4.4人/千人	第20位
離婚率	1.66人/千人	第19位

暮らし

貯蓄額*	1,530万円	第29位
負債総額*	546万円	第19位
持ち家率*	79.6%	第32位
延べ床面積*	118.1㎡	第20位
水道高熱費*	26万9,167円	第15位
保健医療費*	1万1,404円	第45位
大学進学率	51.4%	第27位
高卒の割合	21.4%	第27位
犯罪認知件数	1万6,301件	第10位
少年犯罪数	1.31人/千人	第39位

*は水戸市の値

経済・労働

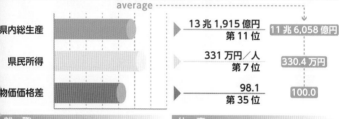

average

項目	値	順位	
県内総生産	13兆1,915億円	第11位	11兆6,058億円
県民所得	331万円/人	第7位	330.4万円
物価価格差	98.1	第35位	100.0

就職

	第9位	第35位	第21位
	1.33	0.48人	2.42%
	有効求人倍率	正社員新規求人数	失業率
	1.19	0.51人	2.8%

仕事

	第19位	第13位	第8位
	20.27万円	1,101円	13.0年
	大卒初任給	パート時給	勤続年数
	21.02万円	1,081円	12.4年

産業

製造

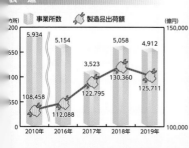

事業所数　製造品出荷額

2010年	2016年	2017年	2018年	2019年
5,934	5,154	3,523	5,058	4,912
108,458	112,088	122,795	130,360	125,711

流通・企業

項目	値	全国順位
年間商品販売額	6兆2,926億円	14
年間商品販売額のうち卸売販売額	3兆3,192億円	16
年間商品販売額のうち小売販売額	2兆9,735億円	12
上場企業数	12	27
企業倒産数	118件	14
代表取締役出身者数	2万3,638人	13

□は全国順位

北海道・東北エリア

関東エリア

北陸・甲信越エリア

中部エリア

Data で見る 茨城県

世 帯

125 万 9,205
世帯
12 位

- 他 14.2%
- 高齢者世帯 11.7%
- 単身者世帯 28.4%
- 核家族世帯 57.4%

- 平均人員 2.32 人（15 位）
- 世帯主年齢 59.8 歳（16 位）
- 子どもの人員 0.50 人（40 位）
- 高齢者の人員 0.72 人（34 位）
- 生活保護世帯数 17.4 世帯／千世帯（6 位）

気 候

35℃以上の日数		全国で 39 位	3 日
平均気温		全国で 37 位	15.0℃
日照時間		全国で 21 位	2,059 時間
降水量		全国で 36 位	1,422 mm
平均相対湿度		全国で 17 位	73.6%

（水戸管区気象台 2020 年）

最低気温 -6.3℃／最高気温 37.6℃

（40 位）	31.3 歳	初婚年齢 29.4 歳	（28 位）
（34 位）	80.28 歳	寿命 86.33 歳	（45 位）
（11 位）	32.59 万円	月額給与 23.85 万円	（12 位）
（31 位）	170.3cm	身長 157.8cm	（22 位）
（9 位）	63.6kg	体重 53.5kg	（11 位）

地 価

地価平均価格

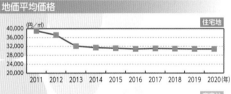

住宅地

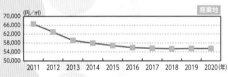

商業地

用途別の平均変動率

住宅地	-0.5%	30 位
商業地	-0.4%	32 位
工業地	0.9%	21 位

――― 住宅地の平均価格* ―――
3 万 9,900 円／㎡ 43 位
(-200 円)

――― 商業地の最高値* ―――
26 万 8,000 円／㎡ 37 位
(-3,000 円)

*は水戸市の値

旅行者（対前年同月比）

月別の宿泊者数

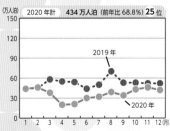

2020 年計 434 万人泊（前年比 68.8%）25 位

月別の客室稼働率

2020 年 25.0%（前年比 65.4%）6 位

学校・施設

- 医師数 187.5 人／10 万人（46 位）
- 病院数 6.0 施設／10 万人（33 位）
- 一般診療所数
  61.2 施設／10 万人（45 位）
- 児童福祉施設数
  28.1 施設／10 万人（45 位）
- 老人福祉センター数
  4.09 施設／10 万人（33 位）
- 小学校数 476 校（12 位）
- 高校数 121 校（12 位）
- 大学数 10 校（20 位）
- 博物館数 0.90 施設／10 万人（36 位）
- 映画館数 3.18 施設／10 万人（17 位）
- 図書館数 2.22 施設／10 万人（42 位）
- 学校の IT 化 5.54 人／台（9 位）
- 保育所数 606 カ所（14 位）
- 幼稚園数 239 校（11 位）

消 費（水戸市の 1 世帯当たりの年間支出金額）

消費変化（対前年比較）

年間消費支出
329 万 4,242 円　27 位
（対前年比 95.7%）

消費支出増減率（前年同月比）

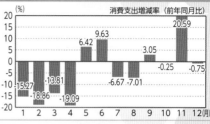

月	増減率 (%)
1	-15.27
2	-18.86
3	-13.81
4	-19.09
5	6.42
6	9.63
7	-6.67
8	-7.01
9	3.05
10	-0.25
11	20.59
12	-0.75

衣 (-9.0)
(-52.8) 学
(-9.9) 動
食 (-1.7)
楽 (-17.8)
(12.2) 通

※太線は前年。
太線の外側は
前年対比プラス、
内側はマイナス

衣：被服・履物費	10 万 9,869 円	25
食：食費	91 万 2,099 円	38
楽：教養娯楽費	29 万 7,722 円	27
通：通信費	19 万 1,519 円	4
動：交通費	33 万 8,483 円	18
学：教育費	7 万 8,345 円	42

■は全国順位

鮮 魚

3 万 5,414 円（41 位）

マグロ	6,025 円
サ ケ	5,294 円
カツオ	2,392 円
ブ リ	2,295 円
エ ビ	2,102 円

生鮮野菜

7 万 65 円（33 位）

トマト	7,363 円
きゅうり	3,762 円
たまねぎ	3,071 円
ね ぎ	3,039 円
キャベツ	2,772 円

飲 料

6 万 4,496 円（7 位）

茶飲料	1 万 166 円
果実・野菜ジュース	7,846 円
炭酸飲料	6,495 円
コーヒー	6,468 円
ミネラルウォーター	5,678 円

菓 子

9 万 5,484 円（5 位）

アイスクリーム	1 万 332 円
ケーキ	8,521 円
せんべい	8,270 円
チョコレート	7,956 円
ビスケット	4,966 円

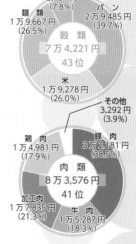

他の穀類
5,791 円
(7.8%)

麺 類
1 万 9,667 円
(26.5%)

パ ン
2 万 9,485 円
(39.7%)

穀 類
7 万 4,221 円
43 位

米
1 万 9,278 円
(26.0%)

その他
3,292 円
(3.9%)

鶏 肉
1 万 4,981 円
(17.9%)

豚 肉
3 万 2,181 円
(38.5%)

肉 類
8 万 3,576 円
41 位

加工肉
1 万 7,835 円
(21.3%)

牛 肉
1 万 5,287 円
(18.3%)

栃木県

農業生産

（単位：億円）

- その他畜産物 2
- 加工農産物 9
- 鶏 231
- 豚 258
- コメ 671
- 乳用牛 437
- 畜産 1,156
- 農業産出額 2,859 億円（2020年）
- 耕種 1,693
- 肉用牛 228
- 野菜 784
- その他作物 75
- 工芸農作物 5
- いも類 15
- 花き 68
- 果実 76

農業物産出額上位 10 品目

① 米　　　671 億円

② 生乳　　369 億円

③ いちご　268 億円

④ 豚 258 億円
⑧ トマト 81 億円

⑤ 肉用牛 228 億円
⑨ 乳牛 68 億円

⑥ 鶏卵 210 億円
⑩ にら 55 億円

⑦ もやし 115 億円

B ヒメマス／中禅寺湖
明治時代、生息地の北海道から中禅寺湖に移植され、有数の産地となっている。

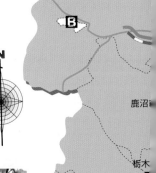

日光市

B

鹿沼

栃木

佐野市

足利市

C 二条大麦
／栃木市、小山市ほか
国内屈指の麦の生産地。二条大麦のなかでもビール大麦の受渡量は全国一。

D ブドウ／栃木市ほか
太平山南山麓に広がるぶどう団地では、珍しい品種のブドウも味わえる。

凡 例
- ━ ━ ━ 新幹線
- ━ ・ ━ JR
- ━━ 国 道
- ━━ 高速・有料道路

イチゴ／県内広域
「とちひめ」は皮が柔らかく輸送に向かないため、県内でのみ味わえる幻のイチゴ。

ニ　ラ／鹿沼市ほか県内広域
生産量は全国トップクラス。県オリジナル品種「ゆめみどり」は葉が幅広で厚い。

にっこり／芳賀町ほか県内広域
重さが1kgを超えるほどの大きな梨。果肉はやわらかくてジューシー。

那須町

那須塩原市

矢板市

大田原市
Ａ

さくら市

那珂川町

都宮市
◎

那須烏山市

高根沢町

市貝町

芳賀町

茂木町

生町

上三川町

真岡市

益子町

下野市

小山市
Ｃ

野木町

Ａ大田原とうがらし／大田原市
昭和初期に始まる唐辛子の産地。辛いだけでなく、形や色も良く、流通に適する。

カンピョウ／県南部ほか
約300年前、壬生藩主が近江からユウガオを導入したのが栽培の始まり。

ハトムギ／県南部
近年、栽培面積が増えてきており、小山市が生産量全国トップクラス。

かき菜／両毛地域
菜花の在来種とされる。佐野市などで古くから作られてきた伝統野菜。

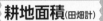

栃木県 の 食

＊宇都宮市の1世帯当たりの年間支出金額

耕地面積(田畑計)	コメの作付面積(水稲延べ)	コメの収穫量(水稲)
12万2,000ha	5万9,200ha	31万8,500t
(第10位)	(第8位)	(第8位)

肉用牛(飼育頭数)	養豚(飼育頭数)	ブロイラー(飼育頭数)
7万9,800頭	40万6,000頭	x
(第8位)	(第7位)	(第37位)

漁獲量・天然(海面漁業)	漁獲量・養殖(海面養殖)
0t	0t
(第一位)	(第一位)

食料自給率(カロリーベース)	エンゲル係数*	食品出荷額
73%	27.1	6,575億1,800万円
(第12位)	(第21位)	(第16位)

コロナ禍での消費変化～【グラフ】月別増減率～

調味料
＊4万4,582円 (第7位)

酒類
＊4万2,881円 (第24位)

調理食品
＊13万2,205円 (第19位)

外食
＊12万6,608円 (第26位)

栃木県民力

人 口

人口	196万5,516人	第19位
人口増減数	-10,605人	第27位
人口密度	308人／km²	第22位
出生率	6.6人／千人	第26位
死亡率	11.6人／千人	第32位
外国人の割合	2.28%	第14位
交通事故死亡者数	2.94人／10万人	第20位
自殺者数	24.8人／10万人	第5位
婚姻率	4.5人／千人	第14位
離婚率	1.67人／千人	第17位

暮らし

貯蓄額*	2,032万円	第9位
負債総額*	459万円	第31位
持ち家率*	85.8%	第13位
延べ床面積*	121.8m²	第15位
水道高熱費*	26万4,410円	第18位
保健医療費*	1万4,546円	第13位
大学進学率	51.9%	第24位
高卒の割合	22.6%	第22位
犯罪認知件数	9,059件	第17位
少年犯罪数	1.31人／千人	第40位

*は宇都宮市の値

経済・労働

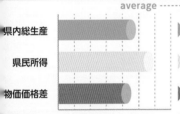

average

県内総生産	8兆8,435億円 第15位	11兆6,058億円
県民所得	341万円／人 第3位	330.4万円
物価価格差	98.2 第34位	100.0

就 職

第34位	第25位	第33位
1.06	0.56人	2.19%
有効求人倍率	正社員新規求人数	失業率
1.19	0.51人	2.8%

仕 事

第10位	第26位	第8位
20.65万円	1,070円	13.0年
大卒初任給	パート時給	勤続年数
21.02万円	1,081円	12.4年

産 業

製 造

事業所数　製造品出荷額

	2010年	2016年	2017年	2018年	2019年
事業所数	4,718	4,218	3,017	4,149	4,014
製造品出荷額	84,591	89,468	92,333	92,111	89,362

流通・企業

年間商品販売額	5兆329億円	18
年間商品販売額のうち卸売販売額	2兆7,973億円	18
年間商品販売額のうち小売販売額	2兆2,356億円	17
上場企業数	17	23
企業倒産数	96件	16
代表取締役出身者数	1万8,245人	22

□は全国順位

世 帯

他 14.5%
高齢者世帯 10.6%

84万901世帯 19位

単身者世帯 28.8%

核家族世帯 56.7%

・平均人員 2.34 人（11 位）
・世帯主年齢 58.6 歳（26 位）
・子どもの人員 0.69 人（13 位）
・高齢者の人員 0.81 人（22 位）
・生活保護世帯数
　11.6 世帯／千世帯（24 位）

気 候

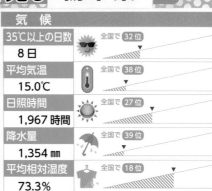

項目	値	全国順位
35℃以上の日数	8 日	全国で 32 位
平均気温	15.0℃	全国で 38 位
日照時間	1,967 時間	全国で 27 位
降水量	1,354 mm	全国で 39 位
平均相対湿度	73.3%	全国で 18 位

（宇都宮管区気象台 2020 年）

最低気温 -7.1℃／最高気温 37.5℃

（34 位）	31.1 歳	初婚年齢	29.4 歳	（28 位）
（42 位）	80.10 歳	寿命	86.24 歳	（46 位）
（15 位）	31.81 万円	月額給与	23.81 万円	（15 位）
（29 位）	170.4cm	身長	157.4cm	（33 位）
（22 位）	62.5kg	体重	53.4kg	（15 位）

地 価

地価平均価格

住宅地

(円／㎡)		
50,000 46,000 42,000 38,000 34,000 30,000
2011 2012 2013 2014 2015 2016 2017 2018 2019 2020（年）

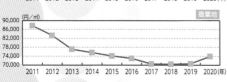

商業地

(円／㎡)
90,000 86,000 82,000 78,000 74,000 70,000
2011 2012 2013 2014 2015 2016 2017 2018 2019 2020（年）

用途別の平均変動率

住宅地	-0.8%	39 位
商業地	-0.5%	35 位
工業地	0.3%	29 位

住宅地の平均価格*
6 万 500 円／㎡ 26 位
（＋ 700 円）

商業地の最高値*
36 万 7,000 円／㎡ 30 位
（＋4 万 8,000 円）

＊は宇都宮市の値

旅行者 （対前年同月比）

月別の宿泊者数

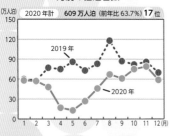

（万人泊）
2020 年計 　609 万人泊（前年比 63.7%）17 位
150 120 90 60 30 0
2019 年
2020 年
1 2 3 4 5 6 7 8 9 10 11 12（月）

月別の客室稼働率

（%）
2020 年 　21.1%（前年比 64.9%）　28 位
80 60 40 20 0
2019 年
2020 年
1 2 3 4 5 6 7 8 9 10 11 12（月）

学校・施設

- 医師数 226.1 人／10 万人（34 位）
- 病院数 5.5 施設／10 万人（38 位）
- 一般診療所数
  75.5 施設／10 万人（32 位）
- 児童福祉施設数
  32.1 施設／10 万人（35 位）
- 老人福祉センター数
  3.15 施設／10 万人（40 位）
- 小学校数 350 校（22 位）
- 高校数 75 校（26 位）

- 大学数 9 校（24 位）
- 博物館数 1.34 施設／10 万人（18 位）
- 映画館数 3.36 施設／10 万人（13 位）
- 図書館数 2.83 施設／10 万人（31 位）
- 学校の IT 化 5.31 人／台（12 位）
- 保育所数 434 カ所（24 位）
- 幼稚園数 82 校（37 位）

消　費（宇都宮市の 1 世帯当たりの年間支出金額）

消費変化（対前年比較）

年間消費支出
335 万 571 円　**25 位**
（対前年比 93.8%）

消費支出増減率（前年同月比）

月	増減率
1	2.08
2	-2.62
3	10.34
4	-17.56
5	0.65
6	-0.15
7	-15.36
8	-8.03
9	-15.62
10	-13.54
11	-8.34
12	-3.27

衣 (-6.4)
(-9.3) 学
食 (-2.0)
(-40.9) 動
楽 (-10.2)
(-0.5) 通

※太線は前年。
太線の外側は
前年対比プラス、
内側はマイナス

衣：被服・履物費	10 万 7,633 円	29
食：食費	95 万 3,326 円	24
楽：教養娯楽費	30 万 4,108 円	21
通：通信費	15 万 8,933 円	34
動：交通費	30 万 2,501 円	28
学：教育費	11 万 6,546 円	22

■は全国順位

鮮　魚

3 万 6,619 円（32 位）

マグロ	8,409 円
サ　ケ	5,063 円
エ　ビ	2,446 円
ブ　リ	2,193 円
カツオ	1,676 円

生鮮野菜

7 万 5,724 円（22 位）

トマト	8,650 円
きゅうり	3,723 円
たまねぎ	3,640 円
キャベツ	3,375 円
ね　ぎ	3,125 円

飲　料

6 万 3,996 円（9 位）

茶飲料	1 万 937 円
炭酸飲料	7,812 円
果・野菜ジュース	7,456 円
コーヒー	6,833 円
コーヒー飲料	4,198 円

菓　子

9 万 300 円（14 位）

アイスクリーム	1 万 338 円
ケーキ	8,333 円
チョコレート	7,786 円
せんべい	7,097 円
スナック菓子	5,819 円

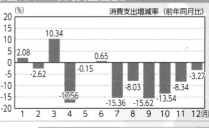

穀　類
7 万 8,766 円
28 位

- 他の穀類 6,627 円（8.4%）
- パン 3 万 852 円（39.2%）
- 麺　類 2 万 1,960 円（27.9%）
- 米 1 万 9,326 円（24.5%）
- その他 4,505 円（5.0%）

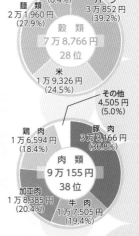

肉　類
9 万 155 円
38 位

- 鶏　肉 1 万 6,594 円（18.4%）
- 豚　肉 3 万 3,166 円（36.8%）
- 加工肉 1 万 8,385 円（20.4%）
- 牛　肉 1 万 7,505 円（19.4%）

群馬県

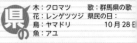

県の
木：クロマツ 歌：群馬県の歌
花：レンゲツツジ 県民の日：
鳥：ヤマドリ 10月28日
魚：アユ

農業生産

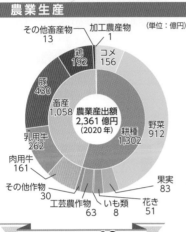

（単位：億円）

その他畜産物 13　加工農産物 1
鶏 192　コメ 156
豚 430
畜産 1,058
農業産出額 2,361億円（2020年）
乳用牛 262
肉用牛 161
その他作物 30
工芸農作物 63
耕種 1,302
野菜 912
果実 83
いも類 8
花き 51

農業物産出額上位 10品目

① 豚 430億円

② 生乳 211億円

③ キャベツ 183億円

④ 肉用牛 161億円
⑤ 米 156億円
⑥ きゅうり 132億円
⑦ 鶏卵 120億円
⑧ ほうれんそう 82億円
⑨ なす 81億円
⑩ こんにゃくいも 62億円

ブリックスナイン／東部地域
ブリックス（糖度）9以上
と、スイカにせまる甘さの
高糖度トマト。

F赤いも／神流町
江戸時代から作られている
伝統野菜。小ぶりで、皮は
赤みがかっている。

Eモロヘイヤ
／太田市、渋川市、前橋市ほか
群馬県が出荷量全国1位。
なかでも太田市が県内作付
面積の3割近くを占める。

凡例
■■■ 新幹線
━・━ JR
──── 国道
━━━━ 謎・解説

草津町　中之条町
嬬恋村　東吾妻町
A
A　長野原町　高崎市　榛東B
安中市　B
富岡市C
下仁田町
南牧村
神流町
F
上野村

ナ ス／県内広域
「ナス紺」と呼ばれる艶のある濃い紫色が特徴。県内各地で作られている。

ギンヒカリ／県内広域
選抜育種で生み出した最高級ニジマス「ギンヒカリ」は、県の登録商標。

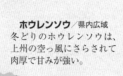

ホウレンソウ／県内広域
冬どりのホウレンソウは、上州の空っ風にさらされて肉厚で甘みが強い。

Ａ嬬恋高原キャベツ
／嬬恋村、昭和村、長野原町
標高 800 〜 1,400 mの高地で、全国の総出荷量の約半分を占める一大産地。

Ｂ梅／高崎市、安中市
群馬は紀州に次ぐ生梅の生産地。秋間梅林・榛名梅林・箕郷梅林は三大梅林。

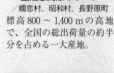

Ｄ邑（むら）美人
／邑楽町、館林市
JA邑楽館林のブランド白菜。赤城おろしの寒風により糖度が増している。

Ｃマイタケ
／前橋市、高崎市、富岡市、渋川市、沼田市
昭和50年代前半から全国に先駆けて施設栽培され、年間を通して出荷している。

みなかみ町
片品村
川場村
沼田市
昭和村
Ａ
Ｃ
みどり市
渋川市
ＣＥ
桐生市
ＣＥ
吉岡町
桐生市
前橋市
伊勢崎市
太田市
Ｅ
玉村町
大泉町
邑楽町
館林市
Ｄ　Ｄ
千代田町
明和町
板倉町
高崎市
岡市
甘楽町

群馬県 の 食

*前橋市の1世帯当たりの年間支出金額

耕地面積(田畑計)	コメの作付面積(水稲延べ)	コメの収穫量(水稲)
6万6,800ha (第19位)	1万5,500ha (第32位)	7万6,900t (第30位)

肉用牛(飼育頭数)	養豚(飼育頭数)	ブロイラー(飼育頭数)
5万4,800頭 (第11位)	62万9,600頭 (第4位)	146万羽 (第18位)

漁獲量・天然(海面漁業)	漁獲量・養殖(海面養殖)
0t (第一位)	0t (第一位) 

食料自給率 (カロリーベース)	エンゲル係数*	食品出荷額
33% (第29位)	26.7 (第25位)	8,473億9,100万円 (第11位)

コロナ禍での消費変化～【グラフ】月別増減率～

調味料
*4万3,200円 (第14位)

（円）
- 2019年 -- 2020年

酒類
*3万9,171円 (第36位)

（円）
- 2019年 -- 2020年

調理食品
*14万6,514円 (第8位)
（円）
- 2019年 -- 2020年

外食
*13万6,204円 (第19位)
（円）
- 2019年 -- 2020年
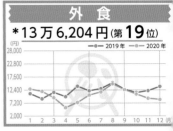

群馬県民力

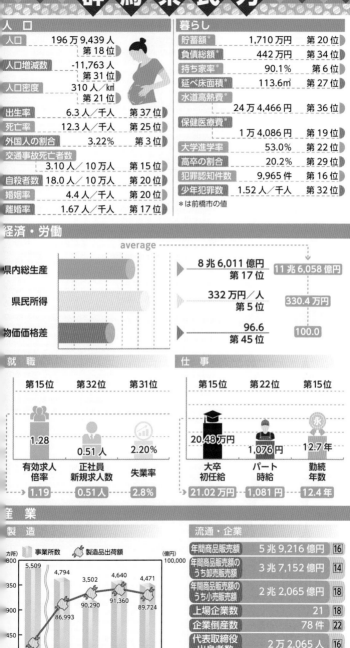

人口

人口	196万9,439人	第18位
人口増減数	-11,763人	第31位
人口密度	310人/k㎡	第21位
出生率	6.3人/千人	第37位
死亡率	12.3人/千人	第25位
外国人の割合	3.22%	第3位
交通事故死亡者数	3.10人/10万人	第15位
自殺者数	18.0人/10万人	第20位
婚姻率	4.4人/千人	第20位
離婚率	1.67人/千人	第17位

暮らし

貯蓄額*	1,710万円	第20位
負債総額*	442万円	第34位
持ち家率*	90.1%	第6位
延べ床面積*	113.6㎡	第27位
水道高熱費*	24万4,466円	第36位
保健医療費*	1万4,086円	第19位
大学進学率	53.0%	第22位
高卒の割合	20.2%	第29位
犯罪認知件数	9,965件	第16位
少年犯罪数	1.52人/千人	第32位

*は前橋市の値

経済・労働

average

県内総生産	8兆6,011億円 第17位	11兆6,058億円
県民所得	332万円/人 第5位	330.4万円
物価価格差	96.6 第45位	100.0

就職

第15位	第32位	第31位
1.28	0.51人	2.20%
有効求人倍率	正社員新規求人数	失業率
1.19	0.51人	2.8%

仕事

第15位	第22位	第15位
20.48万円	1,076円	12.7年
大卒初任給	パート時給	勤続年数
21.02万円	1,081円	12.4年

産業

製造

事業所数　製造品出荷額

年	事業所数	製造品出荷額（億円）
2010年	5,509	75,268
2016年	4,794	86,993
2017年	3,502	90,290
2018年	4,640	91,360
2019年	4,471	89,724

流通・企業

年間商品販売額	5兆9,216億円	16
年間商品販売額のうち卸売販売額	3兆7,152億円	14
年間商品販売額のうち小売販売額	2兆2,065億円	18
上場企業数	21	18
企業倒産数	78件	22
代表取締役出身者数	2万2,065人	16

□は全国順位

Data で見る 群馬県

世 帯

他 12.2%
高齢者世帯 12.2%
単身者世帯 28.6%
核家族世帯 59.2%

85万5,165世帯
17位

- 平均人員 2.30人（18位）
- 世帯主年齢 59.6歳（17位）
- 子どもの人員 0.58人（29位）
- 高齢者の人員 0.83人（17位）
- 生活保護世帯数 7.2世帯／千世帯（37位）

気 候

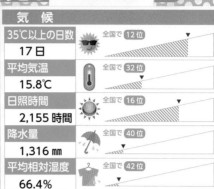

35℃以上の日数	17日	全国で 12位
平均気温	15.8℃	全国で 32位
日照時間	2,155時間	全国で 16位
降水量	1,316mm	全国で 40位
平均相対湿度	66.4%	全国で 42位

（前橋管区気象台 2020年）

最低気温 -4.9℃／最高気温 39.8℃

	男		女	
（37位）	31.2歳	初婚年齢	29.3歳	（22位）
（27位）	80.61歳	寿命	86.84歳	（33位）
（18位）	31.31万円	月額給与	23.24万円	（21位）
（18位）	170.6cm	身長	157.6cm	（28位）
（20位）	62.7kg	体重	52.9kg	（25位）

地 価

地価平均価格

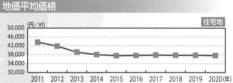

住宅地

（円／㎡）
50,000 46,000 42,000 38,000 34,000 30,000
2011 2012 2013 2014 2015 2016 2017 2018 2019 2020（年）

商業地

（円／㎡）
75,000 71,000 67,000 63,000 59,000 55,000
2011 2012 2013 2014 2015 2016 2017 2018 2019 2020（年）

用途別の平均変動率

住宅地	-0.6%	33位
商業地	-0.1%	25位
工業地	0.8%	23位

住宅地の平均価格*
5万1,500円／㎡ 33位
(-100円)

商業地の最高値*
16万6,000円／㎡ 45位
(+2,000円)

*は前橋市の値

旅行者 （対前年同月比）

月別の宿泊者数

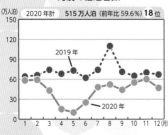

2020年計 515万人泊（前年比 59.6%）18位

（万人泊）
150 120 90 60 30 0
2019年
2020年
1 2 3 4 5 6 7 8 9 10 11 12（月）

月別の客室稼働率

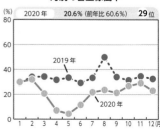

2020年 20.6%（前年比 60.6%）29位

（%）
80 60 40 20 0
2019年
2020年
1 2 3 4 5 6 7 8 9 10 11 12（月）

学校・施設

- 医師数 228.3 人／10 万人（32 位）
- 病院数 6.7 施設／10 万人（27 位）
- 一般診療所数
  79.9 施設／10 万人（26 位）
- 児童福祉施設数
  28.6 施設／10 万人（44 位）
- 老人福祉センター数
  6.39 施設／10 万人（19 位）
- 小学校数 309 校（25 位）
- 高校数 79 校（21 位）

- 大学数 14 校（14 位）
- 博物館数 1.02 施設／10 万人（32 位）
- 映画館数 2.68 施設／10 万人（27 位）
- 図書館数 2.92 施設／10 万人（26 位）
- 学校の IT 化 5.53 人／台（10 位）
- 保育所数 450 カ所（22 位）
- 幼稚園数 128 校（25 位）

消　費（前橋市の1世帯当たりの年間支出金額）

消費変化（対前年比較）

年間消費支出
346 万 9,698 円 **18位**
（対前年比 108.0%）

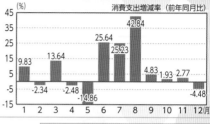

消費支出増減率（前年同月比）

月	1	2	3	4	5	6	7	8	9	10	11	12
(%)	9.83	-2.34	13.64	-2.48	-14.86	25.64	25.23	42.84	4.83	1.93	2.77	-4.48

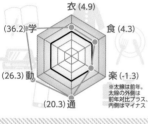

衣 (4.9)
(36.2) 学　　食 (4.3)
(26.3) 動　　楽 (-1.3)
(20.3) 通

※太線は前年。
太線の外側は
前年対比プラス、
内側はマイナス

衣：被服・履物費	12 万 5,319 円	**9**
食：食費	97 万 696 円	**18**
楽：教養娯楽費	33 万 5,813 円	**8**
通：通信費	16 万 2,016 円	**31**
動：交通費	46 万 1,283 円	**5**
学：教育費	10 万 6,195 円	**28**

■は全国順位

鮮　魚
3 万 5,418 円（40 位）

マグロ	7,826 円
サ　ケ	6,048 円
エ　ビ	1,948 円
ブ　リ	1,858 円
イ　カ	1,700 円

生鮮野菜
7 万 3,512 円（25 位）

トマト	9,475 円
きゅうり	3,961 円
たまねぎ	3,146 円
キャベツ	3,117 円
ね　ぎ	2,758 円

飲　料
7 万 1,086 円（1 位）

茶飲料	9,882 円
乳酸菌飲料	8,720 円
果実・野菜ジュース	8,538 円
コーヒー	7,194 円
炭酸飲料	6,842 円

菓　子
8 万 7,948 円（20 位）

アイスクリーム	1 万 1,055 円
ケーキ	8,304 円
チョコレート	7,069 円
せんべい	5,950 円
スナック菓子	4,697 円

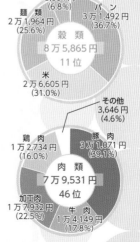

他の穀類
5,804 円
(6.8%)

麺　類
2 万 1,964 円
(25.6%)

パン
3 万 1,492 円
(36.7%)

穀　類
8 万 5,865 円
11 位

米
2 万 6,605 円
(31.0%)

その他
3,646 円
(4.6%)

鶏　肉
1 万 2,734 円
(16.0%)

豚　肉
3 万 1,071 円
(39.1%)

肉　類
7 万 9,531 円
46 位

加工肉
1 万 7,932 円
(22.5%)

生　肉
1 万 4,149 円
(17.8%)

埼玉県

農業生産

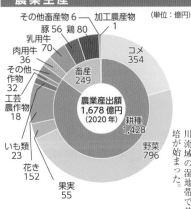

（単位：億円）

その他畜産物 6
加工農産物 1
豚 56　鶏 80
乳用牛
肉用牛 70
その他作物 32
工芸農作物 18
いも類 23
花き 152
果実 55

畜産 249
コメ 354

農業産出額 1,678 億円（2020年）

耕種 1,428

野菜 796

秩父地域特有の伝統野菜。漬物にすると歯切れが良く、風味も増す。

Bしゃくし菜
小鹿野町、皆野町、秩父市

Cクワイ
越谷市、さいたま市、草加市

正月に欠かせない野菜。江戸中期に綾瀬川流域の湿地帯で栽培が始まった。

農業物産出額上位 **10** 品目

① 米　　　　　354 億円
② ねぎ　　　　142 億円
③ きゅうり　　105 億円
④ ほうれんそう　91 億円
⑤ 鶏卵　　79 億円
⑥ 生乳　　59 億円
⑦ 豚　　　56 億円
⑧ さといも　49 億円
⑨ トマト　41 億円
⑩ ブロッコリー　40 億円

上里町
本庄市
神川町
美里町
深谷市
熊谷市
長瀞町
寄居町
嵐山町
皆野町
小川町
ときがわ町
東秩父村
鳩山町
小鹿野町 AB
横瀬町
越生町
毛呂山町
B
秩父市
飯能市
日高

狭山茶
狭山丘陵地域、秩父地域
鎌倉時代に導入され日本三大銘茶と称される。じっくりと火入れを行い仕上げる。

ナマズ／県東部ほか県内広域
全国で初めてナマズの養殖に成功。上質な肉質と臭みの無い淡泊な味わい。

丸系八つ頭／深谷市、杉戸町ほか県央地域
埼玉県で系統選抜したサトイモの品種。大きく丸い親イモが1個できる八つ頭。

彩玉（さいぎょく）／利根地域ほか
県オリジナル品種の梨。キャッチフレーズ「甘い」「大きい」「みずみずしい」。

彩のもろこ／主に県東部
コイ科の小魚でもっともおいしいとされるホンモロコ。厳しい認定基準をクリア。

のらぼう菜／比企地域ほか
江戸時代から比企地域で栽培されていた伝統野菜。菜の花の一種でアクが少ない。

ちちぶ山ルビー／秩父地域ほか
秩父地域のブドウ園だけで栽培されている。楕円形で鮮紅色の粒の種なしブドウ。

🅰彩の国地鶏タマシャモ／坂戸市、深谷市、川越市、東松山市、毛呂山町、小鹿野町
大和シャモ×大シャモ×ニューハンプシャーをかけ合わせた県育成の鶏。

行田市　羽生市　加須市　鴻巣市　久喜市　幸手市　吉見町　宮代町　杉戸町　北本市　川島町　桶川市　白岡市　伊奈町　蓮田市　春日部市　上尾市　松伏町　川越市　さいたま市　越谷市　吉川市　ふじみ野市　🅰　🅲　🅲　富士見市　川口市　草加市　三郷市　志木市　八潮市　三芳町　戸田市　朝霞市　和光市　蕨市　新座市　所沢市

凡例
-　-　-　新幹線
-・-・-　JR
　国道
　県・都道

N

埼玉県 の 食

*さいたま市の1世帯あたりの年間支出金額

耕地面積 (田畑計)	コメの作付面積 (水稲延べ)	コメの収穫量 (水稲)
7万 4,100ha (第16位)	3万 1,900ha (第16位)	15万 8,200t (第16位)

肉用牛 (飼育頭数)	養豚 (飼育頭数)	ブロイラー (飼育頭数)
1万 7,000頭 (第33位)	9万 4,900頭 (第25位)	x (第37位)

漁獲量・天然 (海面漁業)	漁獲量・養殖 (海面養殖)
0t (第一位)	0t (第一位)

食料自給率 (カロリーベース)	エンゲル係数*	食品出荷額
10% (第44位)	25.8 (第37位)	2兆408億 4,500万円 (第2位)

コロナ禍での消費変化〜【グラフ】月別増減率〜

調味料

* 4万525円 (第34位)

(円) 2019年 2020年

酒 類

* 4万4,271円 (第20位)

(円) 2019年 2020年

調理食品

* 15万9,918円 (第2位)

(円) 2019年 2020年

外 食

* 16万2,101円 (第4位)

(円) 2019年 2020年

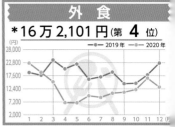

埼玉県民力

人 口

人口	739万54人	第5位
人口増減数	+12,766人	第3位
人口密度	1,913人／㎢	第4位
出生率	6.7人／千人	第22位
死亡率	9.7人／千人	第42位
外国人の割合	2.67%	第8位
交通事故死亡者数	2.32人／10万人	第31位
自殺者数	5.1人／10万人	第47位
婚姻率	4.7人／千人	第8位
離婚率	1.68人／千人	第16位

暮らし

貯蓄額*	2,365万円	第3位
負債総額*	906万円	第1位
持ち家率*	87.2%	第9位
延べ床面積*	107.1㎡	第32位
水道高熱費*	26万908円	第21位
保健医療費*	1万4,721円	第12位
大学進学率	58.5%	第9位
高卒の割合	13.2%	第41位
犯罪認知件数	4万4,485件	第3位
少年犯罪数	1.84人／千人	第27位

*はさいたま市の値

経済・労働

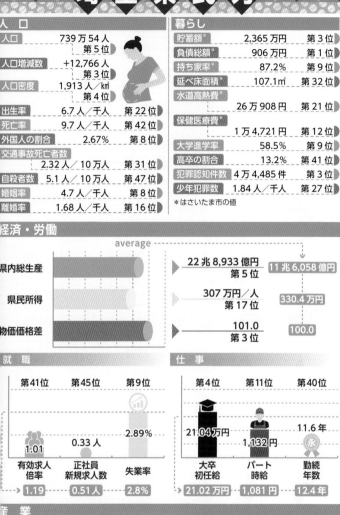

average

県内総生産	22兆8,933億円 第5位	11兆6,058億円
県民所得	307万円／人 第17位	330.4万円
物価価格差	101.0 第3位	100.0

就 職

第41位	第45位	第9位
		2.89%
1.01	0.33人	
有効求人倍率	正社員新規求人数	失業率
1.19	0.51人	2.8%

仕 事

第4位	第11位	第40位
21.04万円	1,132円	11.6年
大卒初任給	パート時給	勤続年数
21.02万円	1,081円	12.4年

産 業

製 造

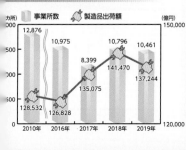

事業所数　製造品出荷額

	2010年	2016年	2017年	2018年	2019年
事業所数	12,876	10,975	8,399	10,796	10,461
製造品出荷額	128,532	126,828	135,075	141,470	137,244

流通・企業

年間商品販売額	15兆4,122億円	7
年間商品販売額のうち卸売販売額	8兆4,739億円	7
年間商品販売額のうち小売販売額	6兆9,382億円	5
上場企業数	71	7
企業倒産数	348件	6
代表取締役出身者数	3万1,275人	9

□は全国順位

Data で見る 埼玉県

世 帯

他 8.2%
高齢者世帯 11.6%
単身者世帯 30.5%
核家族世帯 61.3%

335万3,979世帯 4位

- 平均人員 2.20人 （29位）
- 世帯主年齢 57.2歳 （34位）
- 子どもの人員 0.56人 （31位）
- 高齢者の人員 0.65人 （45位）
- 生活保護世帯数 12.9世帯／千世帯 （21位）

気 候

35℃以上の日数	23日	全国で 7位	
平均気温	16.2℃	全国で 27位	
日照時間	2,111時間	全国で 19位	
降水量	1,364mm	全国で 38位	
平均相対湿度	69.0%	全国で 33位	

（熊谷管区気象台 2020年）
最低気温 -5.2℃／最高気温 39.6℃

（45位）	31.7歳	初婚年齢	29.7歳	（41位）
（22位）	80.82歳	寿命	86.66歳	（39位）
（8位）	32.98万円	月額給与	24.86万円	（9位）
（18位）	170.6cm	身長	158.2cm	（7位）
（34位）	62.1kg	体重	53.5kg	（11位）

地 価

地価平均価格

住宅地
135,000 131,000 127,000 123,000 119,000 115,000 （円／㎡）
2011 2012 2013 2014 2015 2016 2017 2018 2019 2020（年）

商業地
330,000 318,000 306,000 294,000 282,000 270,000 （円／㎡）
2011 2012 2013 2014 2015 2016 2017 2018 2019 2020（年）

用途別の平均変動率

住宅地	1.0%	11位
商業地	2.0%	14位
工業地	3.0%	8位

住宅地の平均価格*
20万5,700円／㎡ 5位
（＋5,700円）

商業地の最高値*
348万円／㎡ 11位
（＋40万円）

*はさいたま市の値

旅行者 （対前年同月比）

月別の宿泊者数

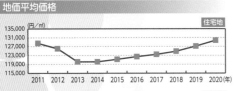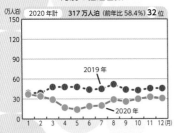

2020年計 317万人泊（前年比 58.4%）32位
（万人泊）
150 120 90 60 30 0
2019年
2020年
1 2 3 4 5 6 7 8 9 10 11 12（月）

月別の客室稼働率

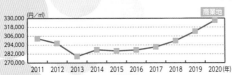

2020年 30.2%（前年比 57.9%） 1位
（%）
80 60 40 20 0
2019年
2020年
1 2 3 4 5 6 7 8 9 10 11 12（月）

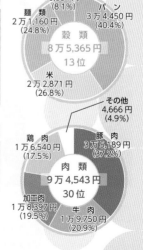

学校・施設

- 医師数 169.8 人／10 万人（47 位）
- 病院数 4.7 施設／10 万人（42 位）
- 一般診療所数
  59.6 施設／10 万人（47 位）
- 児童福祉施設数
  30.2 施設／10 万人（40 位）
- 老人福祉センター数
  2.78 施設／10 万人（44 位）
- 小学校数 814 校（6 位）
- 高校数 193 校（7 位）
- 大学数 28 校（9 位）
- 博物館数 0.34 施設／10 万人（47 位）
- 映画館数 2.84 施設／10 万人（21 位）
- 図書館数 2.35 施設／10 万人（39 位）
- 学校の IT 化 6.57 人／台（3 位）
- 保育所数 1,363 カ所（5 位）
- 幼稚園数 518 校（4 位）

消費（さいたま市の 1 世帯当たりの年間支出金額）

年間消費支出
391 万 5,753 円 **1 位**
（対前年比 96.7%）

消費支出増減率（前年同月比）

	(%)	
2.60	0.54	12.90	19.79	-2.93	-6.98	-13.56	-9.06	-8.99	-26.11	2.76	-8.23
1	2	3	4	5	6	7	8	9	10	11	12(月)

消費変化（対前年比較）

衣 (-16.6)

(14.2)学

(37.0)動

(0.8)通

食 (-2.9)

楽 (-21.1)

※太線は前年。
太線の外側は
前年対比プラス、
内側はマイナス

衣：被服・履物費	14 万 7,367 円	**2**
食：食費	104 万 6,426 円	**3**
楽：教養娯楽費	38 万 5,983 円	**2**
通：通信費	16 万 8,539 円	**24**
動：交通費	50 万 6,751 円	**2**
学：教育費	27 万 9,397 円	**1**

■は全国順位

鮮魚
3 万 7,865 円（26 位）

マグロ	7,551 円
サケ	5,269 円
ブリ	2,745 円
エビ	2,167 円
カニ	1,930 円

飲料
6 万 6,798 円（4 位）

茶飲料	9,341 円
果実・野菜ジュース	8,298 円
コーヒー	8,143 円
炭酸飲料	7,129 円
ミネラルウォーター	5,179 円

生鮮野菜
8 万 2,972 円（8 位）

トマト	1 万 56 円
きゅうり	4,291 円
たまねぎ	3,864 円
ねぎ	3,557 円
キャベツ	3,420 円

菓子
9 万 7,640 円（3 位）

アイスクリーム	1 万 1,595 円
ケーキ	9,665 円
チョコレート	6,794 円
せんべい	6,666 円
スナック菓子	5,033 円

穀類
8 万 5,365 円
13 位

- 他の穀類 6,884 円（8.1%）
- 麺類 2 万 1,160 円（24.8%）
- パン 3 万 4,450 円（40.4%）
- 米 2 万 2,871 円（26.8%）

肉類
9 万 4,543 円
30 位

- その他 4,666 円（4.9%）
- 鶏肉 1 万 6,540 円（17.5%）
- 豚肉 3 万 5,189 円（37.2%）
- 加工肉 1 万 8,397 円（19.5%）
- 牛肉 1 万 9,750 円（20.9%）

千葉県

県の		
木：マキ	歌：千葉県県歌	
花：菜の花	県民の日：	
鳥：ホオジロ		6月15日
魚：タイ		

農業生産

（単位：億円）

その他畜産物 12
加工農産物 2
鶏 425
コメ 689
乳用牛 269
豚 442
畜産 1,248
肉用牛 100
農業産出額 3,859億円 (2020年)
その他作物 74
工芸農作物 6
いも類 207
耕種 2,609
花き 174
果実 114
野菜 1,305

農業物産出額上位 10品目

① 米	689億円		
② 豚	442億円		
③ 鶏卵	326億円		
④ 生乳 226億円		⑧ 肉用牛 100億円	
⑤ さつまいも 176億円		⑨ だいこん 94億円	
⑥ ねぎ 151億円		⑩ トマト 92億円	
⑦ にんじん 102億円			

E房州ビワ
／南房総市、館山市、鋸南町
長崎の「茂木ビワ」とともにビワの二大産地。毎年皇室に献上されている。

F醤油
／野田市、銚子市、東庄町
全国の醤油消費量の3分の1が生産される。野田と銚子が二大生産地。

地図内の都市：野田市、流山市、我孫子市、印西、柏市、白井市、松戸市、八千代市、鎌ケ谷市、市川市、船橋市、千葉市、習志野市、浦安市、四街道市、袖ケ浦市、市原市、木更津市、君津市、富津市、鴨、鋸南町、南房総市、館山市

サツマイモ／北総台地ほか
青木昆陽が徳川吉宗に救荒食としての栽培を奏上し、この地で試作を始めた。

Ａホワイトボール／東庄町
千葉県はカブの生産量日本一。ホワイトボールは、東庄町の真っ白な小カブ。

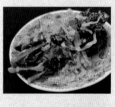

Ｂ富里スイカ／富里市
昭和初期から栽培が始まる。畑台地が広く、スイカの産地として知られる。

食用なばな／安房・夷隅・君津地域
菜の花の食用品種を栽培した千葉県の特産物。主に水田の後作として栽培。

Ｃ海 苔／内房地域
1821年に小糸川河口で養殖に成功したのが東京湾海苔生産のはじまりといわれる。

Ｄ白たけのこ／大多喜町
酸性白土の土壌により、大多喜町産は色が白く、苦みやえぐ味が少ない。

牛 乳／安房地域ほか
享保年間に安房の嶺岡で牛乳から乳製品を作ったことが日本の酪農発祥とされる。

落花生／県内広域
2018年に甘く食べやすい県オリジナル新品種「Qなっつ」がデビュー。

凡 例
- ━ ━ 新幹線
- ─ JR
- ─ 国 道
- ─ 鉄・有料道路

千葉県 の 食

耕地面積（田畑計）
12万
3,500ha
（第 9 位）

コメの作付面積（水稲延べ）
5万
5,400ha
（第 9 位）

コメの収穫量（水稲）
29万
7,500t
（第 9 位）

肉用牛（飼育頭数）
3万
9,600頭
（第 19 位）

養豚（飼育頭数）
60万
3,800頭
（第 5 位）

ブロイラー（飼育頭数）
195万
7,000羽
（第 16 位）

漁獲量・天然（海面漁業）
11万
1,213t
（第 7 位）

漁獲量・養殖（海面養殖）
5,702t
（第 22 位）

食料自給率（カロリーベース）
26%
（第 34 位）

エンゲル係数*
27.3
（第 17 位）

食品出荷額
1兆6,236億
1,300万円
（第 6 位）

コロナ禍での消費変化〜【グラフ】月別増減率〜

調味料
* 4万5,298円（第 4 位）

（円）
5,000
4,400
3,800
3,200
2,600
2,000
―●― 2019年 ―●― 2020年
1 2 3 4 5 6 7 8 9 10 11 12（月）

酒 類
* 4万2,216円（第 28 位）

（円）
9,000
7,400
5,800
4,200
2,600
1,000
―●― 2019年 ―●― 2020年
1 2 3 4 5 6 7 8 9 10 11 12（月）

調理食品
* 14万7,204円（第 7 位）

（円）
20,000
17,200
14,400
11,600
8,800
6,000
―●― 2019年 ―●― 2020年
1 2 3 4 5 6 7 8 9 10 11 12（月）

外 食
* 14万5,962円（第 8 位）

（円）
28,000
22,800
17,600
12,400
7,200
2,000
―●― 2019年 ―●― 2020年
1 2 3 4 5 6 7 8 9 10 11 12（月）

千葉県民力

人 口

人口	631万9,772人	第6位
人口増減数	+8,582人	第5位
人口密度	1,207人／km²	第6位
出生率	6.6人／千人	第26位
死亡率	10.1人／千人	第41位
外国人の割合	2.67%	第9位
交通事故死亡者数	1.65人／10万人	第43位
自殺者数	18.9人／10万人	第13位
婚姻率	4.7人／千人	第8位
離婚率	1.64人／千人	第23位

暮らし

貯蓄額*	1,897万円	第12位
負債総額*	575万円	第18位
持ち家率*	83.0%	第23位
延べ床面積*	92.2m²	第45位
水道高熱費*	25万1,122円	第31位
保健医療費*	1万6,062円	第7位
大学進学率	56.0%	第15位
高卒の割合	13.0%	第42位
犯罪認知件数	3万4,685件	第6位
少年犯罪数	1.85人／千人	第26位

*は千葉市の値

経済・労働

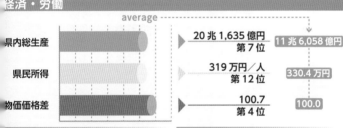

average

県内総生産	20兆1,635億円 第7位	11兆6,058億円
県民所得	319万円／人 第12位	330.4万円
物価価格差	100.7 第4位	100.0

就 職

	第42位	第46位	第16位
	0.99	0.32人	2.67%
	有効求人倍率	正社員新規求人数	失業率
	1.19	0.51人	2.8%

仕 事

	第2位	第6位	第44位
	21.17万円	1,167円	11.5年
	大卒初任給	パート時給	勤続年数
	21.02万円	1,081円	12.4年

産 業

製 造

| 力所 | 事業所数 | 製造品出荷額 | （億円） |

年	事業所数	製造品出荷額
2010年	5,663	123,805
2016年	4,815	114,020
2017年	3,481	121,263
2018年	4,856	131,432
2019年	4,741	125,216

流通・企業

年間商品販売額	12兆2,797億円	9
年間商品販売額のうち卸売販売額	6兆1,024億円	11
年間商品販売額のうち小売販売額	6兆1,773億円	7
上場企業数	52	9
企業倒産数	232件	9
代表取締役出身者数	2万8,419人	12

□は全国順位

Data で見る 千葉県

世帯

292万7,908
世帯
6位

- 他 8.7%
- 高齢者世帯 11.9%
- 単身者世帯 32.4%
- 核家族世帯 59.0%

- 平均人員 2.16 人（32位）
- 世帯主年齢 61.7 歳（6位）
- 子どもの人員 0.60 人（25位）
- 高齢者の人員 0.85 人（12位）
- 生活保護世帯数
13.5 世帯／千世帯（19位）

気候

		全国で	
35℃以上の日数	2 日	41 位	
平均気温	17.0℃	21 位	
日照時間	1,880 時間	32 位	
降水量	1,792 ㎜	22 位	
平均相対湿度	66.5%	41 位	

（千葉管区気象台 2020 年）

最低気温 -1.7℃／最高気温 35.7℃

（44位）	31.5 歳	初婚年齢	29.7 歳	（41位）
（16位）	80.96 歳	寿命	86.91 歳	（30位）
（6位）	33.13 万円	月額給与	25.49 万円	（6位）
（12位）	170.9㎝	身長	158.6㎝	（2位）
（13位）	63.3kg	体重	53.9kg	（6位）

地価

地価平均価格

住宅地

（円／㎡）
110,000 / 106,000 / 102,000 / 98,000 / 94,000 / 90,000
2011 2012 2013 2014 2015 2016 2017 2018 2019 2020（年）

商業地

（円／㎡）
280,000 / 268,000 / 256,000 / 244,000 / 232,000 / 220,000
2011 2012 2013 2014 2015 2016 2017 2018 2019 2020（年）

用途別の平均変動率

住宅地	0.7%	12 位
商業地	3.4%	11 位
工業地	3.3%	6 位

住宅地の平均価格*
12 万 800 円／㎡ 11 位
（＋ 2,300 円）

商業地の最高値*
185 万円／㎡ 14 位
（＋20 万円）

*は千葉市の値

旅行者（対前年同月比）

月別の宿泊者数

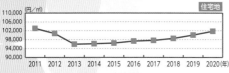

2020 年計 1,413 万人泊（前年比 48.3%）5 位

（万人泊）
350 / 280 / 210 / 140 / 70 / 0
2019 年
2020 年
1 2 3 4 5 6 7 8 9 10 11 12（月）

月別の客室稼働率

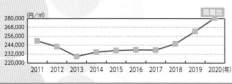

2020 年 22.9%（前年比 46.5%）16 位

（%）
80 / 60 / 40 / 20 / 0
2019 年
2020 年
1 2 3 4 5 6 7 8 9 10 11 12（月）

学校・施設

- 医師数 194.1 人／10 万人（45 位）
- 病院数 4.6 施設／10 万人（43 位）
- 一般診療所数
  61.0 施設／10 万人（46 位）
- 児童福祉施設数
  33.4 施設／10 万人（32 位）
- 老人福祉センター数
  3.10 施設／10 万人（41 位）
- 小学校数 777 校（7 位）
- 高校数 182 校（8 位）

- 大学数 27 校（10 位）
- 博物館数 0.69 施設／10 万人（41 位）
- 映画館数 3.51 施設／10 万人（10 位）
- 図書館数 2.30 施設／10 万人（40 位）
- 学校の IT 化 6.60 人／台（1 位）
- 保育所数 1,167 カ所（6 位）
- 幼稚園数 474 校（5 位）

消　費（千葉市の 1 世帯当たりの年間支出金額）

消費変化（対前年比較）

年間消費支出
363 万 8,311 円　**6 位**
（対前年比 98.8%）

消費支出増減率（前年同月比）

月	1	2	3	4	5	6	7	8	9	10	11	12
(%)	11.42	17.53	19.63	-6.54	9.66	4.07	-0.95		-22.97	8.88	-23.25	0.22

※太線は前年。
太線の外側は
前年対比プラス、
内側はマイナス

衣 (-19.2)　食 (4.3)
(31.0) 学　　　楽 (-18.9)
(-16.5) 動　　(1.0) 通

衣：被服・履物費	11 万 8,929 円	15
食：食費	103 万 608 円	4
楽：教養娯楽費	32 万 338 円	15
通：通信費	17 万 2,264 円	16
動：交通費	32 万 8,484 円	21
学：教育費	23 万 1,034 円	3

■は全国順位

鮮　魚
4 万 718 円（19 位）

マグロ	8,039 円
サ　ケ	6,143 円
ブ　リ	3,208 円
エ　ビ	2,747 円
イ　カ	1,726 円

生鮮野菜
8 万 7,388 円（3 位）

トマト	1 万 833 円
ね　ぎ	4,177 円
きゅうり	3,931 円
たまねぎ	3,902 円
キャベツ	3,219 円

飲　料
6 万 4,815 円（5 位）

茶飲料	1 万 589 円
コーヒー	7,357 円
果実・野菜ジュース	7,330 円
炭酸飲料	7,084 円
ミネラルウォーター	4,968 円

菓　子
9 万 1,965 円（11 位）

アイスクリーム	1 万 1,697 円
ケーキ	7,825 円
せんべい	6,711 円
チョコレート	6,693 円
スナック菓子	5,099 円

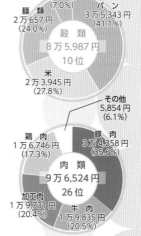

他の穀類
6,042 円
（7.0%）

麺　類
2 万 657 円
（24.0%）

パ　ン
3 万 5,343 円
（41.1%）

穀　類
8 万 5,987 円
10 位

米
2 万 3,945 円
（27.8%）

その他
5,854 円
（6.1%）

鶏　肉
1 万 6,746 円
（17.3%）

豚　肉
3 万 4,358 円
（35.6%）

肉　類
9 万 6,524 円
26 位

加工肉
1 万 9,731 円
（20.4%）

牛　肉
1 万 9,835 円
（20.5%）

東京都

都の
木：イチョウ　歌：東京都歌
花：ソメイヨシノ　：東京市歌
鳥：ユリカモメ　都民の日：
　　　　　　　　　　10月1日

農業生産

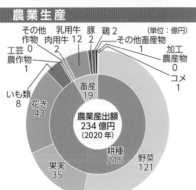

（単位：億円）

その他作物　乳用牛　豚2　鶏2
工芸農作物　肉用牛12
その他畜産物 1
加工農産物 0
コメ 1
いも類 8
花き 43
畜産 19
果実 35
耕種 215
野菜 121

農業産出額
234億円
（2020年）

農業物産出額上位 10 品目

① こまつな　19億円
② 日本なし　15億円
③ ほうれんそう　14億円

④ 切り葉　12億円
⑤ 生乳　10億円
⑥ えだまめ※　10億円
⑦ トマト　9億円
⑧ ブルーベリー　7億円
⑨ さといも　7億円
⑩ ぶどう　6億円

※未成熟のもの

A TOKYO X／町田市、
八王子市、青梅市
Xに「クロス（交雑）」と
「エックス（未知の可能性）」
を込めた東京生まれの豚。

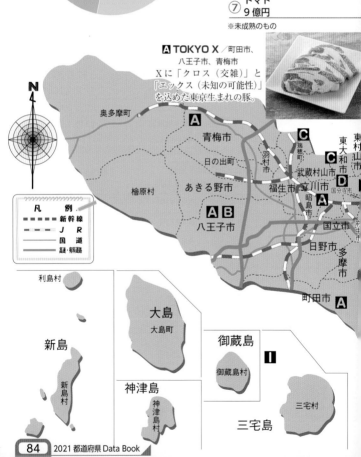

N

凡　例
- - - - 新幹線
　　　J　R
　　　国　道
　　　都道・県道

奥多摩町
青梅市
日の出町
あきる野市
檜原村
八王子市 A B
瑞穂町
羽村市
武蔵村山市
福生市
昭島市
立川市
東村山市
東大和市
国分寺市
国立市
日野市
多摩市
町田市 A
A
C
C
D

利島村
新島
新島村
大島
大島町
神津島
神津島村
御蔵島
御蔵島村
三宅島
三宅村

B 八王子ショウガ／八王子市
辛みが少なくみずみずしい。「しょうが祭り」は、江戸時代から続く例大祭。

C 東京紅茶／瑞穂町、東大和市
東京狭山茶の茶葉から作られる国産紅茶。ほのかな甘みとまろやかな口当たり。

D 東京ウド／立川市
関東ローム層の粘土質の地下3mほどの穴の中で育てられ、真っ白になる。

E 滝野川ゴボウ／小平市
国内で栽培されるゴボウのほとんどはこの系統といわれるほどの優良品種。

F 早稲田ミョウガ／新宿区、練馬区
文京区の茗荷谷という地名は、周辺にミョウガ畑が広がっていたことに由来。

G 足立のつまもの／足立区
江戸時代、三河島村に料亭が多くあったため、和食の添え物の栽培が広まった。

清瀬市
東久留米市
F
西東京市
武蔵野市
三鷹市
東京特別区
調布市
狛江市
稲城市

G

F

H

H 後関晩生小松菜／江戸川区
江戸東京野菜。現在流通している小松菜は、チンゲン菜などとのかけ合わせ。

八丈島
八丈町

父島　小笠原村
母島
硫黄島
沖ノ鳥島　鳥島　南鳥島

I メダイ／伊豆・小笠原諸島
主要漁場の一つ、伊豆諸島では、郷土料理「べっこう鮨」などに利用される。

東京都 の 食

※東京都区部の1世帯あたりの年間支出金額

耕地面積(田畑計)

6,530ha
(第47位)

コメの作付面積(水稲延べ)

124ha
(第47位)

コメの収穫量(水稲)

496t
(第47位)

肉用牛(飼育頭数)

630頭
(第47位)

養豚(飼育頭数)

2,720頭
(第45位)

ブロイラー(飼育頭数)

−
(第 一 位)

漁獲量・天然(海面漁業)

5万
2,349t
(第18位)

漁獲量・養殖(海面養殖)

x
(第 一 位)

食料自給率
(カロリーベース)

1%
(第46位)

エンゲル係数*

28.3
(第9位)

食品出荷額

7,274億
3,200万円
(第13位)

コロナ禍での消費変化～【グラフ】月別増減率～

調味料

* 4万8,132円 (第1位)

(円)
5,000
4,400
3,800
3,200
2,600
2,000
—●— 2019年 —●— 2020年
1 2 3 4 5 6 7 8 9 10 11 12 (月)

酒 類

* 5万2,556円 (第8位)

(円)
9,000
7,700
5,800
4,200
2,600
1,000
—●— 2019年 —●— 2020年
1 2 3 4 5 6 7 8 9 10 11 12 (月)

調理食品

*16万2,015円 (第1位)

(円)
20,000
17,200
14,400
11,600
8,800
6,000
—●— 2019年 —●— 2020年
1 2 3 4 5 6 7 8 9 10 11 12 (月)

外 食

*19万4,094円 (第1位)

(円)
28,000
22,800
17,600
12,400
7,200
2,000
—●— 2019年 —●— 2020年
1 2 3 4 5 6 7 8 9 10 11 12 (月)

東京都民力

人口

人口	1,383万4,925人	第1位
人口増減数	+94,193人	第1位
人口密度	6,169人／km²	第1位
出生率	7.6人／千人	第7位
死亡率	9.0人／千人	第46位
外国人の割合	4.08%	第1位
交通事故死亡者数	2.05人／10万人	第35位
自殺者数	7.3人／10万人	第45位
婚姻率	6.4人／千人	第1位
離婚率	1.69人／千人	第14位

暮らし

貯蓄額*	2,463万円	第1位
負債総額*	620万円	第14位
持ち家率*	79.3%	第34位
延べ床面積*	91.2m²	第46位
水道高熱費*	25万9,150円	第25位
保健医療費*	1万8,417円	第2位
大学進学率	66.6%	第2位
高卒の割合	6.2%	第47位
犯罪認知件数	8万2,764件	第1位
少年犯罪数	2.64人／千人	第9位

*は東京都区部の値

経済・労働

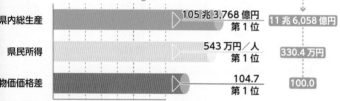

average

県内総生産	105兆3,768億円 第1位	11兆6,058億円
県民所得	543万円／人 第1位	330.4万円
物価価格差	104.7 第1位	100.0

就職

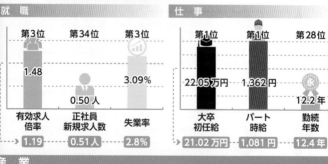

第3位	第34位	第3位
1.48	0.50人	3.09%
有効求人倍率	正社員新規求人数	失業率
1.19	0.51人	2.8%

仕事

第1位	第1位	第28位
22.05万円	1,362円	12.2年
大卒初任給	パート時給	勤続年数
21.02万円	1,081円	12.4年

産業

製造

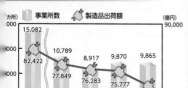

■ 事業所数　🏭 製造品出荷額

(箇所)　　　　　　　　　　　　　　　　　　　　　(億円)

	2010年	2016年	2017年	2018年	2019年
事業所数	15,082	10,789	8,917	9,870	9,865
製造品出荷額	82,422	77,849	76,283	75,777	71,467

流通・企業

年間商品販売額	146兆776億円	1
年間商品販売額のうち卸売販売額	125兆9,443億円	1
年間商品販売額のうち小売販売額	20兆1,333億円	1
上場企業数	2,040	1
企業倒産数	1,392件	1
代表取締役出身者数	8万7,058人	1

□は全国順位

Data で見る 東京都

世帯

他 4.9%
高齢者世帯 8.1%

729万8,690世帯 1位

単身者世帯 47.3%
核家族世帯 47.8%

- 平均人員 1.90人 (46位)
- 世帯主年齢 58.6歳 (26位)
- 子どもの人員 0.60人 (25位)
- 高齢者の人員 0.73人 (33位)
- 生活保護世帯数 30.5世帯／千世帯 (2位)

気候

35℃以上の日数		全国で 25位	12日
平均気温		全国で 25位	16.5℃
日照時間		全国で 30位	1,890時間
降水量		全国で 32位	1,590mm
平均相対湿度		全国で 22位	71.4%

(東京管区気象台 2020年)

最低気温 -2.1℃／最高気温 37.3℃

(47位)	32.3歳	初婚年齢 30.5歳	(47位)
(11位)	81.07歳	寿命 87.26歳	(15位)
(1位)	41.75万円	月額給与 30.58万円	(1位)
(2位)	171.6cm	身長 158.6cm	(2位)
(25位)	62.4kg	体重 52.8kg	(28位)

地価

地価平均価格

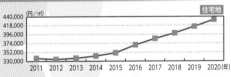

住宅地

(円／㎡)
440,000
418,000
396,000
374,000
352,000
330,000
2011 2012 2013 2014 2015 2016 2017 2018 2019 2020(年)

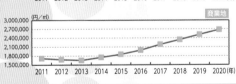

商業地

(円／㎡)
3,000,000
2,700,000
2,400,000
2,100,000
1,800,000
1,500,000
2011 2012 2013 2014 2015 2016 2017 2018 2019 2020(年)

用途別の平均変動率

住宅地	2.8%	4位
商業地	7.2%	4位
工業地	3.3%	6位

住宅地の平均価格*
63万1,300円／㎡ 1位
(+ 30,000円)

商業地の最高値*
5,770万円／㎡ 1位
(+50万円)

＊は東京都区部の値

旅行者 (対前年同月比)

月別の宿泊者数

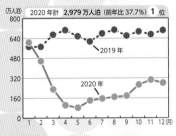

(万人泊) 2020年計 2,979万人泊 (前年比 37.7%) 1位
800
640
480
320
160
0
1 2 3 4 5 6 7 8 9 10 11 12(月)

2019年
2020年

月別の客室稼働率

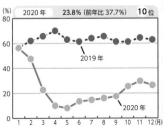

(%) 2020年 23.8% (前年比 37.7%) 10位
80
60
40
20
0
1 2 3 4 5 6 7 8 9 10 11 12(月)

2019年
2020年

学校・施設

- 医師数 307.5 人／10 万人（5 位）
- 病院数 4.6 施設／10 万人（43 位）
- 一般診療所数 98.5 施設／10 万人（5 位）
- 児童福祉施設数 35.9 施設／10 万人（27 位）
- 老人福祉センター数 2.54 施設／10 万人（46 位）
- 小学校数 1,328 校（1 位）
- 高校数 428 校（1 位）

- 大学数 143 校（1 位）
- 博物館数 0.75 施設／10 万人（39 位）
- 映画館数 2.95 施設／10 万人（18 位）
- 図書館数 2.88 施設／10 万人（28 位）
- 学校の IT 化 4.66 人／台（21 位）
- 保育所数 3,114 カ所（1 位）
- 幼稚園数 984 校（1 位）

消　費（東京都区部の 1 世帯当たりの年間支出金額）

年間消費支出
390 万 121 円 **2位**
（対前年比 97.7%）

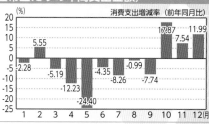

消費支出増減率（前年同月比）

月	増減率(%)
1	-2.28
2	5.55
3	-5.19
4	-12.23
5	-24.40
6	-4.35
7	-8.26
8	-0.99
9	-7.74
10	17.87
11	7.54
12	11.99

消費変化（対前年比較）

衣 (-16.2)
(-3.0) 学
食 (1.5)
(-19.7) 動
楽 (-17.4)
(9.9) 通

※太線は前年。太線の外側は前年対比プラス、内側はマイナス

衣：被服・履物費	15 万 31 円	**1**
食：食費	115 万 4,526 円	**1**
楽：教養娯楽費	38 万 8,174 円	**1**
通：通信費	16 万 3,432 円	**29**
動：交通費	23 万 7,155 円	**39**
学：教育費	23 万 2,063 円	**2**

■は全国順位

鮮　魚
4 万 5,427 円（3 位）

マグロ	8,791 円
サ ケ	6,034 円
ブ リ	3,407 円
エ ビ	3,170 円
イ カ	1,886 円

生鮮野菜
9 万 6,354 円（1 位）

トマト	1 万 1,350 円
きゅうり	4,649 円
ね ぎ	4,460 円
たまねぎ	4,253 円
レタス	3,453 円

飲　料
6 万 7,344 円（3 位）

果実・野菜ジュース	8,877 円
コーヒー	8,502 円
炭酸飲料	7,448 円
茶飲料	7,337 円
ミネラルウォーター	4,863 円

菓　子
9 万 6,065 円（4 位）

アイスクリーム	1 万 1,257 円
ケーキ	8,713 円
チョコレート	7,870 円
せんべい	6,626 円
スナック菓子	4,866 円

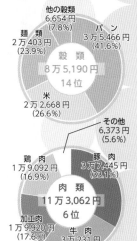

穀　類
8 万 5,190 円
14 位

- 他の穀類 6,654 円（7.8%）
- 麺 類 2 万 403 円（23.9%）
- パン 3 万 5,466 円（41.6%）
- 米 2 万 2,668 円（26.6%）

肉　類
11 万 3,062 円
6 位

- その他 6,373 円（5.6%）
- 鶏 肉 1 万 9,092 円（16.9%）
- 豚 肉 3 万 7,445 円（33.1%）
- 加工肉 1 万 9,920 円（17.6%）
- 牛 肉 3 万 231 円（26.7%）

神奈川県

県の
木：イチョウ　　色：かながわブルー
花：ヤマユリ　　県民歌：
鳥：カモメ　　　　　　　光あらたに

農業生産

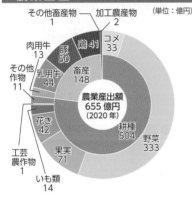

その他畜産物 1　加工農産物 2　（単位：億円）

肉用牛 13
鶏 41
豚 50
コメ 33
乳用牛 44
その他作物 11
畜産 148
工芸農作物 1
花き 42
農業産出額
655 億円
（2020 年）
耕種 504
果実 71
いも類 14
野菜 333

G曽我の梅／小田原市
宿場町だった小田原では、旅人の保存食として梅干しの増産が図られた。

農業物産出額上位 10 品目

① 豚　　　　50 億円
② だいこん　49 億円
③ キャベツ　44 億円

④ 鶏卵　41 億円
⑤ 生乳　37 億円
⑥ 米　　33 億円
⑦ みかん　31 億円
⑧ トマト　23 億円
⑨ ほうれんそう　23 億円
⑩ きゅうり　23 億円

相模原市

清川村

山北町

厚木

伊勢原

秦野市

松田町

大井町

中井町　平

開成町

南足柄市

二宮町

小田原市

B

G

大磯

箱根町

H 芦ノ湖

湯河原町

真鶴町

N

Hワカサギ／箱根町
芦ノ湖のワカサギは、100年近い歴史をもち、宮中三殿献上品でもある。

津久井在来大豆／県内広域
津久井地域に伝わる在来の
大豆で、大粒で甘みがある。
生産量が少なく幻の大豆。

A相模川の鮎
／厚木市
相模川は鮎河とも呼ばれる
天然鮎の産地で、江戸時代、
幕府の献上品だった。

B湘南レッド
／小田原市、大磯町、川崎市
辛みや刺激臭が少なく、甘
みが強い紫タマネギ。水分
が多く生食に適する。

Cさがみのレタス
／藤沢市、綾瀬市
終戦直後、マッカーサーが
栽培を命じた。日本のサラ
ダ野菜発祥の地。

D江の島カマス／藤沢市
好物のシラスを食べて丸々
と太ったアカカマス。10〜
11月は、とくに脂がのる。

川崎市

川崎市飛地

座間市

大和市

綾瀬市

横浜市

藤沢市

寒川町

海老名市

茅ヶ崎市

鎌倉市

逗子市

葉山町

横須賀市

三浦市

Eサラダ紫
／横須賀市、葉山町
アクが少なく、サラダで食
べられるナス。「よこすか
水なす」としてブランド化。

F早春キャベツ
／三浦市
「夏まき冬どり」
の三浦キャベ
ツ。冬キャベツ
なのに、やわら
かく甘い。

凡　例
━━━ 新幹線
━ ━ J R
──── 国　道
──── 謎・那謎題

91

神奈川県 の 食

＊横浜市の1世帯当たりの年間支出金額

耕地面積（田畑計）
1万
8,400ha
（第**45**位）

コメの作付面積（水稲延べ）

2,990ha
（第**45**位）

コメの収穫量（水稲）

1万
4,200t
（第**45**位）

肉用牛（飼育頭数）
4,880頭
（第**39**位）

養豚（飼育頭数）

6万
8,700頭
（第**28**位）

ブロイラー（飼育頭数）
—
（第**一**位）

漁獲量・天然（海面漁業）

3万
3,797t
（第**21**位）

漁獲量・養殖（海面養殖）

946t
（第**29**位）

食料自給率
（カロリーベース）
2%
（第**45**位）

エンゲル係数＊
28.4
（第**8**位）

食品出荷額
1兆6,663億
2,200万円
（第**5**位）

コロナ禍での消費変化～【グラフ】月別増減率～

調味料
＊4万6,185円（第**2**位）

酒類
＊5万7,969円（第**4**位）

調理食品
＊14万1,811円（第**9**位）
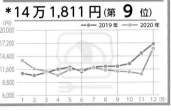

外食
＊13万2,703円（第**21**位）
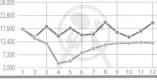

神奈川県民力

人 口

人口	920 万 9,442 人	第 2 位
人口増減数	+19,921 人	第 2 位
人口密度	3,778 人/km	第 3 位
出生率	7.0 人/千人	第 16 位
死亡率	9.3 人/千人	第 45 位
外国人の割合	2.56%	第 10 位
交通事故死亡者数	1.52 人/10 万人	第 44 位
自殺者数	13.5 人/10 万人	第 42 位
婚姻率	5.1 人/千人	第 5 位
離婚率	1.65 人/千人	第 21 位

暮らし

貯蓄額*	2,181 万円	第 5 位
負債総額*	613 万円	第 15 位
持ち家率*	82.2%	第 25 位
延べ床面積*	101.0m	第 38 位
水道高熱費*	25 万 7,721 円	第 27 位
保健医療費*	1 万 8,723 円	第 1 位
大学進学率	60.9%	第 6 位
高卒の割合	8.3%	第 45 位
犯罪認知件数	3 万 5,241 件	第 5 位
少年犯罪数	2.10 人/千人	第 15 位

*は横浜市の値

経済・労働

average

県内総生産	34 兆 6,360 億円 第 4 位	11 兆 6,058 億円
県民所得	323 万円/人 第 11 位	330.4 万円
物価価格差	104.0 第 2 位	100.0

就 職

	第 46 位	第 47 位	第 10 位
	0.89	0.26 人	2.85%
	有効求人倍率	正社員新規求人数	失業率
	1.19	0.51 人	2.8%

仕 事

	第3位	第2位	第22位
	21.08万円	1,264 円	12.5 年
	大卒初任給	パート時給	勤続年数
	21.02 万円	1,081 円	12.4 年

産 業

製 造

(カ所)	事業所数	製造品出荷額 (億円)

年	事業所数	製造品出荷額
2010年	9,157	172,467
2016年	7,697	162,882
2017年	5,700	179,564
2018年	7,349	184,431
2019年	7,247	177,255

流通・企業

年間商品販売額	19 兆 83 億円	4
年間商品販売額のうち卸売販売額	9 兆 9,492 億円	5
年間商品販売額のうち小売販売額	9 兆 591 億円	3
上場企業数	176	4
企業倒産数	443 件	4
代表取締役出身者数	3 万 7,539 人	6

□は全国順位

Data で見る 神奈川県

世 帯

他 6.1%
高齢者世帯 10.8%

438万1,327世帯 2位

単身者世帯 35.5%

核家族世帯 58.4%

・平均人員 2.10人 (37位)
・世帯主年齢 60.7歳 (10位)
・子どもの人員 0.52人 (37位)
・高齢者の人員 0.84人 (15位)
・生活保護世帯数
　6.0世帯/千世帯 (40位)

気 候

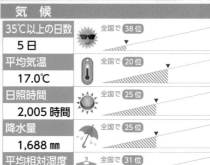

		気候	
35℃以上の日数	5日		全国で 38位
平均気温	17.0℃		全国で 20位
日照時間	2,005時間		全国で 25位
降水量	1,688mm		全国で 25位
平均相対湿度	69.6%		全国で 31位

(横浜管区気象台 2020年)

最低気温 0.0℃ / 最高気温 36.4℃

(46位)	31.9歳	初婚年齢	30.0歳	(46位)
(5位)	81.32歳	寿命	87.24歳	(17位)
(2位)	36.76万円	月額給与	28.02万円	(2位)
(14位)	170.8cm	身長	158.0cm	(12位)
(41位)	61.9kg	体重	53.3kg	(19位)

地 価

地価平均価格

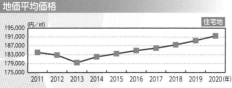

住宅地

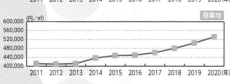

商業地

用途別の平均変動率

住宅地	0.3%	17位
商業地	2.7%	13位
工業地	2.4%	9位

住宅地の平均価格*
23万1,600円/㎡ 3位
(+3,600円)

商業地の最高値*
1,510万円/㎡ 4位
(+130万円)

*は横浜市の値

旅行者 (対前年同月比)

月別の宿泊者数

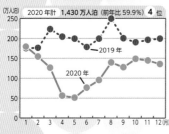

2020年計 1,430万人泊 (前年比 59.9%) 4位

2019年
2020年

月別の客室稼働率

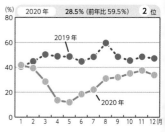

2020年 28.5% (前年比 59.5%) 2位

2019年
2020年

学校・施設

- 医師数 212.4 人／10 万人（39 位）
- 病院数 3.7 施設／10 万人（47 位）
- 一般診療所数
  74.1 施設／10 万人（36 位）
- 児童福祉施設数
  29.2 施設／10 万人（42 位）
- 老人福祉センター数
  1.40 施設／10 万人（47 位）
- 小学校数 887 校（5 位）
- 高校数 231 校（4 位）

- 大学数 31 校（8 位）
- 博物館数 0.60 施設／10 万人（43 位）
- 映画館数 2.40 施設／10 万人（34 位）
- 図書館数 0.93 施設／10 万人（47 位）
- 学校の IT 化 5.74 人／台（6 位）
- 保育所数 1,855 カ所（2 位）
- 幼稚園数 634 校（2 位）

消　費（横浜市の 1 世帯当たりの年間支出金額）

年間消費支出
355 万 958 円 12位
（対前年比 96.2%）

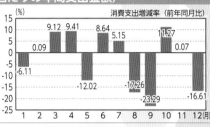

消費支出増減率（前年同月比）

1	-6.11	
2	0.09	
3	9.12	
4	9.41	
5	-12.02	
6	8.64	
7	5.15	
8	-17.26	
9	-23.29	
10	11.27	
11	0.07	
12	-16.61	

消費変化（対前年比較）

衣 (-30.8)
(8.6) 学
(-35.0) 動
食 (-0.6)
楽 (-16.2)
(9.7) 通

※太線は前年。
太線の外側は
前年対比プラス、
内側はマイナス

衣：被服・履物費	11 万 2,684 円	23
食：食費	105 万 3,049 円	2
楽：教養娯楽費	35 万 2,730 円	4
通：通信費	16 万 8,481 円	25
動：交通費	23 万 2,985 円	41
学：教育費	18 万 8,233 円	5

■は全国順位

鮮　魚

4 万 3,454 円（8 位）

マグロ	7,976 円
サ ケ	5,779 円
エ ビ	3,090 円
ブ リ	3,002 円
カ ニ	1,815 円

生鮮野菜

9 万 3,849 円（2 位）

トマト	1 万 928 円
きゅうり	4,937 円
たまねぎ	4,530 円
ね ぎ	4,403 円
キャベツ	3,834 円

飲　料

6 万 3,526 円（10 位）

茶飲料	9,550 円
果実・野菜ジュース	7,891 円
コーヒー	7,413 円
炭酸飲料	7,143 円
緑 茶	4,548 円

菓　子

8 万 8,921 円（17 位）

アイスクリーム	9,757 円
チョコレート	7,586 円
せんべい	7,044 円
ケーキ	6,666 円
スナック菓子	5,380 円

他の穀類
6,507 円
（7.4%）

麺 類
2 万 2,453 円
（25.5%）

パン
3 万 4,241 円
（38.9%）

穀 類
8 万 7,914 円
4 位

米
2 万 4,714 円
（28.1%）

その他
6,121 円
（5.6%）

鶏 肉
1 万 9,717 円
（18.1%）

豚 肉
3 万 9,024 円
（35.9%）

肉 類
10 万 8,749 円
10 位

加工肉
2 万 464 円
（18.8%）

牛 肉
2 万 3,424 円
（21.5%）

家計 ミニトピックス こんにゃく への支出

平成28年の12月21日は、二十四節気のひとつである「冬至」です。
一般的に冬至の日は、かぼちゃを食べたり、ゆず湯に入る風習があることが知られていますが、体にたまった砂を体外に出すという「砂おろし」として、「こんにゃく」を食べる習慣もあるようです。

郷土料理の「玉こんにゃく」が有名な山形市の支出が最も多い

「こんにゃく」への年間支出金額を見ると、山形市が最も多く、第2位の青森市と比べ1.5倍以上、全国平均の2倍近くも支出していることが分かります。山形県では郷土料理として「玉こんにゃく」が有名で、家庭の食卓のみならず、お祭りや学園祭等の催しの際にもよく見かけられるようです。また、東北地方で有名な「芋煮会」でも

具材の一つとして利用されています。
※こんにゃく（しらたき、糸こんにゃく含む）

> **こんにゃくの支出は12月が最多**
> ・原料のこんにゃく芋の収穫期が10〜11月頃
> ・12月におでんや鍋物を食べることも多く、食卓にこんにゃくが登場する機会増↑

こんにゃく売上ランキング

全国平均2,008円
（年間支出金額：円／H24〜26年平均）

	山形市	青森市	静岡市	新潟市	仙台市
	No.1 4,120	2,723	2,570	2,533	2,506

出典：「家計調査結果」（総務省統計局）
家計ミニトピックス平成27年12月15日発行
http://www.stat.go.jp/data/kakei/tsushin/index.htm より作成

家計 ミニトピックス 家計における新型コロナウイルス感染症の影響

2019年から猛威を振るっている新型コロナウイルス感染症。ここでは家計における新型コロナウイルス感染症の影響を見てみましょう。

6月の消費支出の減少幅は3月〜5月に比べ縮小

二人以上の世帯における1世帯当たりの消費支出の対前年同月実質増減率の推移を見ると、新型コロナウイルス感染症の影響などにより、2020年3月以降、減少幅が拡大しています。
特に、緊急事態宣言が発令されたことにより、4月は−11.1%、5月は−16.2%とそれぞれ大きな減少となりました。
2020年6月は、5月後半に緊急事態宣言が全国的に解除されたこともあり、−1.2%と減少幅が縮小しています。

「外食」が減少の一方、「肉類」及び「酒類」は増加

また「肉類」、「酒類」、「外食」の支出金額の対前年同月実質増減率の推移は、2020年3月以降、「外食」は、外出自粛や飲食店の時短営業などにより、大きな減少となりました。
一方、「肉類」及び「酒類」は、内食の需要が拡大したことにより、増加で推移しています。

消費支出の前年同月実質増減率

（2019年1月〜2020年6月／%）

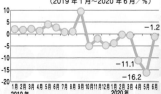

出典：「家計調査結果」（総務省統計局）
「家計調査通信第559号」（2020年9月15日発行）より作成

早わかり

2021

都道府県
Data Book

北陸
・
甲信越

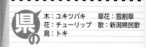

新潟県

農業生産

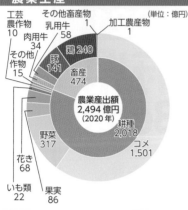

（単位：億円）

- 工芸農作物 10
- その他作物 15
- 肉用牛 34
- 乳用牛 58
- その他畜産物 1
- 加工農産物 1
- 鶏 240
- 豚 141
- 畜産 474
- 野菜 317
- 花き 68
- いも類 22
- 果実 86
- コメ 1,501
- 耕種 2,018

農業産出額 2,494 億円（2020年）

Bビオレ・ソリエス／佐渡市
糖度約20度にもなる希少な黒イチジクで、「幻のいダイヤ」とも呼ばれる。

農業物産出額上位 **10** 品目

① 米		1,501 億円
② 鶏卵		166 億円
③ 豚		141 億円
④ 生乳 50 億円	⑧ だいこん 30 億円	
⑤ ひな※1 45 億円	⑨ ゆり 28 億円	
⑥ 肉用牛 34 億円	⑩ ブロイラー 27 億円	
⑦ えだまめ※2 31 億円		

※1 他都府県販売、※2 未成熟のもの

Cマガキ／佐渡市
栄養豊かな加茂湖や真野湾で養殖される。小ぶりながら磯臭さがないと評判。

G南蛮エビ
／佐渡市、新潟市、糸魚川市ほか
ホッコクアカエビ。主に北陸以北の日本海で獲れ、甘みが強く独特の食感。

凡例
- ━━━ 新幹線
- ━━━ JR
- ─── 国道
- ─── 県・郡境

粟島浦村

村上市

胎内市
聖籠町
関川村

新潟市

弥彦村

新発田市

阿賀野市 **F**

阿賀町

D
E
F
G

田上町

五泉市

燕市

加茂市

見附市　三条市

長岡市

小千谷市

魚沼市 **F**

十日町市

朝日町

南魚沼市

湯沢町

A鮭／村上市
下越地方の年越しに欠かせない。「塩引き」は寒風にさらして低温発酵させた逸品。

Dおけさ柿／佐渡市、新潟市ほか
種なしの渋柿で、「渋（しぶ）」を抜いて出荷される。甘くて滑らかな食感。

Eかきのもと／新潟市、燕市ほか
中越地方では「おもいのほか」と呼ばれる食用菊。おひたしや酢の物で食べられる。

Fムカゴ／新潟市、阿賀町、魚沼市ほか
野山に自生する自然薯の蔓につくイモの子。ムカゴご飯などで食べる秋の味覚。

新潟茶豆／県内広域
新潟市西区で栽培されていた伝統品種。小ぶりだが甘みやうまみが強い。

米　粉／県内広域
小麦粉消費量の 10％以上を米粉に置き換える「R10プロジェクト」運動を発信中。

ゼンマイ／県内広域
新潟でおなじみの山菜。採ったゼンマイを天日で干して冬の保存食にする。

新潟県 の 食

＊新潟市の1世帯当たりの年間支出金額

耕地面積(田畑計)
16万9,000ha
(第2位)

コメの作付面積(水稲延べ)
11万9,500ha
(第1位)

コメの収穫量(水稲)
66万6,800t
(第1位)

肉用牛(飼育頭数)
1万2,600頭
(第35位)

養豚(飼育頭数)
18万600頭
(第17位)

ブロイラー(飼育頭数)
90万1,000羽
(第25位)

漁獲量・天然(海面漁業)
2万8,792t
(第23位)

漁獲量・養殖(海面養殖)
1,071t
(第28位)

食料自給率(カロリーベース)
107%
(第5位)

エンゲル係数*
27.6
(第13位)

食品出荷額
8,139億2,100万円
(第12位)

コロナ禍での消費変化～【グラフ】月別増減率～

調味料
＊4万3,422円 (第13位)

(円)
5,000
4,400
3,800
3,200
2,600
2,000

― 2019年 ― 2020年

1 2 3 4 5 6 7 8 9 10 11 12 (月)

酒 類
＊5万4,684円 (第5位)

(円)
9,000
7,400
5,800
4,200
2,600
1,000

― 2019年 ― 2020年

1 2 3 4 5 6 7 8 9 10 11 12 (月)

調理食品
＊13万3,046円 (第18位)

(円)
20,000
17,200
14,400
11,600
8,800
6,000

― 2019年 ― 2020年

1 2 3 4 5 6 7 8 9 10 11 12 (月)

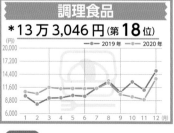

外 食
＊11万9,499円 (第34位)

(円)
28,000
22,800
17,600
12,400
7,200
2,000

― 2019年 ― 2020年

1 2 3 4 5 6 7 8 9 10 11 12 (月)

新潟県民力

人 口

人口	223万6,042人	第15位
人口増減数	-23,267人	第46位
人口密度	183人／km²	第34位
出生率	6.2人／千人	第41位
死亡率	13.9人／千人	第10位
外国人の割合	0.82%	第37位
交通事故死亡者数	2.88人／10万人	第21位
自殺者数	20.2人／10万人	第9位
婚姻率	4.0人／千人	第38位
離婚率	1.28人／千人	第47位

暮らし

貯蓄額*	1,544万円	第27位
負債総額*	723万円	第5位
持ち家率*	80.8%	第29位
延べ床面積*	139.8m²	第5位
水道高熱費*	28万5,117円	第10位
保健医療費*	1万2,429円	第33位
大学進学率	48.4%	第32位
高卒の割合	19.3%	第31位
犯罪認知件数	8,561件	第18位
少年犯罪数	1.59人／千人	第30位

＊は新潟市の値

経済・労働

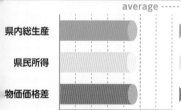

項目	値	順位	average
県内総生産	8兆6,226億円	第16位	11兆6,058億円
県民所得	287万円／人	第28位	330.4万円
物価価格差	98.7	第23位	100.0

就 職

	第16位	第7位	第29位
	1.28	0.69人	2.24%
	有効求人倍率	正社員新規求人数	失業率
	1.19	0.51人	2.8%

仕 事

	第26位	第29位	第3位
	19.96万円	1,061円	13.3年
	大卒初任給	パート時給	勤続年数
	21.02万円	1,081円	12.4年

産 業

製 造

	2010年	2016年	2017年	2018年	2019年
事業所数	5,882	5,339	4,033	5,229	5,041
製造品出荷額	43,280	46,935	48,658	50,674	49,502

流通・企業

項目	値	全国順位
年間商品販売額	6兆1,676億円	15
年間商品販売額のうち卸売販売額	3兆7,262億円	13
年間商品販売額のうち小売販売額	2兆4,414億円	15
上場企業数	35	13
企業倒産数	74件	25
代表取締役出身者数	2万9,086人	10

□は全国順位

Data で見る 新潟県

世 帯

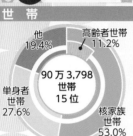

他 19.4%
高齢者世帯 11.2%

90 万 3,798 世帯 15 位

単身者世帯 27.6%

核家族世帯 53.0%

- 平均人員 2.47 人（4 位）
- 世帯主年齢 56.6 歳（41 位）
- 子どもの人員 0.76 人（8 位）
- 高齢者の人員 0.69 人（40 位）
- 生活保護世帯数 7.7 世帯／千世帯（34 位）

気 候

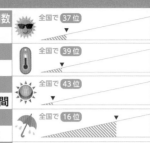

35℃以上の日数	6 日	全国で 37 位
平均気温	14.7℃	全国で 39 位
日照時間	1,609 時間	全国で 43 位
降水量	2,078 ㎜	全国で 16 位
平均相対湿度	75.6%	全国で 11 位

（新潟管区気象台 2020 年）
最低気温 -3.7℃／最高気温 38.8℃

（31 位）	31.0 歳	初婚年齢	29.4 歳	（28 位）
（24 位）	80.69 歳	寿命	87.32 歳	（11 位）
（32 位）	29.03 万円	月額給与	21.98 万円	（35 位）
（7 位）	171.2㎝	身長	157.9㎝	（19 位）
（25 位）	62.4kg	体重	53.2kg	（20 位）

地 価

地価平均価格

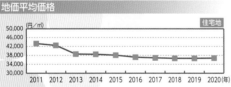
住宅地

商業地

用途別の平均変動率

住宅地	-0.6%	33 位
商業地	-0.9%	44 位
工業地	1.2%	17 位

住宅地の平均価格*
5 万 5,500 円／㎡ 29 位
（+ 600 円）

商業地の最高値*
55 万円／㎡ 24 位
（+5,000 円）

＊は新潟市の値

旅行者（対前年同月比）

月別の宿泊者数

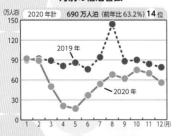

2020 年計 690 万人泊（前年比 63.2%）14 位

2019 年
2020 年

月別の客室稼働率

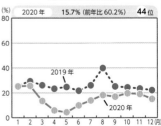

2020 年 15.7%（前年比 60.2%） 44 位

2019 年
2020 年

学校・施設

- 医師数 197.9 人／10 万人（44 位）
- 病院数 5.7 施設／10 万人（37 位）
- 一般診療所数
  75.2 施設／10 万人（33 位）
- 児童福祉施設数
  45.2 施設／10 万人（14 位）
- 老人福祉センター数
  5.85 施設／10 万人（22 位）
- 小学校数 452 校（14 位）
- 高校数 102 校（15 位）

- 大学数 21 校（11 位）
- 博物館数 1.69 施設／10 万人（10 位）
- 映画館数 2.79 施設／10 万人（24 位）
- 図書館数 3.52 施設／10 万人（19 位）
- 学校の IT 化 5.09 人／台（13 位）
- 保育所数 723 カ所（10 位）
- 幼稚園数 85 校（35 位）

消費（新潟市の1世帯当たりの年間支出金額）

消費変化（対前年比較）

年間消費支出
328 万 7,349 円 28位
（対前年比 93.1％）

消費支出増減率（前年同月比）

(%)

月	1	2	3	4	5	6	7	8	9	10	11	12
	-3.28	-5.49	6.58	-19.99	-20.03			0.24	0.89	-6.62	-6.92	-10.73	-13.06	-3.22

衣 (-18.7)
(-8.7) 学
(-16.8) 動
食 (-1.9)
楽 (-15.8)
(-7.3) 通

※太線は前年。
太線の外側は
前年対比プラス、
内側はマイナス

衣：被服・履物費	11 万 2,932 円	22
食：食費	94 万 7,100 円	26
楽：教養娯楽費	29 万 3,546 円	29
通：通信費	16 万 3,576 円	28
動：交通費	38 万 5,885 円	13
学：教育費	12 万 3,901 円	20

■は全国順位

鮮魚

3 万 3,258 円（46 位）

サケ	6,088 円
マグロ	3,271 円
エビ	2,673 円
ブリ	2,554 円
イカ	2,042 円

生鮮野菜

8 万 6,245 円（5 位）

トマト	9,982 円
さやまめ	4,555 円
きゅうり	3,976 円
キャベツ	3,506 円
にんじん	3,308 円

飲料

5 万 7,728 円（29 位）

茶飲料	8,881 円
果実・野菜ジュース	7,237 円
炭酸飲料	7,094 円
コーヒー	6,484 円
コーヒー飲料	4,975 円

菓子

8 万 4,186 円（27 位）

アイスクリーム	1 万 655 円
スナック菓子	6,678 円
ケーキ	6,597 円
チョコレート	6,536 円
せんべい	5,623 円

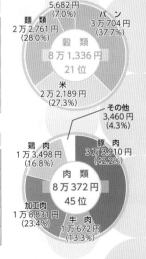

穀類
8 万 1,336 円
21 位

- 他の穀類 5,682 円（7.0%）
- パン 3 万 704 円（37.7%）
- 麺類 2 万 2,761 円（28.0%）
- 米 2 万 2,189 円（27.3%）

肉類
8 万 372 円
45 位

- その他 3,460 円（4.3%）
- 豚肉 3 万 3,910 円（42.2%）
- 鶏肉 1 万 3,498 円（16.8%）
- 加工肉 1 万 8,831 円（23.4%）
- 牛肉 1 万 672 円（13.3%）

富山県

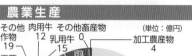

木：タテヤマスギ	魚：ブリ、	
花：チューリップ	シロエビ、	
鳥：ライチョウ	ホタルイカ	
獣：ニホンカモシカ	歌：富山県民の歌	

農業生産

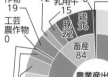

（単位：億円）

その他作物 19
工芸農作物 0
肉用牛 12
乳用牛 15
その他畜産物 0
加工農産物 4
豚 22
鶏 36
畜産 84
野菜 56
花き 11
いも類 3
果実 24

農業産出額
654億円
（2020年）

耕種 566
コメ 452

農業物産出額上位 **10** 品目

① 米　　452億円

② 鶏卵　　35億円

③ 豚　　22億円

④ なし 14億円	⑧ ねぎ 8億円
⑤ 生乳 13億円	⑨ たまねぎ 8億円
⑥ 大豆 12億円	⑩ トマト 6億円
⑦ 肉用牛 12億円	

ホタルイカ／沿岸部
定置網での漁獲により鮮度が保たれる。ホタルイカ群遊海面は特別天然記念物。

氷見市

A

E

高岡市

射水市

F

小矢部市

砺波市

D

南砺市

C **D**
F **G**
H

H富山干柿／南砺市
「医王おろし」が独特の甘みを生む。乾燥時、柿を手で揉んで味に深みを出す。

凡例
- ━ ━ ━ 新幹線
- ━ **J　R**
- ──── 国　道
- ──── 鉄道・軌道

ベニズワイガニ／沿岸部
身がやわらかく、ズワイガ
ニより安価。「高志の紅ガ
ニ」でブランド化を目指す。

Aひみ寒ぶり／氷見市
激しい荒波を乗り越えて
やって来た富山湾のブリ
は、脂乗りが格別。

Bシロエビ／富山市、射水市
富山湾独特の海底谷（あい
がめ）に群泳し、専業とな
るほど大量に漁獲される。

Cサトイモ／南砺市、上市町
栽培の歴史は古く 1660 年
頃には記録が残る。粘り強
く、甘みがあるのが特長。

Dニラ／砺波市、南砺市
「アルギットにら」はノル
ウェーの海藻アルギットな
どが肥料。甘く傷みにくい。

E大カブ
／富山市
きいものは重量５kgにも
るかぶら。京漬物・千枚
けの材料に使われる。

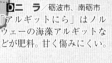

F呉羽梨／富山市、射水市、
　魚津市、黒部市、南砺市
梨の産地・呉羽丘陵で８月
中旬〜10 月中旬まで収穫
される３品種。

G利賀村行者ニンニク
／南砺市
高冷地に育つ山菜で「アイ
ヌねぎ」ともいう。葉と茎
の部分が食用となる。

富山県 の 食

*富山市の1世帯当たりの年間支出金額

耕地面積 (田畑計)
5万8,200ha
(第23位)

コメの作付面積 (水稲延べ)
3万7,100ha
(第12位)

コメの収穫量 (水稲)
20万6,300t
(第12位)

肉用牛 (飼育頭数)
3,560頭
(第42位)

養豚 (飼育頭数)
3万1,200頭
(第35位)

ブロイラー (飼育頭数)
—
(第 一 位)

漁獲量・天然 (海面漁業)
2万3,309t
(第24位)

漁獲量・養殖 (海面養殖)
14t
(第36位)

食料自給率 (カロリーベース)
78%
(第9位)

エンゲル係数*
26.5
(第29位)

食品出荷額
1,523億7,600万円
(第42位)

コロナ禍での消費変化～【グラフ】月別増減率～

調味料
* 4万113円 (第38位)

酒 類
* 5万2,967円 (第6位)

調理食品
*15万3,062円 (第3位)

外 食
*12万5,319円 (第30位)

富山県民力

人 口

項目	値	順位
人口	105万5,999人	第37位
人口増減数	-7,294人	第17位
人口密度	251人／km²	第25位
出生率	6.4人／千人	第33位
死亡率	12.9人／千人	第17位
外国人の割合	1.87%	第19位
交通事故死亡者数	2.59人／10万人	第27位
自殺者数	17.3人／10万人	第24位
婚姻率	4.1人／千人	第36位
離婚率	1.29人／千人	第46位

暮らし

項目	値	順位
貯蓄額*	1,536万円	第28位
負債総額*	529万円	第21位
持ち家率*	96.4%	第1位
延べ床面積*	141.9m²	第4位
水道高熱費*	31万74円	第5位
保健医療費*	1万2,348円	第34位
大学進学率	55.3%	第16位
高卒の割合	21.3%	第28位
犯罪認知件数	4,539件	第30位
少年犯罪数	2.24人／千人	第12位

＊は富山市の値

経済・労働

average

項目	値	順位	average
県内総生産	4兆4,278億円	第30位	11兆6,058億円
県民所得	332万円／人	第6位	330.4万円
物価価格差	98.6	第27位	100.0

就 職

	第13位	第17位	第40位
	1.31	0.62人	1.92%
	有効求人倍率	正社員新規求人数	失業率
average	1.19	0.51人	2.8%

仕 事

	第16位	第18位	第17位
	20.42万円	1,088円	12.6年
	大卒初任給	パート時給	勤続年数
average	21.02万円	1,081円	12.4年

産 業

製 造

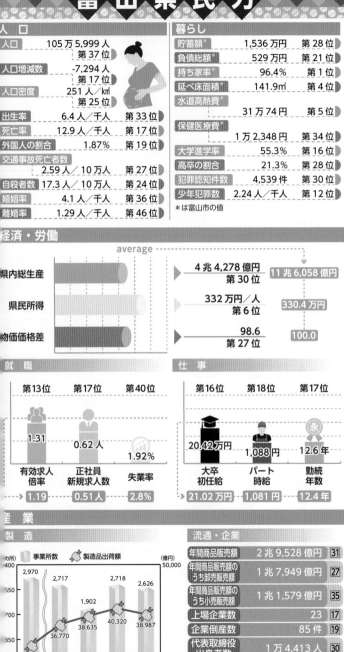

事業所数　製造品出荷額

	2010年	2016年	2017年	2018年	2019年
事業所数	2,970	2,717	1,902	2,718	2,626
製造品出荷額	32,233	36,770	38,635	40,320	38,987

（億円）

流通・企業

項目	値	全国順位
年間商品販売額	2兆9,528億円	31
年間商品販売額のうち卸売販売額	1兆7,949億円	27
年間商品販売額のうち小売販売額	1兆1,579億円	35
上場企業数	23	17
企業倒産数	85件	19
代表取締役出身者数	1万4,413人	30

□は全国順位

Data で見る 富山県

世 帯

他 18.9%
高齢者世帯 12.2%

42万4,865世帯 39位

単身者世帯 26.1%

核家族世帯 54.9%

- 平均人員 2.49 人 （3 位）
- 世帯主年齢 57.7 歳 （31 位）
- 子どもの人員 0.63 人 （22 位）
- 高齢者の人員 0.83 人 （17 位）
- 生活保護世帯数 3.3 世帯／千世帯 （47 位）

気 候

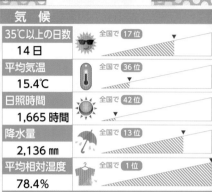

		35℃以上の日数	全国で 17 位
		14 日	
		平均気温	全国で 36 位
		15.4℃	
		日照時間	全国で 42 位
		1,665 時間	
		降水量	全国で 13 位
		2,136 mm	
		平均相対湿度	全国で 1 位
		78.4%	

（富山管区気象台 2020 年）

最低気温 -5.1℃／最高気温 38.9℃

（20 位）	30.8 歳	初婚年齢	29.1 歳	（12 位）
（27 位）	80.61 歳	寿命	87.42 歳	（8 位）
（27 位）	30.38 万円	月額給与	23.02 万円	（25 位）
（5 位）	171.3cm	身長	158.0cm	（12 位）
（38 位）	62.0kg	体重	52.6kg	（33 位）

地 価

地価平均価格

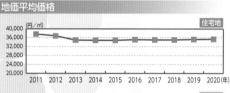

住宅地

40,000 (円／㎡)
36,000
32,000
28,000
24,000
20,000
2011 2012 2013 2014 2015 2016 2017 2018 2019 2020(年)

商業地

95,000 (円／㎡)
91,000
87,000
83,000
79,000
75,000
2011 2012 2013 2014 2015 2016 2017 2018 2019 2020(年)

用途別の平均変動率

住宅地	0.0%	21 位
商業地	-0.3%	27 位
工業地	0.1%	31 位

住宅地の平均価格*
4 万 3,300 円／㎡ 40 位
（＋ 600 円）

商業地の最高値*
52 万 2,000 円／㎡ 25 位
（＋1 万円）

*は富山市の値

旅行者 （対前年同月比）

月別の宿泊者数

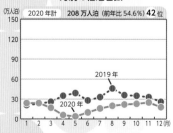

2020 年計 208 万人泊（前年比 54.6%）42 位

(万人泊)
150
120
90
60
30
2019 年
2020 年
1 2 3 4 5 6 7 8 9 10 11 12(月)

月別の客室稼働率

2020 年 17.6%（前年比 53.2%）40 位

(%)
80
60
40
20
2019 年
2020 年
1 2 3 4 5 6 7 8 9 10 11 12(月)

学校・施設

- 医師数 254.4 人／10 万人（21 位）
- 病院数 10.2 施設／10 万人（11 位）
- 一般診療所数
  73.0 施設／10 万人（37 位）
- 児童福祉施設数
  37.5 施設／10 万人（24 位）
- 老人福祉センター数
  5.08 施設／10 万人（25 位）
- 小学校数 183 校（43 位）
- 高校数 53 校（37 位）

- 大学数 5 校（38 位）
- 博物館数 3.52 施設／10 万人（2 位）
- 映画館数 2.59 施設／10 万人（29 位）
- 図書館数 5.43 施設／10 万人（5 位）
- 学校の IT 化 4.48 人／台（27 位）
- 保育所数 301 カ所（35 位）
- 幼稚園数 42 校（44 位）

消　費（富山市の 1 世帯当たりの年間支出金額）

消費変化（対前年比較）

年間消費支出
362 万 6,795 円　**7位**
（対前年比 98.2%）

消費支出増減率（前年同月比）

月	(%)
1	-3.62
2	13.01
3	-8.83
4	2.90
5	-11.77
6	11.22
7	-11.42
8	-4.36
9	-15.29
10	28.20
11	0.37
12	-8.11

衣 (-5.8)
(7.7) 学
食 (0.3)
(-12.6) 動
楽 (-7.3)
(14.4) 通

※太線は前年。
太線の外側は
前年対比プラス、
内側はマイナス

衣：被服・履物費	12 万 1,839 円	**12**
食：食費	100 万 7,214 円	**7**
楽：教養娯楽費	33 万 6,481 円	**7**
通：通信費	19 万 5,640 円	**2**
動：交通費	39 万 899 円	**11**
学：教育費	10 万 5,635 円	**29**

■は全国順位

鮮　魚	
4 万 8,405 円 (1 位)	
ブ　リ	6,990 円
サ　ケ	6,559 円
マグロ	5,043 円
エ　ビ	3,676 円
イ　カ	3,291 円

生鮮野菜	
7 万 6,935 円 (16 位)	
トマト	8,475 円
じゃがいも	3,529 円
ブロッコリー	3,422 円
キャベツ	3,415 円
きゅうり	3,397 円

飲　料	
5 万 9,091 円 (21 位)	
果実・野菜ジュース	8,148 円
茶飲料	7,800 円
炭酸飲料	7,577 円
コーヒー	7,203 円
コーヒー飲料	6,444 円

菓　子	
9 万 3,577 円 (9 位)	
アイスクリーム	1 万 1,184 円
ケーキ	1 万 141 円
チョコレート	6,968 円
せんべい	6,107 円
スナック菓子	5,983 円

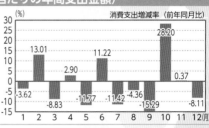

穀　類
8 万 6,052 円
9 位

他の穀類
6,556 円
(7.6%)

麺　類
2 万 1,572 円
(25.1%)

パン
3 万 2,644 円
(37.9%)

米
2 万 5,280 円
(29.4%)

その他
5,978 円
(6.5%)

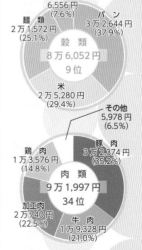

肉　類
9 万 1,997 円
34 位

鶏　肉
1 万 3,576 円
(14.8%)

豚　肉
3 万 2,374 円
(35.2%)

加工肉
2 万 740 円
(22.5%)

牛　肉
1 万 9,328 円
(21.0%)

石川県

県の
木：アテ　　　鳥：イヌワシ
花：クロユリ　歌：石川県民の歌

農業生産

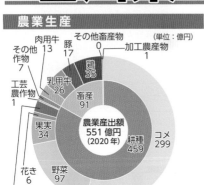

農業産出額
551 億円
（2020 年）

（単位：億円）

- その他畜産物 0
- 肉用牛 13
- 豚 17
- 加工農産物 1
- その他作物 7
- 鶏 35
- 工芸農作物 1
- 乳用牛 26
- 畜産 91
- 果実 34
- コメ 299
- 耕種 459
- 花き 6
- いも類 14
- 野菜 97

農業物産出額上位 **10** 品目

①	米	299 億円
②	鶏卵	35 億円
③	生乳	23 億円

④ ぶどう 17 億円	⑧ トマト 10 億円
⑤ 豚 17 億円	⑨ さつまいも 10 億円
⑥ すいか 16 億円	⑩ なし 9 億円
⑦ 肉用牛 13 億円	

H丸いも
／小松市、能美市、白山市
凹凸が少ない丸型で強い粘りが特徴のやまのいも。すりおろして使う。

百万石乃白／県内広域
大吟醸酒に適した石川県オリジナルの酒米品種。香り高い日本酒ができる。

G千石豆／小松市、金沢市
さやが 6 ～ 7 cmで、フジマメというマメ科の野菜。金沢ではつるまめと呼ばれる。

志賀町 **B**

かほく市 **E**
内灘町
津幡町

野々市市 **E F**
金沢市

川北町

能美市 **H**

小松市 **G**

加賀市 **H**

白山市 **F H**

珠洲市

A 珠洲市

B 輪島市

A

能登町

穴水町

A **C**

七尾市

C **D**

J

中能登町

羽咋市

宝達志水町

触倉島

七ツ島

輪島市

凡　例
- **＝＝＝** 新幹線
- **──** JR
- **━━** 国道
- **━━** 主要・有料道路

のとてまり／奥能登地域
能登で大きく育った原木シ
イタケのブランド。「山の
アワビ」とも呼ばれる。

B イシモズク
／輪島市、志賀町ほか
夏に石などにふさふさと生
える。強い粘り気とシャキ
シャキした食感が特徴。

A 能登大納言小豆／穴水町、
　　　　能登町、輪島市、珠洲市
粒が大きく鮮やかな赤色の
小豆。高級菓子の材料とし
て珍重される。

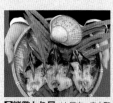

C 能登とり貝／七尾市、穴水町
七尾湾はトリガイの国内有
数の産地として知られる。
近年は養殖が行われ、肉厚。

D 金糸瓜／中能登町、七尾市
瓜といってもカボチャの一
種。輪切りにして湯がくと、
果肉が糸状にほぐれる。

E 加賀太きゅうり
／金沢市、かほく市
加賀野菜の一つ。丸みを帯
びた形で、みずみずしくパ
リッとした食感のキュウリ。

F 金時草
／白山市、金沢市、かほく市
熊本の水前寺菜にルーツを
もつ加賀野菜。鮮やかな赤
紫色の葉が目を引く。

石川県 の 食

※金沢市の1世帯当たりの年間支出金額

耕地面積(田畑計)	コメの作付面積(水稲延べ)	コメの収穫量(水稲)
4万800ha (第33位)	2万4,800ha (第23位)	13万1,400t (第21位)

肉用牛(飼育頭数)	養豚(飼育頭数)	ブロイラー(飼育頭数)
3,400頭 (第43位)	2万1,300頭 (第39位)	ー (第一位)

漁獲量・天然(海面漁業)	漁獲量・養殖(海面養殖)
3万9,793t (第20位)	1,591t (第25位)

食料自給率 (カロリーベース)	エンゲル係数*	食品出荷額
48% (第20位)	26.4 (第31位)	1,879億500万円 (第37位)

コロナ禍での消費変化～【グラフ】月別増減率～

調味料
* 4万2,985円 (第15位)

酒 類
* 4万1,905円 (第31位)

調理食品
*13万4,105円 (第17位)

外 食
*15万4,036円 (第6位)

石川県民力

人口

人口	113万9,612人	第34位
人口増減数	-6,336人	第14位
人口密度	276人／km	第23位
出生率	7.0人／千人	第16位
死亡率	11.5人／千人	第33位
外国人の割合	1.42%	第24位
交通事故死亡者数	2.24人／10万人	第33位
自殺者数	30.8人／10万人	第3位
婚姻率	4.4人／千人	第20位
離婚率	1.36人／千人	第43位

暮らし

貯蓄額*	1,862万円	第14位
負債総額*	544万円	第20位
持ち家率*	84.3%	第17位
延べ床面積*	127.6㎡	第10位
水道高熱費*	26万6,489円	第17位
保健医療費*	1万4,836円	第11位
大学進学率	56.4%	第13位
高卒の割合	21.4%	第26位
犯罪認知件数	3,595件	第34位
少年犯罪数	1.31人／千人	第38位

*は金沢市の値

経済・労働

average

項目	値	順位	全国平均
県内総生産	4兆5,373億円	第28位	11兆6,058億円
県民所得	296万円／人	第23位	330.4万円
物価価格差	100.2	第7位	100.0

就職

	第10位	第19位	第43位
	1.32	0.61人	1.79%
	有効求人倍率	正社員新規求人数	失業率
全国	1.19	0.51人	2.8%

仕事

	第22位	第20位	第5位
	20.07万円	1,077円	13.2年
	大卒初任給	パート時給	勤続年数
全国	21.02万円	1,081円	12.4年

産業

製造

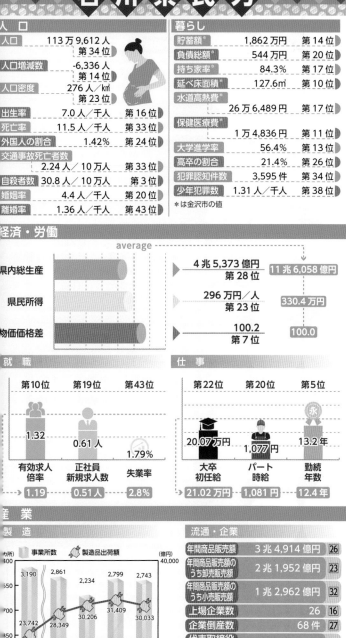

事業所数　製造品出荷額

年	事業所数	製造品出荷額
2010年	3,190	23,742
2016年	2,861	28,349
2017年	2,234	30,206
2018年	2,799	31,409
2019年	2,743	30,033

流通・企業

項目	値	全国順位
年間商品販売額	3兆4,914億円	26
年間商品販売額のうち卸売販売額	2兆1,952億円	23
年間商品販売額のうち小売販売額	1兆2,962億円	32
上場企業数	26	16
企業倒産数	68件	27
代表取締役出身者数	1万3,724人	34

□は全国順位

Data で見る 石川県

世帯

- 他 13.6%
- 高齢者世帯 11.9%
- 単身者世帯 31.5%
- 核家族世帯 54.9%

48万9,511世帯 35位

- 平均人員 2.33人（13位）
- 世帯主年齢 55.2歳（45位）
- 子どもの人員 0.82人（2位）
- 高齢者の人員 0.60人（47位）
- 生活保護世帯数 5.2世帯／千世帯（43位）

気候

35℃以上の日数	8日	全国で 32位
平均気温	15.9℃	全国で 31位
日照時間	1,736時間	全国で 38位
降水量	2,536mm	全国で 6位
平均相対湿度	69.1%	全国で 32位

（金沢管区気象台 2020年）

最低気温 -3.7℃／最高気温 37.3℃

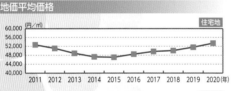

（16位）	30.7歳	初婚年齢	29.1歳	（12位）
（12位）	81.04歳	寿命	87.28歳	（13位）
（22位）	30.93万円	月額給与	23.66万円	（16位）
（4位）	171.5cm	身長	158.8cm	（1位）
（3位）	64.5kg	体重	53.8kg	（7位）

地価

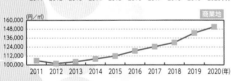

地価平均価格

住宅地

（円／㎡）
60,000 / 56,000 / 52,000 / 48,000 / 44,000 / 40,000
2011 2012 2013 2014 2015 2016 2017 2018 2019 2020（年）

商業地

（円／㎡）
160,000 / 148,000 / 136,000 / 124,000 / 112,000 / 100,000
2011 2012 2013 2014 2015 2016 2017 2018 2019 2020（年）

用途別の平均変動率

住宅地	1.7%	6位
商業地	1.9%	15位
工業地	1.1%	19位

住宅地の平均価格*
8万900円／㎡ 17位
（＋3,700円）

商業地の最高値*
109万円／㎡ 18位
（＋6万円）

*は金沢市の値

旅行者（対前年同月比）

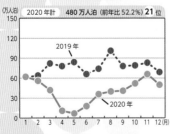

月別の宿泊者数

（万人泊）2020年計 480万人泊（前年比 52.2%）21位
150 / 120 / 90 / 60 / 30 / 0
2019年
2020年
1 2 3 4 5 6 7 8 9 10 11 12（月）

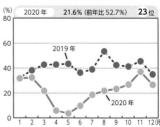

月別の客室稼働率

（%）2020年 21.6%（前年比 52.7%）23位
80 / 60 / 40 / 20 / 0
2019年
2020年
1 2 3 4 5 6 7 8 9 10 11 12（月）

学校・施設

- 医師数 284.1 人／10 万人（12 位）
- 病院数 8.3 施設／10 万人（19 位）
- 一般診療所数
  76.6 施設／10 万人（31 位）
- 児童福祉施設数
  43.4 施設／10 万人（17 位）
- 老人福祉センター数
  6.33 施設／10 万人（20 位）
- 小学校数 204 校（37 位）
- 高校数 56 校（32 位）

- 大学数 13 校（16 位）
- 博物館数 2.62 施設／10 万人（5 位）
- 映画館数 5.27 施設／10 万人（1 位）
- 図書館数 3.50 施設／10 万人（20 位）
- 学校の IT 化 4.86 人／台（16 位）
- 保育所数 355 カ所（30 位）
- 幼稚園数 50 校（43 位）

消　費（金沢市の 1 世帯当たりの年間支出金額）

消費変化（対前年比較）

― 年間消費支出 ―
359 万 2,501 円　**10 位**
（対前年比 84.3%）

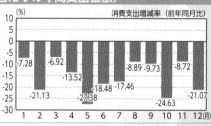

消費支出増減率（前年同月比）

月	増減率(%)
1	-7.28
2	-21.13
3	-6.92
4	-13.52
5	-27.38
6	-18.48
7	-17.46
8	-8.89
9	-9.73
10	-24.63
11	-8.72
12	-21.07

衣 (-19.9)
(-20.7) 学
食 (-10.2)
(-24.9) 動
楽 (-30.2)
(2.9) 通

※太線は前年。
太線の外側は
前年対比プラス、
内側はマイナス

衣：被服・履物費	12 万 8,299 円	**8**
食：食費	99 万 8,845 円	**8**
楽：教養娯楽費	32 万 5,085 円	**13**
通：通信費	19 万 8,003 円	**1**
動：交通費	37 万 8,231 円	**15**
学：教育費	16 万 7,734 円	**7**

■は全国順位

鮮　魚

4 万 625 円（20 位）

ブリ	5,781 円
サケ	4,967 円
マグロ	3,126 円
エビ	3,084 円
カニ	2,026 円

飲　料

5 万 7,920 円（27 位）

果実・野菜ジュース	7,811 円
コーヒー	7,519 円
炭酸飲料	6,946 円
茶飲料	6,713 円
コーヒー飲料	5,036 円

生鮮野菜

7 万 4,757 円（23 位）

トマト	8,813 円
きゅうり	3,738 円
たまねぎ	3,490 円
ねぎ	3,366 円
じゃがいも	3,100 円

菓　子

9 万 8,509 円（1 位）

アイスクリーム	1 万 2,655 円
ケーキ	9,215 円
チョコレート	8,471 円
スナック菓子	7,637 円
せんべい	5,586 円

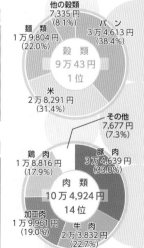

穀　類
9 万 43 円
1 位

他の穀類
7,335 円
(8.1%)

パン
3 万 4,613 円
(38.4%)

麺　類
1 万 9,804 円
(22.0%)

米
2 万 8,291 円
(31.4%)

その他
7,677 円
(7.3%)

肉　類
10 万 4,924 円
14 位

鶏　肉
1 万 8,816 円
(17.9%)

豚　肉
3 万 4,639 円
(33.0%)

加工肉
1 万 9,961 円
(19.0%)

牛　肉
2 万 3,832 円
(22.7%)

福井県

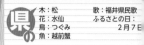

県の
木：松
花：水仙
鳥：つぐみ
魚：越前蟹

歌：福井県民歌
ふるさとの日：
2月7日

凡　例
- ━ ━ ━ 新幹線
- ─ ─ ─ JR
- ──── 国　道
- ──── 謎・頻題

農業生産

（単位：億円）

その他作物 13
肉用牛 9
乳用牛 8
豚 1
鶏 26
その他畜産物 0
加工農産物 1
工芸農作物 1
いも類 0
花き 4
果実 9
野菜 81
畜産 44
耕種 424
コメ 309

農業産出額
468億円
（2020年）

農業物産出額上位 **10** 品目

1. 米　　309億円
2. 鶏卵　　24億円
3. トマト　　9億円

④ 肉用牛 9億円
⑤ さといも 7億円
⑥ 生乳 7億円
⑦ ねぎ 7億円
⑧ すいか 6億円
⑨ レタス 6億円
⑩ だいこん 5億円

N

あわら市
A **B** 坂井市
福井市 ◎
越前町
鯖江市
越前市
南越前町
敦賀市
D
美浜町
G 高浜町
E **F**
小浜市 若狭町
F
おおい町

E熊川葛／若狭町
儒学者・頼山陽が「熊川
吉野よりよほど上品」と
するほど上質な葛。

A越前うに／坂井市
バフンウニの塩漬け。江戸時代の書物で「塩辛中の第一」とされた名産品。

B粉わかめ／坂井市
海女さんが獲ったワカメの葉を天日干しした伝統食品。もみわかめともいう。

越のリゾット／県内広域
県が開発したコメの新品種。加熱してもほんのり芯の残るアルデンテ感を保つ。

C

永平寺町

勝山市

池田町

大野市

H

C勝山水菜／勝山市
雪深い地に春を告げる伝統野菜。水菜といっても茎が太く、菜花に近い。

D若狭ぐじ／嶺南地域
アカアマダイ。うろこを落とさずに一塩して焼き上げた「若狭焼き」が有名。

若狭かれい／沿岸地域
若狭湾で水揚げされたヤナギムシガレイの干物。毎年、皇室に献上されている。

F福井梅
／若狭町、小浜市、南越前町
保年間に栽培が始まったとされる。梅干し用の「紅」は、肉厚で種が小さい。

G杜 仲
／高浜町
杜仲は高浜町の町木で、杜仲茶は町の特産物。自然栽培で育てている。

H昇竜まいたけ
／大野市
標高1,000mの深山に自生していたマイタケを、昭和63年頃から人工栽培化。

福井県 の 食

*福井市の1世帯当たりの年間支出金額

耕地面積 (田畑計)
4万ha
(第34位)

コメの作付面積 (水稲延べ)
2万5,100ha
(第22位)

コメの収穫量 (水稲)
13万t
(第22位)

肉用牛 (飼育頭数)
2,140頭
(第45位)

養豚 (飼育頭数)
2,440頭
(第46位)

ブロイラー (飼育頭数)
7万6,000羽
(第36位)

漁獲量・天然 (海面漁業)
1万2,005t
(第33位)

漁獲量・養殖 (海面養殖)
285t
(第33位)

食料自給率 (カロリーベース)
66%
(第14位)

エンゲル係数*
29.8
(第5位)

食品出荷額
582億8,300万円
(第47位)

コロナ禍での消費変化～【グラフ】月別増減率～

調味料
* 3万8,199円 (第44位)
(円)
2019年 / 2020年

酒 類
* 3万6,986円 (第40位)
(円)
2019年 / 2020年

調理食品
* 14万9,934円 (第6位)
(円)
2019年 / 2020年

外 食
* 11万3,874円 (第38位)
(円)
2019年 / 2020年

福井県民力

人 口

人口	78万53人	第43位
人口増減数	-6,450人	第15位
人口密度	188人／km²	第31位
出生率	7.0人／千人	第16位
死亡率	12.7人／千人	第21位
外国人の割合	2.11%	第15位
交通事故死亡者数	2.96人／10万人	第19位
自殺者数	80.9人／10万人	第1位
婚姻率	4.4人／千人	第20位
離婚率	1.45人／千人	第40位

暮らし

貯蓄額*	2,032万円	第9位
負債総額*	326万円	第43位
持ち家率*	84.1%	第18位
延べ床面積*	154.2m²	第1位
水道高熱費*	29万8,599円	第9位
保健医療費*	1万2,936円	第27位
大学進学率	56.9%	第11位
高卒の割合	22.8%	第19位
犯罪認知件数	2,764件	第41位
少年犯罪数	1.18人／千人	第44位

*は福井市の値

経済・労働

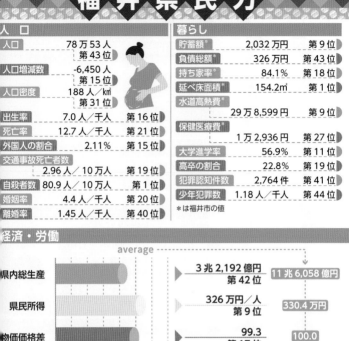

average

項目	値	順位	average値
県内総生産	3兆2,192億円	第42位	11兆6,058億円
県民所得	326万円／人	第9位	330.4万円
物価価格差	99.3	第17位	100.0

就 職

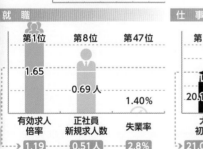

	有効求人倍率	正社員新規求人数	失業率
順位	第1位	第8位	第47位
値	1.65	0.69人	1.40%
average	1.19	0.51人	2.8%

仕 事

	大卒初任給	パート時給	勤続年数
順位	第21位	第15位	第11位
値	20.19万円	1,098円	12.9年
average	21.02万円	1,081円	12.4年

産 業

製 造

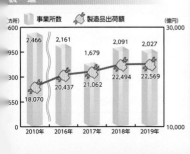

	事業所数	製造品出荷額
2010年	2,466	18,070
2016年	2,161	20,437
2017年	1,679	21,062
2018年	2,091	22,494
2019年	2,027	22,569

流通・企業

項目	値	全国順位
年間商品販売額	1兆9,209億円	40
年間商品販売額のうち卸売販売額	1兆844億円	39
年間商品販売額のうち小売販売額	8,365億円	41
上場企業数	15	24
企業倒産数	48件	33
代表取締役出身者数	1万2,534人	36

□は全国順位

Data で見る 福井県

世帯

他 20.9%
高齢者世帯 11.4%

29万6,973世帯 45位

単身者世帯 26.4%

核家族世帯 52.7%

・平均人員 2.63人 (1位)
・世帯主年齢 62.6歳 (3位)
・子どもの人員 0.44人 (43位)
・高齢者の人員 1.03人 (3位)
・生活保護世帯数 11.1世帯/千世帯 (27位)

気候

35℃以上の日数		全国で 14位	
15日			
平均気温		全国で 35位	
15.6℃			
日照時間		全国で 40位	
1,695時間			
降水量		全国で 7位	
2,532mm			
平均相対湿度		全国で 2位	
77.4%			

(福井管区気象台 2020年)

最低気温 -2.9℃／最高気温 37.7℃

♂			♀
(20位)	30.8歳	初婚年齢 29.2歳	(18位)
(6位)	81.27歳	寿命 87.54歳	(5位)
(28位)	30.37万円	月額給与 22.96万円	(26位)
(1位)	171.7cm	身長 158.6cm	(2位)
(6位)	64.0kg	体重 54.4kg	(2位)

地価

地価平均価格

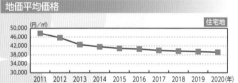

住宅地

50,000 (円/㎡)
46,000
42,000
38,000
34,000
30,000
2011 2012 2013 2014 2015 2016 2017 2018 2019 2020(年)

商業地

100,000 (円/㎡)
96,000
92,000
88,000
84,000
80,000
2011 2012 2013 2014 2015 2016 2017 2018 2019 2020(年)

用途別の平均変動率

住宅地	-1.1%	46位
商業地	-0.7%	39位
工業地	-0.2%	39位

住宅地の平均価格*
5万1,000円/㎡ 34位
(-100円)

商業地の最高値*
36万6,000円/㎡ 31位
(+1万2,000円)

*は福井市の値

旅行者 (対前年同月比)

月別の宿泊者数

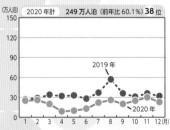

(万人泊) 2020年計 249万人泊(前年比60.1%) 38位
150
120
90
60
30
0
1 2 3 4 5 6 7 8 9 10 11 12(月)

2019年
2020年

月別の客室稼働率

(%) 2020年 18.9%(前年比66.8%) 38位
80
60
40
20
0
1 2 3 4 5 6 7 8 9 10 11 12(月)

2019年
2020年

学校・施設

- 医師数 252.6 人／10 万人（23 位）
- 病院数 8.7 施設／10 万人（16 位）
- 一般診療所数 74.6 施設／10 万人（35 位）
- 児童福祉施設数 54.4 施設／10 万人（5 位）
- 老人福祉センター数 5.21 施設／10 万人（24 位）
- 小学校数 196 校（40 位）
- 高校数 35 校（46 位）

- 大学数 6 校（34 位）
- 博物館数 2.45 施設／10 万人（6 位）
- 映画館数 3.52 施設／10 万人（9 位）
- 図書館数 4.78 施設／10 万人（8 位）
- 学校の IT 化 4.03 人／台（37 位）
- 保育所数 280 カ所（38 位）
- 幼稚園数 67 校（40 位）

消　費（福井市の 1 世帯当たりの年間支出金額）

消費変化（対前年比較）

年間消費支出
304 万 4,582 円　42 位
（対前年比 88.5%）

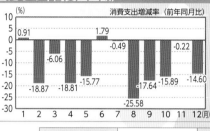

消費支出増減率（前年同月比）

月	1	2	3	4	5	6	7	8	9	10	11	12
(%)	0.91	-6.06	-18.87	-18.81	-15.77	1.79	-25.58	-17.64	-0.49	-15.89	-0.22	-14.60

※太線は前年。
太線の外側は
前年対比プラス、
内側はマイナス

衣：被服・履物費	9 万 2,659 円	43
食：食費	95 万 6,686 円	23
楽：教養娯楽費	29 万 3,324 円	30
通：通信費	17 万 2,999 円	15
動：交通費	22 万 2,667 円	43
学：教育費	10 万 9,087 円	26

■は全国順位

鮮　魚

4 万 2,019 円（13 位）

カ ニ	5,263 円
サ ケ	4,882 円
ブ リ	4,292 円
エ ビ	2,873 円
イ カ	2,757 円

生鮮野菜

7 万 6,650 円（17 位）

トマト	8,920 円
きゅうり	4,300 円
たまねぎ	3,334 円
ね ぎ	3,247 円
じゃがいも	3,230 円

飲　料

5 万 8,089 円（24 位）

果実・野菜ジュース	7,660 円
茶飲料	7,264 円
コーヒー	7,001 円
炭酸飲料	6,503 円
コーヒー飲料	5,968 円

菓　子

8 万 5,429 円（24 位）

アイスクリーム	1 万 275 円
せんべい	8,042 円
チョコレート	6,472 円
ケーキ	6,173 円
スナック菓子	5,408 円

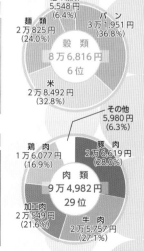

他の穀類
5,548 円
(6.4%)

パン
3 万 1,951 円
(36.8%)

麺 類
2 万 825 円
(24.0%)

穀　類
8 万 6,816 円
6 位

米
2 万 8,492 円
(32.8%)

その他
5,980 円
(6.3%)

鶏 肉
1 万 6,077 円
(16.9%)

豚 肉
2 万 6,619 円
(28.0%)

肉　類
9 万 4,982 円
29 位

加工肉
2 万 549 円
(21.6%)

牛 肉
2 万 5,757 円
(27.1%)

山梨県

県の	木：カエデ	歌：山梨県の歌
	花：フジザクラ	県民の日：
	鳥：ウグイス	11月20日
	獣：カモシカ	

農業生産

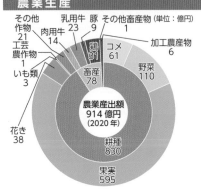

その他作物
工芸農作物 1
いも類 3
乳用牛 23
肉用牛 14
豚 9
その他畜産物（単位：億円）
鶏 31
コメ 61
加工農産物 6
畜産 78
野菜 110
その他作物 21
花き 38

農業産出額 914億円（2020年）

耕種 830
果実 595

A紫花豆／北杜市
ベニバナインゲン。冷涼な気候の清里高原の特産で、肉厚で大型の豆。

農業物産出額上位 **10** 品目

①	ぶどう	358 億円
②	もも	170 億円
③	米	61 億円

④ すもも 27 億円	⑧ 生乳 19 億円
⑤ 洋ラン類※ 25 億円	⑨ ブロイラー 15 億円
⑥ スイートコーン 20 億円	⑩ 鶏卵 15 億円
⑦ 黄桃 20 億円	

※鉢植えのもの

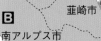

甲斐市
北杜市 A
韮崎市
B 南アルプス市
昭和町
中央市
富士川町
早川町
E
身延
G
南部町

D大塚にんじん／市川三郷町
肥沃な土地で育てられ、独特の風味と甘さ。カロチンが通常のニンジンの1.5倍。

E穂積の柚子／富士川町
ユズに適した立地条件により、古くから香りのよいユズが生産されている。

桃／県内広域
山梨県のなかでも笛吹市は桃の生産量全国一位。笛吹川対岸の扇状地は桃源郷。

ユウガオ／南都留地域
カンピョウの原料のダルマ型のものではなく長細い形。味噌汁の具などに利用。

ブドウ／県内広域
フルーツ王国山梨を代表する果物の一つ。時季ごとに異なる品種が味わえる。

B貴　陽／南アルプス市ほか
南アルプス市発祥のスモモ。さまざまな品種のなかでも世界一重いプラム。

甲府市

山梨市

甲州市

丹波山村

小菅村

大月市

上野原市

笛吹市

西桂町

富士河口湖町

都留市

道志村

F

鳴沢村

忍野村

山中湖村

富士吉田市

N

凡　例
- - - - - 新幹線
━━━ ＪＲ
━━━ 国　道
━━━ 県道・有料道路

C ゴールドラッシュ／中央市ほか
生でも食べられるほど糖度の高いトウモロコシ。中央市で毎年収穫祭が開かれる。

F クレソン／道志村ほか
冷涼な気候と富士山の清涼な湧き水で育つクレソンは茎が太く、爽やかな香り。

G 大　豆／身延町
限られた生育環境で育てる「あけぼの大豆」は、生産量が限られるため希少。

山梨県 の 食

*甲府市の1世帯当たりの年間支出金額

耕地面積(田畑計)	コメの作付面積(水稲延べ)	コメの収穫量(水稲)
2万3,400ha (第43位)	4,880ha (第43位)	2万5,800t (第43位)

肉用牛(飼育頭数)	養豚(飼育頭数)	ブロイラー(飼育頭数)
4,860頭 (第40位)	1万5,800頭 (第40位)	43万1,000羽 (第32位)

漁獲量・天然(海面漁業)	漁獲量・養殖(海面養殖)
0t (第一位)	0t (第一位)

食料自給率(カロリーベース)	エンゲル係数*	食品出荷額
19% (第38位)	26.4 (第31位)	2,171億4,200万円 (第36位)

コロナ禍での消費変化～【グラフ】月別増減率～

調味料
* 4万1,822円 (第26位)

(円)
5,000 / 4,400 / 3,800 / 3,200 / 2,600 / 2,000
—●— 2019年　—●— 2020年
1 2 3 4 5 6 7 8 9 10 11 12 (月)

酒 類
* 5万1,499円 (第10位)

(円)
9,000 / 7,400 / 5,800 / 4,200 / 2,600 / 1,000
—●— 2019年　—●— 2020年
1 2 3 4 5 6 7 8 9 10 11 12 (月)

調理食品
* 15万1,696円 (第4位)

(円)
20,000 / 17,200 / 14,400 / 11,600 / 8,800 / 6,000
—●— 2019年　—●— 2020年
1 2 3 4 5 6 7 8 9 10 11 12 (月)

外 食
* 13万8,732円 (第14位)

(円)
28,000 / 22,800 / 17,600 / 12,400 / 7,200 / 2,000
—●— 2019年　—●— 2020年
1 2 3 4 5 6 7 8 9 10 11 12 (月)

山梨県民力

人 口

人口	82万6,579人	第41位
人口増減数	-6,190人	第13位
人口密度	187人/km	第32位
出生率	6.5人/千人	第30位
死亡率	12.6人/千人	第22位
外国人の割合	2.11%	第16位
交通事故死亡者数	2.49人/10万人	第30位
自殺者数	26.8人/10万人	第4位
婚姻率	4.6人/千人	第12位
離婚率	1.70人/千人	第11位

暮らし

貯蓄額*	1,518万円	第30位
負債総額*	467万円	第29位
持ち家率*	79.8%	第31位
延べ床面積*	122.7m²	第14位
水道高熱費*	25万9,942円	第24位
保健医療費*	1万2,856円	第28位
大学進学率	57.0%	第10位
高卒の割合	16.8%	第37位
犯罪認知件数	3,128件	第36位
少年犯罪数	1.93人/千人	第24位

*は甲府市の値

経済・労働

average

項目	値	順位	average値
県内総生産	3兆3,458億円	第40位	11兆6,058億円
県民所得	297万円/人	第20位	330.4万円
物価価格差	98.7	第23位	100.0

就 職

	第38位	第41位	第42位
	有効求人倍率	正社員新規求人数	失業率
値	1.05	0.45人	1.81%
全国	1.19	0.51人	2.8%

仕 事

	第28位	第25位	第39位
	大卒初任給	パート時給	勤続年数
値	19.91万円	1,072円	11.7年
全国	21.02万円	1,081円	12.4年

産 業

製 造

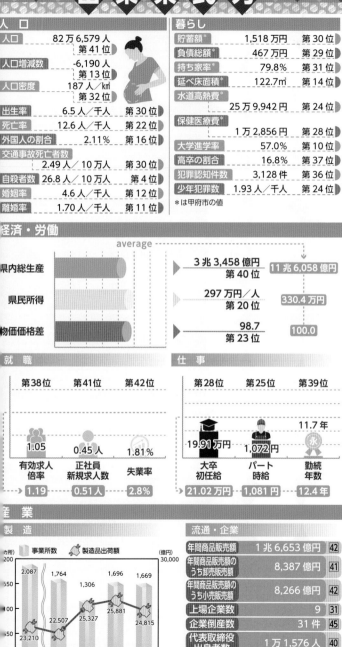

事業所数　製造品出荷額

	2010年	2016年	2017年	2018年	2019年
事業所数（カ所）	2,087	1,764	1,306	1,696	1,669
製造品出荷額（億円）	23,210	22,507	25,327	25,881	24,815

流通・企業

項目	値	全国順位
年間商品販売額	1兆6,653億円	42
年間商品販売額のうち卸売販売額	8,387億円	41
年間商品販売額のうち小売販売額	8,266億円	42
上場企業数	9	31
企業倒産数	31件	45
代表取締役出身者数	1万1,576人	40

□は全国順位

Data で見る 山梨県

世帯

36万2,579世帯 41位

- 他 12.7%
- 高齢者世帯 12.5%
- 単身者世帯 29.5%
- 核家族世帯 57.8%

- 平均人員 2.28 人（19位）
- 世帯主年齢 57.1 歳（36位）
- 子どもの人員 0.67 人（16位）
- 高齢者の人員 0.71 人（35位）
- 生活保護世帯数 15.3 世帯／千世帯（14位）

気候

項目	値	全国順位
35℃以上の日数	24 日	全国で 2位
平均気温	15.9℃	全国で 30位
日照時間	2,250 時間	全国で 2位
降水量	1,431 mm	全国で 35位
平均相対湿度	67.9%	全国で 39位

（甲府管区気象台 2020 年）

最低気温 -6.3℃／最高気温 39.3℃

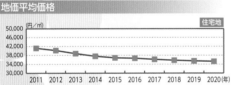

男性			女性
(37位)	31.2 歳	初婚年齢 29.4 歳	(28位)
(20位)	80.85 歳	寿命 87.22 歳	(18位)
(19位)	31.19 万円	月額給与 22.64 万円	(31位)
(23位)	170.5cm	身長 157.8cm	(22位)
(16位)	63.0kg	体重 53.5kg	(11位)

地価

地価平均価格

住宅地

(円／㎡) 50,000 46,000 42,000 38,000 34,000 30,000
2011 2012 2013 2014 2015 2016 2017 2018 2019 2020(年)

商業地

(円／㎡) 75,000 71,000 67,000 63,000 59,000 55,000
2011 2012 2013 2014 2015 2016 2017 2018 2019 2020(年)

用途別の平均変動率

住宅地	-0.8%	39位
商業地	-0.3%	27位
工業地	0.6%	25位

住宅地の平均価格*
4 万 4,900 円／㎡ 39位
(-200 円)

商業地の最高値*
30 万 7,000 円／㎡ 34位
(+4,000 円)

*は甲府市の値

旅行者（対前年同月比）

月別の宿泊者数

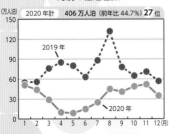

(万人泊) 2020 年計 406 万人泊（前年比 44.7%）27位
150 120 90 60 30 0
1 2 3 4 5 6 7 8 9 10 11 12(月)

2019 年
2020 年

月別の客室稼働率

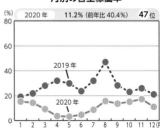

(%) 2020 年 11.2%（前年比 40.4%）47位
80 60 40 20 0
1 2 3 4 5 6 7 8 9 10 11 12(月)

2019 年
2020 年

学校・施設

- 医師数 239.2 人／10 万人（28 位）
- 病院数 7.4 施設／10 万人（22 位）
- 一般診療所数
  86.1 施設／10 万人（17 位）
- 児童福祉施設数
  42.5 施設／10 万人（19 位）
- 老人福祉センター数
  6.54 施設／10 万人（15 位）
- 小学校数 177 校（44 位）
- 高校数 43 校（43 位）

- 大学数 7 校（30 位）
- 博物館数 3.18 施設／10 万人（4 位）
- 映画館数 1.60 施設／10 万人（46 位）
- 図書館数 6.49 施設／10 万人（1 位）
- 学校の IT 化 4.27 人／台（31 位）
- 保育所数 231 カ所（42 位）
- 幼稚園数 56 校（41 位）

消　費（甲府市の 1 世帯当たりの年間支出金額）

消費変化（対前年比較）

年間消費支出
348 万 4,868 円 **17 位** （対前年比 97.2%）

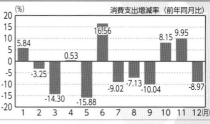

消費支出増減率（前年同月比）

5.84／-3.25／-14.30／0.53／-15.88／16.56／-9.02／-7.13／-10.04／8.15／9.95／-8.97
（1〜12月）

衣 (-14.4)
食 (2.5)
(65.4) 学
(-7.0) 動
楽 (-13.8)
(15.5) 通

※太線は前年。
太線の外側は
前年対比プラス、
内側はマイナス

衣：被服・履物費	11 万 5,921 円	19
食：食費	97 万 5,701 円	16
楽：教養娯楽費	32 万 4,824 円	14
通：通信費	17 万 9,095 円	9
動：交通費	38 万 1,620 円	14
学：教育費	13 万 1,148 円	16

■は全国順位

鮮　魚
3 万 5,999 円（36 位）

マグロ	9,614 円
サ ケ	5,059 円
イ カ	2,417 円
エ ビ	2,270 円
ブ リ	1,813 円

生鮮野菜
7 万 3,098 円（27 位）

トマト	7,650 円
きゅうり	4,476 円
ね ぎ	3,072 円
たまねぎ	2,997 円
キャベツ	2,964 円

飲　料
6 万 2,790 円（11 位）

茶飲料	1 万 810 円
炭酸飲料	8,389 円
果実・野菜ジュース	7,010 円
コーヒー	6,093 円
コーヒー飲料	5,621 円

菓　子
8 万 3,028 円（31 位）

アイスクリーム	1 万 296 円
ケーキ	7,521 円
チョコレート	6,857 円
スナック菓子	6,365 円
せんべい	4,580 円

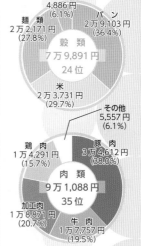

穀　類
7 万 9,891 円
24 位

- 他の穀類 4,886 円（6.1%）
- 麺 類 2 万 2,171 円（27.8%）
- パン 2 万 9,103 円（36.4%）
- 米 2 万 3,731 円（29.7%）

肉　類
9 万 1,088 円
35 位

- その他 5,557 円（6.1%）
- 鶏 肉 1 万 4,291 円（15.7%）
- 豚 肉 3 万 4,612 円（38.0%）
- 加工肉 1 万 8,871 円（20.7%）
- 牛 肉 1 万 7,757 円（19.5%）

長野県

県の
木：白樺　　獣：ニホンカモシカ
花：リンドウ
鳥：雷鳥　　歌：信濃の国

農業生産

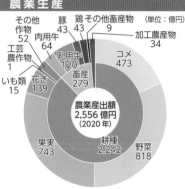

（単位：億円）

その他作物 52
工芸農作物 1
いも類 15
花き 139
肉用牛 64
乳用牛 120
豚 43
鶏 43
その他畜産物 9
加工農産物 34
畜産 279
コメ 473

農業産出額
2,556 億円
（2020 年）

果実 743
耕種 2,242
野菜 818

農業物産出額上位 **10** 品目

1 米　　　　473 億円
2 ぶどう　　307 億円
3 りんご　　301 億円

④	レタス 240 億円	⑧	キャベツ 50 億円
⑤	はくさい 105 億円	⑨	もも 46 億円
⑥	生乳 101 億円	⑩	豚 43 億円
⑦	肉用牛 64 億円		

信州サーモン／県内広域
ニジマスとブラウントラウトをかけ合わせた県育成の魚。通年食べられる。

小谷村
信濃町
長野市
白馬村
小川村
大町市
麻績村 坂城
筑北村
池田町
松川村
生坂村
安曇野市
青木村
山形村
松本市
朝日村
岡谷市
塩尻市
諏訪市
木祖村
辰野町
南箕輪村
木曽町
王滝村
上松町
伊那市
宮田村
駒ケ根市
大桑村
飯島町
中川村
松川町
南木曽町
高森町
豊丘村
大鹿
喬木村
阿智村
飯田市
下條村
泰阜村
平谷村
阿南町
売木村
天龍村
根羽村

凡例
--- 新幹線
J R
国道
鉄道・新幹線

シナノリップ／県内広域
平成30年デビューのオリジナル品種。シャキッとした歯ごたえの夏リンゴ。

信州大王イワナ／県内広域
イワナの養殖品種で、大型魚として流通する。クセがなく、優しい味わい。

信州ひすいそば／県内広域
翡翠（ひすい）を連想させる鮮やかな緑色をした県オリジナル品種のソバ。

薬用人参／上田、佐久地域
オタネニンジン。信州人参と呼ばれ、古くから漢方生薬として利用されていた。

麗玉®／北信、長野地域
日本すももの品種シナノパールのブランド。甘さ、大きさにこだわった高級品。

A野沢菜／北信地域など
大阪の天王寺蕪が起源とされる。古くから日本を代表する漬物として利用される。

ねずみ大根／坂城町、千曲市
食「おしぼりうどん（そのつけ汁には、すりし大根が使われる。

Cアンズ／長野地域
長野県はアンズの特産地。酸味は控えめで、皮ごと生でも食べられる品種が人気。

D王滝蕪／王滝村
約300年前の古文書に記録が残る。葉は乳酸発酵の漬物、すんきに使われる。

長野県 の 食

耕地面積（田畑計）
10万
5,300ha
（第14位）

コメの作付面積（水稲延べ）
3万
1,800ha
（第17位）

コメの収穫量（水稲）
19万
2,700t
（第13位）

肉用牛（飼育頭数）
2万
600頭
（第28位）

養豚（飼育頭数）
6万
4,600頭
（第30位）

ブロイラー（飼育頭数）
68万
1,000羽
（第29位）

漁獲量・天然（海面漁業）
0t
（第 一 位）

漁獲量・養殖（海面養殖）
0t
（第 一 位）

食料自給率
（カロリーベース）
53%
（第19位）

エンゲル係数*
26.7
（第25位）

食品出荷額
5,864億
5,200万円
（第18位）

コロナ禍での消費変化～【グラフ】月別増減率～

調味料
＊ 4万2,870円（第16位）

酒 類
＊ 4万3,149円（第23位）

調理食品
＊12万8,523円（第23位）

外 食
＊12万9,827円（第22位）

2021 都道府県 Data Book

長野県民力

人口

人口	208万7,307人	第16位
人口増減数	-14,584人	第37位
人口密度	155人/km	第38位
出生率	6.7人/千人	第22位
死亡率	12.9人/千人	第17位
外国人の割合	1.84%	第20位
交通事故死亡者数	3.51人/10万人	第10位
自殺者数	9.1人/10万人	第44位
婚姻率	4.4人/千人	第20位
離婚率	1.48人/千人	第39位

暮らし

貯蓄額*	2,432万円	第2位
負債総額*	278万円	第44位
持ち家率*	84.0%	第19位
延べ床面積*	139.8m²	第5位
水道高熱費*	28万3,061円	第11位
保健医療費*	1万2,337円	第36位
大学進学率	49.1%	第30位
高卒の割合	18.3%	第33位
犯罪認知件数	6,944件	第22位
少年犯罪数	1.54人/千人	第31位

*は長野市の値

経済・労働

average

県内総生産	8兆2,238億円　第18位	11兆6,058億円
県民所得	294万円/人　第25位	330.4万円
物価価格差	97.7　第37位	100.0

就職

第26位	第30位	第35位
1.17	0.53人	2.09%
有効求人倍率	正社員新規求人数	失業率
1.19	0.51人	2.8%

仕事

第25位	第12位	第8位
20.00万円	1,110円	13.0年
大卒初任給	パート時給	勤続年数
21.02万円	1,081円	12.4年

産業

製造

	事業所数	製造品出荷額
2010年	5,583	56,383
2016年	4,994	58,319
2017年	3,646	61,681
2018年	4,825	64,659
2019年	4,758	61,531

流通・企業

年間商品販売額	5兆1,404億円	17
年間商品販売額のうち卸売販売額	2兆8,354億円	17
年間商品販売額のうち小売販売額	2兆3,050億円	16
上場企業数	34	14
企業倒産数	80件	20
代表取締役出身者数	2万3,408人	14

□は全国順位

131

Data で見る 長野県

世 帯

87万6,511世帯　16位

- 他 15.2%
- 高齢者世帯 13.2%
- 単身者世帯 27.9%
- 核家族世帯 57.0%

- 平均人員 2.38人（9位）
- 世帯主年齢 59.3歳（20位）
- 子どもの人員 0.48人（42位）
- 高齢者の人員 0.76人（28位）
- 生活保護世帯数 7.1世帯／千世帯（38位）

気 候

35℃以上の日数	12日	全国で 25位	▼
平均気温	13.1℃	全国で 42位	▼
日照時間	1,949時間	全国で 28位	
降水量	1,030mm	全国で 46位	▼
平均相対湿度	75.7%	全国で 8位	▼

（長野管区気象台 2020年）

最低気温 -8.8℃／最高気温 37.2℃

（40位）	31.3歳	初婚年齢	29.5歳	（35位）
（2位）	81.75歳	寿命	87.675歳	（1位）
（20位）	31.05万円	月額給与	22.88万円	（29位）
（31位）	170.3cm	身長	157.5cm	（30位）
（41位）	61.9kg	体重	52.4kg	（38位）

地 価

地価平均価格

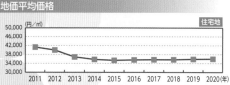

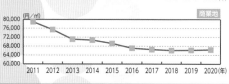

用途別の平均変動率

住宅地	-0.1%	24位
商業地	-0.4%	32位
工業地	-0.1%	34位

住宅地の平均価格*
5万3,300円／㎡ 32位
（+100円）

商業地の最高値*
36万8,000円／㎡ 29位
（+9,000円）

*は長野市の値

旅行者 （対前年同月比）

月別の宿泊者数

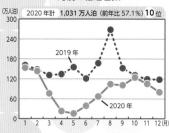

2020年計 1,031万人泊（前年比 57.1%）10位

月別の客室稼働率

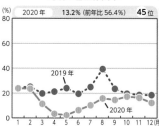

2020年 13.2%（前年比 56.4%）45位

学校・施設

- 医師数 233.1 人／10 万人（31 位）
- 病院数 6.2 施設／10 万人（32 位）
- 一般診療所数
  76.8 施設／10 万人（30 位）
- 児童福祉施設数
  43.0 施設／10 万人（18 位）
- 老人福祉センター数
  6.93 施設／10 万人（9 位）
- 小学校数 365 校（21 位）
- 高校数 100 校（16 位）

- 大学数 10 校（20 位）
- 博物館数 4.02 施設／10 万人（1 位）
- 映画館数 3.47 施設／10 万人（12 位）
- 図書館数 6.11 施設／10 万人（2 位）
- 学校の IT 化 4.50 人／台（26 位）
- 保育所数 568 カ所（16 位）
- 幼稚園数 93 校（31 位）

消　費（長野市の 1 世帯当たりの年間支出金額）

年間消費支出
324 万 5,031 円 31 位
（対前年比 85.8%）

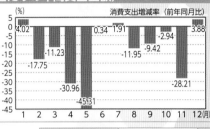

消費支出増減率（前年同月比）

月	(%)
1	4.02
2	-17.75
3	-11.23
4	-30.96
5	-45.31
6	0.34
7	1.91
8	-11.95
9	-9.42
10	-2.94
11	-28.21
12	3.88

消費変化（対前年比較）

衣 (-14.2)
(10.9) 学
食 (-4.7)
(-30.5) 動
楽 (-28.2)
(-2.8) 通

※太線は前年。太線の外側は前年対比プラス、内側はマイナス

衣：被服・履物費	11 万 3,401 円	21
食：食費	91 万 3,275 円	37
楽：教養娯楽費	30 万 2,923 円	22
通：通信費	15 万 4,765 円	37
動：交通費	28 万 8,187 円	32
学：教育費	8 万 6,435 円	37

■は全国順位

鮮　魚

3 万 5,993 円（37 位）

マグロ	5,728 円
サケ	5,420 円
エビ	2,342 円
カニ	1,989 円
ブリ	1,971 円

生鮮野菜

7 万 1,134 円（29 位）

トマト	6,724 円
きゅうり	3,338 円
キャベツ	2,982 円
たまねぎ	2,791 円
にんじん	2,757 円

飲　料

5 万 4,002 円（40 位）

果実・野菜ジュース	7,504 円
コーヒー	7,464 円
茶飲料	6,240 円
炭酸飲料	6,038 円
コーヒー飲料	5,035 円

菓　子

7 万 9,208 円（42 位）

アイスクリーム	8,424 円
ケーキ	7,563 円
チョコレート	6,776 円
せんべい	5,869 円
スナック菓子	4,152 円

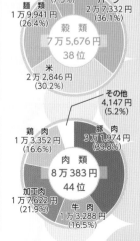

他の穀類
5,558 円
(7.3%)

麺 類
1 万 9,941 円
(26.4%)

パン
2 万 7,332 円
(36.1%)

穀 類
7 万 5,676 円
38 位

米
2 万 2,846 円
(30.2%)

その他
4,147 円
(5.2%)

鶏 肉
1 万 3,352 円
(16.6%)

豚 肉
3 万 1,974 円
(39.8%)

肉 類
8 万 383 円
44 位

加工肉
1 万 7,622 円
(21.9%)

牛 肉
1 万 3,288 円
(16.5%)

和服に関する支出

ここでは和服に関する支出のうち、「和服」および「被服賃借料」について見てみましょう。

※1 「和服」には浴衣、振り袖、はかま、甚平、和装コート、羽織、お宮参り着物、和服用の帯などの購入に係る支出が含まれます。

※2 「被服賃借料」には成人式などのための貸衣装代などが含まれます。

「和服」の支出金額は減少傾向

「和服」を含む「被服及び履物」については、2002年の195,110円から、2018年の137,451円と約3分の2になりましたが、「和服」の1世帯当たり支出金額の推移をみると、2002年は7,952円であったのに対し、2018年は2,094円と約4分の1になっており、「和服」の減少割合が大きいことがわかります。

貸衣装代などは近年増加傾向

「被服賃借料」の年間支出金額をみると、2002年は999円であったのに対し、2018年は1,549円と約1.6倍となっており、近年は増加傾向にあることがわかります。

貸衣装代等の支出金額の推移

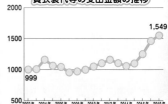

出典：「家計調査結果」（総務省統計局）
「家計調査通信第552号（2020年2月15日発行）」より作成

アイスクリーム・シャーベットへの支出

支出額の最も多い月は8月

アイスクリーム・シャーベットの支出は夏本番の7月（1,379円）と8月（1,442円）に多くなっています。

一方、2月の支出金額は407円で、1か月当たり平均（789円）の5割程度となっています。

支出金額は10年前と比べて約16%増加

年間支出金額を価格の変動分を除いた実質金額指数で見てみると、2019年は115.6となり10年前と比べて約16%増えています。

金沢市で支出金額が多い

都市別にアイスクリーム・シャーベットの年間支出金額を見ると、金沢市が11,537円と最も多く、次いで浜松市（11,151円）となっています

アイスクリーム・シャーベットの支出金額

（1世帯当たりの年間支出金額：円／
2017年～2019年平均）

金沢市	浜松市	福島市	盛岡市	山形市	全国
11,537 No.1	11,151	11,119	10,656	10,629	9,473

出典：「家計調査結果」（総務省統計局）
「家計調査通信第557号（2020年7月15日発行）」より作成

早わかり **2021**
都道府県
Data Book

中部

岐阜県

県の
木：イチイ　　　魚：アユ
花：レンゲソウ　歌：岐阜県民の歌
鳥：ライチョウ

農業生産

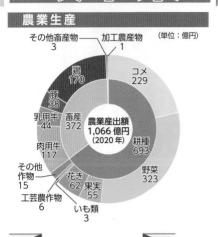

（単位：億円）

農業産出額
1,066 億円
（2020 年）

- その他畜産物 3
- 加工農産物 1
- 鶏 170
- コメ 229
- 豚 38
- 乳用牛 44
- 畜産 372
- 肉用牛 117
- 耕種 693
- その他作物 15
- 工芸農作物 6
- 花き 62
- 果実 55
- いも類 3
- 野菜 323

Aすずらん大根／高山市
標高 1,200 m の高冷地で栽培され、夏に収穫。甘みがあってサラダに最適。

農業物産出額上位 **10** 品目

① 米	229 億円			
② 鶏卵	126 億円			
③ 肉用牛	117 億円			
④ ほうれんそう	59 億円	⑧ かき	33 億円	
⑤ トマト	57 億円	⑨ いちご	23 億円	
⑥ 生乳	38 億円	⑩ ブロイラー	20 億円	
⑦ 豚	38 億円			

Bカモミール／大垣市
薬草・カミツレ（カモミール）の産地。5 月の開花時期には一面に甘い香り。

N

白川村

郡上市

C

本巣市

D

E
山県市

七宗町

美濃市

川辺町

揖斐川町

神戸町

大野町

池田町

岐阜市

北方町

瑞穂市

関市

富加町

G

H

坂祝町

美濃加茂市

可児市

垂井町

関ケ原町

大垣市

羽島市

笠松町

岐南町

H

I

大垣市

安八町

養老町

各務原市

輪之内町

海津市

B高原山椒／高山市
江戸時代に飛騨郡代が将軍に献上したという記述が残る。小ぶりで香りが良い。

C弘法いも／本巣市
弘法大師の伝説をもつ在来のジャガイモ。堅く粘質の肉質で独特の風味。

D沢あざみ／揖斐川町
古くから親しまれ、集落の祭りに欠かせない食材。葉の中肋の部分が食用。

飛騨市
高山市
A B
下呂市
東白川村・中津川市
白川町
八百津町
F J
恵那市
瑞浪市
御嵩町
岐市
多治見市

E桑の木豆／山県市
インゲン豆の仲間で、昔は桑の木にはわせて栽培。完熟すると赤いかすり模様。

Fキクイモ／恵那市
古くから自生し、砂地の土壌が栽培に適している。味噌漬けや粕漬けが名物。

Gキウイフルーツ／関市
洞戸地域の特産品。山間部の地形と気候を生かした栽培が行われている。

H藤九郎ぎんなん
／羽島市、瑞穂市
大粒で殻が薄く、表面は滑らかで光沢があり、食味や貯蔵性も良いと評される。

凡　例
━━━ 新幹線
ー・ー J R
　　　 国　道
━━━ 高速・有料道路

J細寒天／恵那市
山岡町では明け方-15℃～日中10℃という冬の寒暖差から寒天がつくられる。

岐阜県 の 食

＊岐阜市の1世帯当たりの年間支出金額

耕地面積（田畑計）
5万
5,500ha
（第25位）

コメの作付面積（水稲延べ）
2万
2,500ha
（第26位）

コメの収穫量（水稲）
10万
5,800t
（第25位）

肉用牛（飼育頭数）
3万
2,200頭
（第21位）

養豚（飼育頭数）
9万
9,800頭
（第24位）

ブロイラー（飼育頭数）
99万
3,000羽
（第22位）

漁獲量・天然（海面漁業）
0t
（第一位）

漁獲量・養殖（海面養殖）
0t
（第一位）

食料自給率（カロリーベース）
24%
（第35位）

エンゲル係数＊
25.2
（第43位）

食品出荷額
3,783億
6,000万円
（第26位）

コロナ禍での消費変化～【グラフ】月別増減率～

調味料
＊4万4,375円（第8位）

（円）
5,000
4,400
3,800
3,200
2,600
2,000
―●― 2019年 ―●― 2020年
1 2 3 4 5 6 7 8 9 10 11 12（月）

酒 類
＊4万2,567円（第25位）

（円）
9,000
7,400
5,800
4,200
2,600
1,000
―●― 2019年 ―●― 2020年
1 2 3 4 5 6 7 8 9 10 11 12（月）

調理食品
＊11万9,433円（第40位）

（円）
20,000
17,200
14,400
11,600
8,800
6,000
―●― 2019年 ―●― 2020年
1 2 3 4 5 6 7 8 9 10 11 12（月）

外 食
＊17万6,677円（第2位）

（円）
28,000
22,800
17,600
12,400
7,200
2,000
―●― 2019年 ―●― 2020年
1 2 3 4 5 6 7 8 9 10 11 12（月）
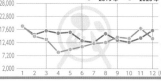

岐阜県民力

人 口

人口	203万2,490人 第17位
人口増減数	-11,624人 第30位
人口密度	191人／km² 第30位
出生率	6.6人／千人 第26位
死亡率	12.1人／千人 第27位
外国人の割合	3.01% 第5位
交通事故死亡者数	5.34人／10万人 第2位
自殺者数	6.5人／10万人 第46位
婚姻率	4.2人／千人 第31位
離婚率	1.55人／千人 第35位

暮らし

貯蓄額*	1,712万円 第19位
負債総額*	577万円 第17位
持ち家率*	87.1% 第10位
延べ床面積*	146.4m² 第2位
水道高熱費*	26万7,241円 第16位
保健医療費*	1万7,115円 第3位
大学進学率	56.1% 第14位
高卒の割合	23.4% 第16位
犯罪認知件数	1万447件 第14位
少年犯罪数	2.05人／千人 第17位

*は岐阜市の値

経済・労働

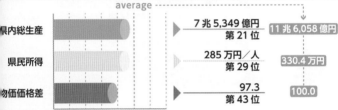

県内総生産	7兆5,349億円 第21位	11兆6,058億円
県民所得	285万円／人 第29位	330.4万円
物価価格差	97.3 第43位	100.0

average

就 職

第7位	第28位	第46位
1.41	0.55人	1.48%
有効求人倍率	正社員新規求人数	失業率
1.19	0.51人	2.8%

仕 事

第27位	第13位	第31位
19.92万円	1,101円	12.1年
大卒初任給	パート時給	勤続年数
21.02万円	1,081円	12.4年

産 業

製 造

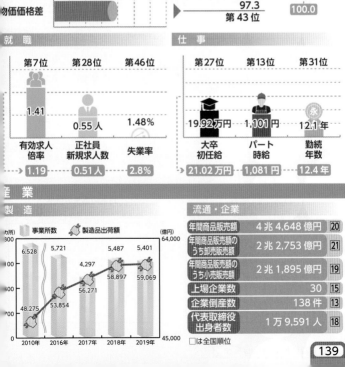

事業所数　製造品出荷額

	2010年	2016年	2017年	2018年	2019年
事業所数	6,528	5,721	4,297	5,487	5,401
製造品出荷額	48,275	53,854	56,271	58,897	59,069

流通・企業

年間商品販売額	4兆4,648億円	20
年間商品販売額のうち卸売販売額	2兆2,753億円	21
年間商品販売額のうち小売販売額	2兆1,895億円	19
上場企業数	30	15
企業倒産数	138件	13
代表取締役出身者数	1万9,591人	18

□は全国順位

Data で見る 岐阜県

世　帯

83 万 2,257 世帯　20 位

- 他 16.1%
- 高齢者世帯 13.0%
- 単身者世帯 25.8%
- 核家族世帯 58.1%

- 平均人員 2.44 人（6 位）
- 世帯主年齢 58.3 歳（29 位）
- 子どもの人員 0.63 人（22 位）
- 高齢者の人員 0.75 人（30 位）
- 生活保護世帯数 5.1 世帯／千世帯（44 位）

気　候

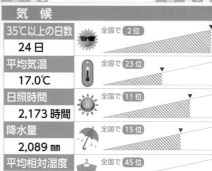

		全国で
35℃以上の日数	24 日	2 位
平均気温	17.0℃	23 位
日照時間	2,173 時間	11 位
降水量	2,089 mm	15 位
平均相対湿度	64.5%	45 位

（岐阜管区気象台 2020 年）
最低気温 -2.9℃／最高気温 39.2℃

（20 位）	30.8 歳	初婚年齢	28.9 歳	（2 位）
（14 位）	81.00 歳	寿命	86.82 歳	（34 位）
（24 位）	30.88 万円	月額給与	23.62 万円	（17 位）
（14 位）	170.8cm	身長	157.5cm	（30 位）
（30 位）	62.3kg	体重	52.2kg	（43 位）

地　価

地価平均価格

住宅地

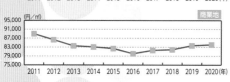
商業地

用途別の平均変動率

住宅地	-0.8%	39 位
商業地	-0.3%	27 位
工業地	-0.1%	34 位

住宅地の平均価格*
6 万 2,300 円／㎡　23 位
(-200 円)

商業地の最高値*
61 万 8,000 円／㎡　23 位
(+6,000 円)

*は岐阜市の値

旅行者（対前年同月比）

月別の宿泊者数

2020 年計　391 万人泊（前年比 53.6%）28 位

月別の客室稼働率

2020 年　19.3%（前年比 52.4%）33 位

学校・施設

- 医師数 215.1 人／ 10 万人（37 位）
- 病院数 4.9 施設／ 10 万人（40 位）
- 一般診療所数
  79.9 施設／ 10 万人（26 位）
- 児童福祉施設数
  30.6 施設／ 10 万人（38 位）
- 老人福祉センター数
  6.39 施設／ 10 万人（18 位）
- 小学校数 367 校（20 位）
- 高校数 81 校（20 位）

- 大学数 13 校（16 位）
- 博物館数 1.00 施設／ 10 万人（33 位）
- 映画館数 2.82 施設／ 10 万人（22 位）
- 図書館数 3.56 施設／ 10 万人（17 位）
- 学校の IT 化 4.23 人／台（32 位）
- 保育所数 417 カ所（27 位）
- 幼稚園数 164 校（21 位）

消費（岐阜市の 1 世帯当たりの年間支出金額）

消費変化（対前年比較）

年間消費支出
365 万 1,250 円 **4 位**
（対前年比 105.9%）

消費支出増減率（前年同月比）

月	1	2	3	4	5	6	7	8	9	10	11	12
(%)	11.13	29.19	19.79	0.44	19.72	19.96	-2.28	-4.36	0.87	-4.26	10.65	-19.93

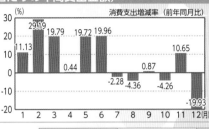

衣 (11.8)
食 (4.8)
楽 (-1.0)
通 (2.3)
動 (10.2)
学 (-20.1)

※太線は前年。
太線の外側は
前年対比プラス、
内側はマイナス

衣：被服・履物費	13 万 6,713 円	**4**
食：食費	97 万 8,295 円	**15**
楽：教養娯楽費	34 万 5,422 円	**5**
通：通信費	17 万 486 円	**19**
動：交通費	42 万 7,122 円	**8**
学：教育費	13 万 9,899 円	**15**

■は全国順位

鮮 魚

3 万 5,072 円（43 位）

サ ケ	5,317 円
マグロ	4,996 円
エ ビ	3,287 円
ブ リ	3,232 円
タ コ	1,749 円

生鮮野菜

6 万 6,741 円（36 位）

トマト	7,429 円
ね ぎ	3,372 円
きゅうり	3,247 円
たまねぎ	3,041 円
キャベツ	2,967 円

飲 料

5 万 8,340 円（23 位）

茶飲料	9,232 円
果実・野菜ジュース	7,655 円
コーヒー	6,279 円
炭酸飲料	5,301 円
コーヒー飲料	4,911 円

菓 子

9 万 4,094 円（7 位）

アイスクリーム	1 万 437 円
ケーキ	8,925 円
チョコレート	8,745 円
スナック菓子	7,098 円
せんべい	6,472 円

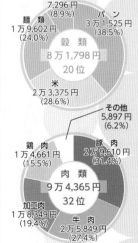

穀 類
8 万 1,798 円
20 位

- 他の穀類 7,296 円（8.9%）
- 麺 類 1 万 9,602 円（24.0%）
- パン 3 万 1,525 円（38.5%）
- 米 2 万 3,375 円（28.6%）

肉 類
9 万 4,365 円
32 位

- その他 5,897 円（6.2%）
- 鶏 肉 1 万 4,661 円（15.5%）
- 豚 肉 2 万 9,610 円（31.4%）
- 加工肉 1 万 8,349 円（19.4%）
- 牛 肉 2 万 5,849 円（27.4%）

静岡県

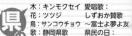
県の
木：キンモクセイ　愛唱歌：
花：ツツジ　　　しずおか賛歌
鳥：サンコウチョウ　〜富士よ夢よ友
歌：静岡県歌　　　県民の日：
　　　　　　　　　　8月21

農業生産

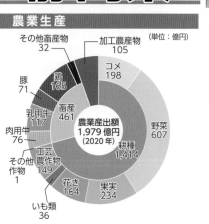

（単位：億円）

その他畜産物 32
加工農産物 105
コメ 198
鶏 165
豚 71
畜産 461
乳用牛 117
肉用牛 76
工芸農作物 149
その他作物 1
いも類 36
花き 164
果実 234
野菜 607
耕種 1,414

農業産出額 1,979 億円（2020 年）

■ 遠州灘天然とらふぐ
／浜松市

天然もののトラフグの約6割が遠州灘で漁獲されるといわれ、全国屈指の漁場。

N

農業物産出額上位 10 品目

① 米　　　　198 億円
② みかん　　188 億円
③ 茶（生葉）147 億円

④ 鶏卵 123 億円
⑤ いちご 111 億円
⑥ 荒茶 104 億円
⑦ 生乳 102 億円
⑧ 肉用牛 76 億円
⑨ 豚 71 億円
⑩ メロン 66 億円

凡　例
- = = = 新幹線
- JR　J　R
- ──　国　道
- ━━　高速・有料道路

川根本町

静岡
D

浜松市
I

島田市

森町

藤枝市

掛川市
E

袋井市
F

菊川市
E

牧之原市

御前崎市
E

磐田市
G H

湖西市

浜名湖

吉田町

伊豆の地きんめ／伊豆半島
「須崎の日戻り金目鯛」「稲取キンメ」「伊東の地きんめ」の3ブランドがある。

Ａ タカアシガニ／沼津市
駿河湾で獲れる世界最大のカニ。大きいものは足を伸ばすと3m以上にもなる。

Ｂ 緑 米／清水町
古代米の一種。粘りが強く甘みがあるもち米で、希少（写真は緑米を使ったあられ）。

Ｃ カジキ／下田市
下田沖は古くからカジキ漁で知られる。毎年、国際的なカジキ釣り大会が開催。

Ｄ 葉ショウガ／静岡県ほか
根茎が柔らかいうちに若採りしたもの。久能地区は全国有数の産地。

Ｅ 芽キャベツ／掛川市、菊川市、御前崎市ほか
静岡県が収穫量の9割を占める。子孫繁栄の象徴としてお祝い事にも使われる。

Ｆ クラウンメロン／袋井市ほか
温室栽培のマスクメロン。1本の木に1つだけを選別して実らせる高級メロン。

Ｇ プチヴェール／磐田市、沼津市
ールと芽キャベツをかけわせた野菜。1990年に磐市で生まれた。

Ｈ 香菜（シャンツァイ）／磐田市
香菜を国内で初めて栽培、産地化。「磐生香菜」は小葉のオリジナル品種。

静岡県 の 食

＊静岡市の1世帯当たりの年間支出金額

耕地面積(田畑計)
6万2,800ha
(第22位)

コメの作付面積(水稲延べ)
1万5,500ha
(第32位)

コメの収穫量(水稲)
7万4,100t
(第32位)

肉用牛(飼育頭数)
1万9,200頭
(第32位)

養豚(飼育頭数)
10万9,100頭
(第23位)

ブロイラー(飼育頭数)
116万4,000羽
(第20位)

漁獲量・天然(海面漁業)
17万3,404t
(第5位)

漁獲量・養殖(海面養殖)
2,403t
(第24位)

食料自給率
(カロリーベース)
16%
(第39位)

エンゲル係数＊
28.2
(第10位)

食品出荷額
1兆3,662億4,300万円
(第8位)

コロナ禍での消費変化～【グラフ】月別増減率～

調味料
＊4万1,925円 (第24位)
2019年 2020年

酒類
＊3万7,545円 (第39位)
2019年 2020年

調理食品
＊15万1,075円 (第5位)
2019年 2020年

外食
＊13万9,651円 (第12位)
2019年 2020年

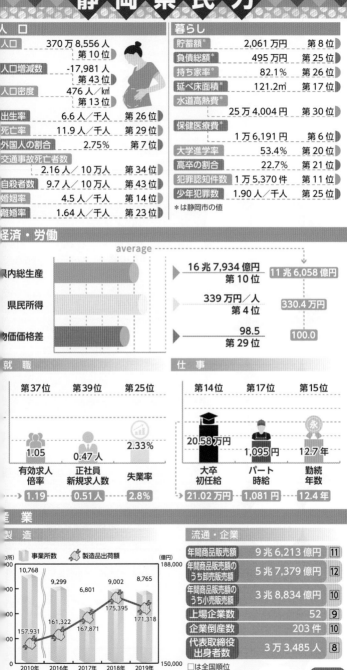

静岡県民力

人 口

人口	370万8,556人	第10位
人口増減数	-17,981人	第43位
人口密度	476人/km²	第13位
出生率	6.6人/千人	第26位
死亡率	11.9人/千人	第29位
外国人の割合	2.75%	第7位
交通事故死亡者数	2.16人/10万人	第34位
自殺者数	9.7人/10万人	第43位
婚姻率	4.5人/千人	第14位
離婚率	1.64人/千人	第23位

暮らし

貯蓄額*	2,061万円	第8位
負債総額*	495万円	第25位
持ち家率*	82.1%	第26位
延べ床面積*	121.2m²	第17位
水道高熱費*	25万4,004円	第30位
保健医療費*	1万6,191円	第6位
大学進学率	53.4%	第20位
高卒の割合	22.7%	第21位
犯罪認知件数	1万5,370件	第11位
少年犯罪数	1.90人/千人	第25位

*は静岡市の値

経済・労働

average

県内総生産	16兆7,934億円 第10位	11兆6,058億円
県民所得	339万円/人 第4位	330.4万円
物価価格差	98.5 第29位	100.0

就 職

第37位	第39位	第25位
1.05	0.47人	2.33%
有効求人倍率	正社員新規求人数	失業率
1.19	0.51人	2.8%

仕 事

第14位	第17位	第15位
20.58万円	1,095円	12.7年
大卒初任給	パート時給	勤続年数
21.02万円	1,081円	12.4年

産 業

製 造

事業所数　製造品出荷額

(箇所)　(億円)

	10,768	9,299	6,801	9,002	8,765	188,000
	157,931	161,322	167,871	175,395	171,318	150,000
	2010年	2016年	2017年	2018年	2019年	

流通・企業

年間商品販売額	9兆6,213億円	11
年間商品販売額のうち卸売販売額	5兆7,379億円	12
年間商品販売額のうち小売販売額	3兆8,834億円	10
上場企業数	52	9
企業倒産数	203件	10
代表取締役出身者数	3万3,485人	8

□は全国順位

Data で見る 静岡県

世 帯

- 他 14.6%
- 高齢者世帯 11.7%
- 核家族世帯 56.8%
- 単身者世帯 28.5%

160万309世帯　10位

- 平均人員 2.32 人（16 位）
- 世帯主年齢 60.0 歳（13 位）
- 子どもの人員 0.52 人（37 位）
- 高齢者の人員 0.91 人（9 位）
- 生活保護世帯数 7.4 世帯／千世帯（36 位）

気 候

項目	値	全国順位
35℃以上の日数	10 日	全国で 30 位
平均気温	17.8℃	全国で 5 位
日照時間	2,245 時間	全国で 3 位
降水量	2,614 mm	全国で 5 位
平均相対湿度	70.6%	全国で 29 位

（静岡管区気象台 2020 年）

最低気温 -1.1℃／最高気温 37.2℃

男			女
(34 位)	31.1 歳	初婚年齢 29.3 歳	(22 位)
(17 位)	80.95 歳	寿命 87.10 歳	(24 位)
(16 位)	31.54 万円	月額給与 23.18 万円	(22 位)
(35 位)	170.2cm	身長 158.0cm	(12 位)
(47 位)	60.6kg	体重 52.7kg	(29 位)

地 価

地価平均価格

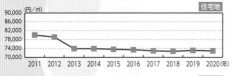

住宅地

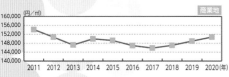

商業地

用途別の平均変動率

住宅地	-0.7%	37 位
商業地	0.1%	23 位
工業地	0.1%	31 位

住宅地の平均価格*
11 万 4,200 円／㎡　12 位
(-200 円)

商業地の最高値*
151 万円／㎡　16 位
(+1 万円)

*は静岡市の値

旅行者（対前年同月比）

月別の宿泊者数

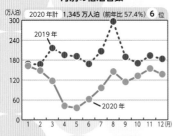

2020 年計 1,345 万人泊（前年比 57.4%）6 位

月別の客室稼働率

2020 年 22.8%（前年比 59.4%）19 位

学校・施設

- 医師数 210.2 人／10 万人（40 位）
- 病院数 4.8 施設／10 万人（41 位）
- 一般診療所数
  75.0 施設／10 万人（34 位）
- 児童福祉施設数
  28.9 施設／10 万人（43 位）
- 老人福祉センター数
  3.59 施設／10 万人（39 位）
- 小学校数 509 校（10 位）
- 高校数 138 校（10 位）

- 大学数 13 校（16 位）
- 博物館数 1.18 施設／10 万人（24 位）
- 映画館数 2.91 施設／10 万人（19 位）
- 図書館数 2.62 施設／10 万人（37 位）
- 学校の IT 化 5.04 人／台（14 位）
- 保育所数 655 カ所（12 位）
- 幼稚園数 366 校（10 位）

消費（静岡市の 1 世帯当たりの年間支出金額）

消費変化（対前年比比較）

年間消費支出
337 万 6,115 円 **24 位**
（対前年比 100.3%）

消費支出増減率（前年同月比）

月	増減率(%)
1	-19.44
2	-20.05
3	-22.06
4	-8.64
5	-14.46
6	-2.85
7	26.89
8	20.14
9	21.06
10	29.96
11	4.70
12	3.86

衣 (-22.0)
(-13.5) 学
食 (-0.2)
(-1.2) 動
楽 (-7.1)
(-1.7) 通

※太線は前年。
太線の外側は
前年対比プラス、
内側はマイナス

衣：被服・履物費	10 万 2,941 円	**34**
食：食費	99 万 6,604 円	**9**
楽：教養娯楽費	30 万 142 円	**26**
通：通信費	16 万 833 円	**33**
動：交通費	31 万 6,058 円	**25**
学：教育費	9 万 2,633 円	**34**

■は全国順位

鮮 魚
4 万 855 円（18 位）

マグロ	1 万 1,897 円
サ ケ	4,602 円
エ ビ	2,694 円
ブ リ	2,355 円
カ ニ	2,271 円

飲 料
6 万 4,401 円（8 位）

緑茶	9,191 円
茶飲料	8,132 円
果実・野菜ジュース	7,835 円
ミネラルウォーター	7,218 円
炭酸飲料	5,663 円

生鮮野菜
8 万 1,189 円（10 位）

トマト	9,171 円
ね ぎ	4,367 円
キャベツ	3,980 円
たまねぎ	3,550 円
じゃがいも	3,374 円

菓 子
8 万 2,840 円（32 位）

アイスクリーム	9,675 円
ケーキ	7,510 円
せんべい	5,835 円
スナック菓子	5,632 円
チョコレート	5,541 円

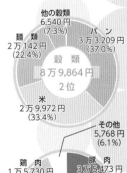

他の穀類
6,540 円
（7.3%）

パ ン
3 万 3,209 円
（37.0%）

麺 類
2 万 142 円
（22.4%）

穀 類
8 万 9,864 円
2 位

米
2 万 9,972 円
（33.4%）

その他
5,768 円
（6.1%）

鶏 肉
1 万 5,730 円
（16.7%）

豚 肉
3 万 5,473 円
（37.6%）

肉 類
9 万 4,447 円
31 位

加工肉
1 万 8,615 円
（19.7%）

牛 肉
1 万 8,860 円
（20.0%）

愛知県

県の
木：ハナノキ　　魚：クルマエビ
花：カキツバタ　県民歌：
鳥：コノハズク　　　　われらが愛

農業生産

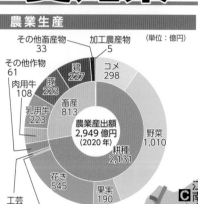

（単位：億円）

その他畜産物 33
加工農産物 5
その他作物 61
肉用牛 108
乳用牛 223
豚 223
鶏 227
コメ 298
畜産 813
野菜 1,010
農業産出額 2,949億円（2020年）
耕種 2,131
花き 545
果実 190
いも類 9
工芸農作物 18

G金俵まくわうり
／江南市周辺、安城市
マクワウリは古くから食
れたウリ科の果実。果肉
白色で甘く、香りが良い

Dギンナン／稲沢市
出荷量は全国一。生産の中
心地稲沢市には樹齢100年
を超える大木が随所にある。

農業物産出額上位 **10**品目

① 米	298 億円
② きく	223 億円
③ 豚	223 億円

④ 生乳 187 億円	⑧ しそ 133 億円
⑤ 鶏卵 185 億円	⑨ 肉用牛 108 億円
⑥ キャベツ 185 億円	⑩ いちご 85 億円
⑦ トマト 151 億円	

扶桑町　犬山市
江南市　大口町　小牧市　春日井市　瀬戸市
稲沢市　一宮市　岩倉市　豊山町　尾張旭市　長久手市
北名古屋市　清須市　あま市　大治町　名古屋市　日進市　東郷町　みよし市
愛西市　津島市　蟹江町　豊明市　刈谷市
飛島村　弥富市　東海市　大府市　知立市　安城市
知多市　東浦町　高浜市　碧南市　幸田町
常滑市　阿久比町　半田市　西尾市
武豊町　美浜町
南知多町

イチジク
／県内広域
昭和40年代から各地で栽培が本格化し、現在では日本一のイチジク産地。

早生かりもり
／尾張地域、刈谷市、碧南市
尾張地域在来の白ウリ。カタウリとも呼ばれるほどかたく、漬物に適す。

愛知早生ふき
／知多地域、稲沢市、愛西市
現在各地で栽培されているフキの品種のうち7割のルーツ。葉柄の伸びが早い。

凡　例
━━━ 新幹線
━━━ ＪＲ
─── 国　道
─── 謎・解題

N

豊田市

豊根村 **A**

設楽町 **A**

東栄町 **A**

新城市

岡崎市

豊川市 **F**

蒲郡市

F 豊橋市

田原市

A天狗なす
／設楽町、東栄町、豊根村
天狗の鼻のような形の奇形果が発生しやすい。果肉はやわらかく、みずみずしい。

B守口大根／扶桑町
直径2cm、長さ190cm余りの世界一細長い大根。粕漬の守口漬は名産品。

E白花千石
／あま市
明治時代から栽培されているフジマメ。サヤは千石船の帆の形に似ている。

Fウズラ卵
／豊橋市、豊川市、田原市
愛知県のウズラ飼養羽数は、全国でシェア約60％。ニホンウズラが飼養される。

149

愛知県 の 食

＊名古屋市の1世帯当たりの年間支出金額

耕地面積（田畑計）
7万3,700ha
（第17位）

コメの作付面積（水稲延べ）
2万7,400ha
（第20位）

コメの収穫量（水稲）
13万4,300t
（第20位）

肉用牛（飼育頭数）
4万1,200頭
（第17位）

養豚（飼育頭数）
35万2,700頭
（第9位）

ブロイラー（飼育頭数）
93万5,000羽
（第24位）

漁獲量・天然（海面漁業）
5万9,934t
（第16位）

漁獲量・養殖（海面養殖）
9,744t
（第21位）

食料自給率（カロリーベース）
11%
（第43位）

エンゲル係数＊
27.8
（第12位）

食品出荷額
1兆7,177億1,300万円
（第3位）

コロナ禍での消費変化～【グラフ】月別増減率～

調味料
＊ 4万543円 （第33位）

（円）
5,000 / 4,400 / 3,800 / 3,200 / 2,600 / 2,000
─●─ 2019年　─●─ 2020年
1 2 3 4 5 6 7 8 9 10 11 12（月）

酒類
＊ 3万7,969円 （第38位）

（円）
9,000 / 7,400 / 5,800 / 4,200 / 2,600 / 1,000
─●─ 2019年　─●─ 2020年
1 2 3 4 5 6 7 8 9 10 11 12（月）

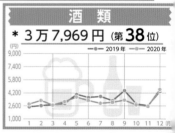

調理食品
＊12万4,538円 （第32位）

（円）
20,000 / 17,200 / 14,400 / 11,600 / 8,800 / 6,000
─●─ 2019年　─●─ 2020年
1 2 3 4 5 6 7 8 9 10 11 12（月）

外食
＊16万4,004円 （第3位）

（円）
28,000 / 22,800 / 17,600 / 12,400 / 7,200 / 2,000
─●─ 2019年　─●─ 2020年
1 2 3 4 5 6 7 8 9 10 11 12（月）

愛知県民力

人 口

人口	757万5,530人	第4位
人口増減数	10,221人	第4位
人口密度	1,447人／㎢	第5位
出生率	7.8人／千人	第3位
死亡率	9.6人／千人	第43位
外国人の割合	3.66%	第2位
交通事故死亡者数	2.04人／10万人	第36位
自殺者数	15.5人／10万人	第32位
婚姻率	5.5人／千人	第3位
離婚率	1.69人／千人	第14位

暮らし

貯蓄額*	1,737万円	第17位
負債総額*	670万円	第9位
持ち家率*	83.1%	第21位
延べ床面積*	117.7㎡	第22位
水道高熱費*	24万6,428円	第35位
保健医療費*	1万4,453円	第15位
大学進学率	59.0%	第8位
高卒の割合	19.4%	第30位
犯罪認知件数	3万9,897件	第4位
少年犯罪数	2.15人／千人	第14位

*は名古屋市の値

経済・労働

average

県内総生産	38兆6,249億円 第3位	11兆6,058億円
県民所得	368万円／人 第2位	330.4万円
物価価格差	97.6 第39位	100.0

就 職

第21位	第37位	第18位
1.24	0.47人	2.52%
有効求人倍率	正社員新規求人数	失業率
1.19	0.51人	2.8%

仕 事

第5位	第9位	第3位
21.01万円	1,143円	13.3年
大卒初任給	パート時給	勤続年数
21.02万円	1,081円	12.4年

産 業

製 造

■ 事業所数　🐌 製品品出荷額

	2010年	2016年	2017年	2018年	2019年
事業所数	18,764	15,870	11,842	15,322	15,011
製品品出荷額	382,108	449,090	469,681	487,220	479,043

流通・企業

年間商品販売額	33兆7,292億円	3
年間商品販売額のうち卸売販売額	25兆1,433億円	3
年間商品販売額のうち小売販売額	8兆5,859億円	4
上場企業数	222	
企業倒産数	542件	3
代表取締役出身者数	4万9,686人	4

□は全国順位

Data で見る　愛知県

世　帯

他 9.6%
高齢者世帯 10.8%

334 万 3,924 世帯
5 位

単身者世帯 33.5%

核家族世帯 56.9%

- 平均人員 2.27 人（22 位）
- 世帯主年齢 59.1 歳（22 位）
- 子どもの人員 0.65 人（19 位）
- 高齢者の人員 0.80 人（24 位）
- 生活保護世帯数
　5.2 世帯／千世帯（42 位）

気　候

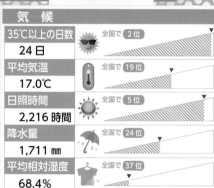

35℃以上の日数		全国で 2 位	
24 日			
平均気温		全国で 19 位	
17.0℃			
日照時間		全国で 5 位	
2,216 時間			
降水量		全国で 24 位	
1,711 mm			
平均相対湿度		全国で 37 位	
68.4%			

（名古屋管区気象台 2020 年）
最低気温 -2.2℃／最高気温 38.2℃

（31 位）	31.0 歳	初婚年齢 29.1 歳	（12 位）
（8 位）	81.10 歳	寿命 86.86 歳	（32 位）
（4 位）	34.47 万円	月額給与 25.26 万円	（8 位）
（23 位）	170.5cm	身長 157.5cm	（30 位）
（46 位）	61.5kg	体重 52.3kg	（41 位）

地　価

地価平均価格

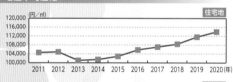
住宅地

商業地

用途別の平均変動率

住宅地	1.1%	9 位
商業地	4.1%	8 位
工業地	0.7%	24 位

── 住宅地の平均価格* ──
18 万 8,700 円／㎡ 6 位
（＋ 5,600 円）

── 商業地の最高値* ──
1,850 万円／㎡ 3 位
（＋620 万円）

*は名古屋市の値

旅行者（対前年同月比）

月別の宿泊者数

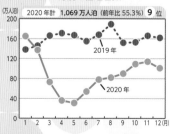

（万人泊） 2020 年計 1,069 万人泊（前年比 55.3%）9 位

月別の客室稼働率

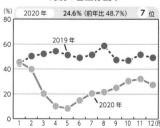

（%） 2020 年 24.6%（前年比 48.7%）7 位

学校・施設

- 医師数 212.9 人／ 10 万人（38 位）
- 病院数 4.3 施設／ 10 万人（45 位）
- 一般診療所数
  72.2 施設／ 10 万人（40 位）
- 児童福祉施設数
  38.5 施設／ 10 万人（22 位）
- 老人福祉センター数
  3.03 施設／ 10 万人（42 位）
- 小学校数 969 校（4 位）
- 高校数 222 校（5 位）

- 大学数 51 校（3 位）
- 博物館数 0.56 施設／ 10 万人（44 位）
- 映画館数 3.56 施設／ 10 万人（6 位）
- 図書館数 1.30 施設／ 10 万人（46 位）
- 学校の IT 化 6.57 人／台（2 位）
- 保育所数 1,479 カ所（4 位）
- 幼稚園数 419 校（8 位）

消　費（名古屋市の 1 世帯当たりの年間支出金額）

消費変化（対前年比較）

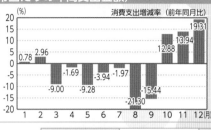

年間消費支出
338 万 7,395 円　**23 位**
（対前年比 98.2%）

消費支出増減率（前年同月比）

月	1	2	3	4	5	6	7	8	9	10	11	12
(%)	0.78	2.96	-9.00	-1.69	-9.28	-3.94	-1.97	-21.30	-15.44	12.88	13.94	19.31

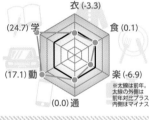

衣 (-3.3)
(24.7) 学
食 (0.1)
(17.1) 動
楽 (-6.9)
(0.0) 通

※太線は前年。
太線の外側は
前年対比プラス、
内側はマイナス

衣：被服・履物費	12 万 2,727 円	11
食：食費	97 万 8,352 円	14
楽：教養娯楽費	33 万 3,724 円	10
通：通信費	15 万 3,987 円	38
動：交通費	39 万 864 円	12
学：教育費	17 万 4,842 円	6

■は全国順位

鮮　魚

3 万 7,769 円（27 位）

マグロ	5,811 円
サケ	4,635 円
エビ	3,540 円
ブリ	2,875 円
イカ	1,801 円

生鮮野菜

7 万 6,413 円（19 位）

トマト	9,180 円
ねぎ	4,024 円
きゅうり	3,676 円
たまねぎ	3,456 円
キャベツ	3,012 円

飲　料

5 万 8,757 円（22 位）

コーヒー	8,329 円
果実・野菜ジュース	7,684 円
乳飲料	6,891 円
炭酸飲料	6,336 円
コーヒー飲料	5,897 円

菓　子

8 万 7,676 円（22 位）

アイスクリーム	1 万 895 円
ケーキ	7,856 円
チョコレート	7,256 円
スナック菓子	5,710 円
せんべい	5,012 円

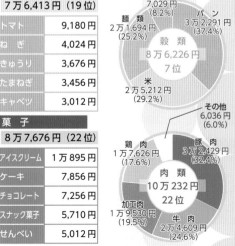

他の穀類
7,029 円
(8.2%)

麺　類
2 万 1,694 円
(25.2%)

パン
3 万 2,291 円
(37.4%)

穀　類
8 万 6,226 円
7 位

米
2 万 5,212 円
(29.2%)

その他
6,036 円
(6.0%)

鶏　肉
1 万 7,626 円
(17.6%)

豚　肉
3 万 2,429 円
(32.4%)

肉　類
10 万 232 円
22 位

加工肉
1 万 9,530 円
(19.5%)

牛　肉
2 万 4,609 円
(24.6%)

三重県

木：神宮杉　　　　獣：カモシカ
花：ハナショウブ　歌：三重県民歌
鳥：シロチドリ　　県民の日：
魚：伊勢えび　　　　　　　4月18日

農業生産

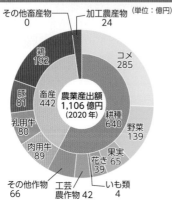

（単位：億円）

その他畜産物 0
加工農産物 24
鶏 192
豚 81
畜産 442
乳用牛 80
肉用牛 89
コメ 285
耕種 640
野菜 139
果実 65
花き 39
いも類 4
工芸農作物 42
その他作物 66

農業産出額 1,106 億円（2020 年）

農業物産出額上位 **10** 品目

① 米	285 億円
② 鶏卵	172 億円
③ 肉用牛	89 億円

④ 豚	81 億円	⑥ 茶（生葉）	42 億円
⑤ 生乳	67 億円	⑦ 庭園樹苗木	35 億円

⑧ みかん	34 億円
⑨ 荒茶	24 億円
⑩ トマト	24 億円

Fたかな／熊野市
古代、朝廷が九州から大和
へ移った際もたらされたと
いう伝説がある。

G桑名のはまぐり
／桑名市
地元で「地はまぐ
り」と呼ばれる。
「焼き蛤」は、江
戸時代から東海道
の桑名名物。

N

亀山市

伊賀市

名張市

津市

A B C
松阪市

大台町

大紀町

紀北町

尾鷲市

D

熊野市

F

御浜町

紀宝町

いなべ市

桑名市

木曽岬町

四日市市

朝日町

川越町

鈴鹿市

明和町

多気町

玉城町

度会町

伊勢市

鳥羽市

志摩市

南伊勢町

青さのり
／伊勢湾、英虞湾、熊野灘沿岸
ヒトエグサ。1970年代に三重県で養殖技術が開発され、全国の約6割が三重県産。

あのりふぐ
／遠州灘〜熊野灘
安乗漁港周辺で水揚げされる天然トラフグ。はえ縄漁法により漁獲される。

伊勢茶
／北勢地域、南勢地域
お茶の栽培面積は静岡・鹿児島に次ぐ第3位。かぶせ茶の生産量はトップ。

A三重なばな
／桑名市、木曽岬町、松阪市
菜花の一大産地。茎と若葉を食べるようになったのは、長島地域が始まり。

Bエスカルゴ／松阪市
エスカルゴ牧場では、世界で初めてブルゴーニュ種エスカルゴの完全養殖に成功。

凡例
--- 新幹線
J R
国道
県・市道

C松阪牛
／松阪市
庫県の但馬地域に由来。阪牛生産区域で育てられ黒毛和種の未経産メス牛。

D伊勢ひじき／鳥羽市、
志摩市、南伊勢町、尾鷲市
古くからのヒジキの産地。伊勢ひじきは長くて太く、風味が良いといわれる。

E的矢かき
／志摩市
的矢湾で養殖される。1年で出荷するため貝特有の渋みが少なく、甘みが強い。

155

三重県 の 食

耕地面積(田畑計)
5万8,000ha
(第24位)

コメの作付面積(水稲延べ)
2万7,100ha
(第21位)

コメの収穫量(水稲)
12万9,800t
(第23位)

肉用牛(飼育頭数)
2万9,200頭
(第23位)

養豚(飼育頭数)
11万1,000頭
(第21位)

ブロイラー(飼育頭数)
51万8,000羽
(第31位)

漁獲量・天然(海面漁業)
13万988t
(第6位)

漁獲量・養殖(海面養殖)
2万321t
(第14位)

食料自給率(カロリーベース)
40%
(第26位)

エンゲル係数＊
25.7
(第39位)

食品出荷額
4,971億6,800万円
(第21位)

コロナ禍での消費変化～【グラフ】月別増減率～

調味料
＊4万1,928円 (第23位)

── 2019年 ── 2020年

(円) / 1 2 3 4 5 6 7 8 9 10 11 12 (月)

酒類
＊3万3,966円 (第45位)

── 2019年 ── 2020年

(円) / 1 2 3 4 5 6 7 8 9 10 11 12 (月)

調理食品
＊11万7,410円 (第41位)

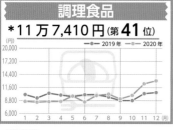

── 2019年 ── 2020年

(円) / 1 2 3 4 5 6 7 8 9 10 11 12 (月)

外食
＊13万8,554円 (第16位)

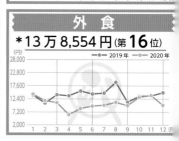

── 2019年 ── 2020年

(円) / 1 2 3 4 5 6 7 8 9 10 11 12 (月)

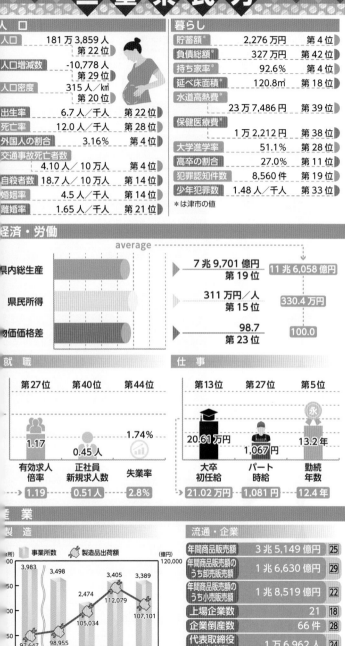

三重県民力

人 口

人口	181万3,859人	第22位
人口増減数	-10,778人	第29位
人口密度	315人／km²	第20位
出生率	6.7人／千人	第22位
死亡率	12.0人／千人	第28位
外国人の割合	3.16%	第4位
交通事故死亡者数	4.10人／10万人	第4位
自殺者数	18.7人／10万人	第14位
婚姻率	4.5人／千人	第14位
離婚率	1.65人／千人	第21位

暮らし

貯蓄額*	2,276万円	第4位
負債総額*	327万円	第42位
持ち家率*	92.6%	第4位
延べ床面積*	120.8m²	第18位
水道高熱費*	23万7,486円	第39位
保健医療費*	1万2,212円	第38位
大学進学率	51.1%	第28位
高卒の割合	27.0%	第11位
犯罪認知件数	8,560件	第19位
少年犯罪数	1.48人／千人	第33位

*は津市の値

経済・労働

average

県内総生産	7兆9,701億円 第19位	11兆6,058億円
県民所得	311万円／人 第15位	330.4万円
物価価格差	98.7 第23位	100.0

就 職

第27位	第40位	第44位
有効求人倍率	正社員新規求人数	失業率
1.17	0.45人	1.74%
→ 1.19	0.51人	2.8%

仕 事

第13位	第27位	第5位
大卒初任給	パート時給	勤続年数
20.61万円	1,067円	13.2年
→ 21.02万円	1,081円	12.4年

産 業

製 造

| | 事業所数 | 製造品出荷額 |

年	事業所数	製造品出荷額（億円）
2010年	3,983	97,647
2016年	3,498	98,955
2017年	2,474	105,034
2018年	3,405	112,079
2019年	3,389	107,101

流通・企業

年間商品販売額	3兆5,149億円	25
年間商品販売額のうち卸売販売額	1兆6,630億円	29
年間商品販売額のうち小売販売額	1兆8,519億円	22
上場企業数	21	18
企業倒産数	66件	28
代表取締役出身者数	1万6,962人	24

□は全国順位

Data で見る 三重県

世 帯

他 12.0%
高齢者世帯 13.4%

80 万 2,803 世帯 22 位

単身者世帯 29.4%

核家族世帯 58.6%

・平均人員 2.26 人（23 位）
・世帯主年齢 57.3 歳（32 位）
・子どもの人員 0.65 人（19 位）
・高齢者の人員 0.71 人（35 位）
・生活保護世帯数 15.5 世帯／千世帯（12 位）

気 候

35℃以上の日数		全国で 36 位
7 日		
平均気温		全国で 18 位
17.1℃		
日照時間		全国で 9 位
2,175 時間		
降水量		全国で 23 位
1,787 mm		
平均相対湿度		全国で 46 位
62.8%		

（津管区気象台 2020 年）

最低気温 -0.9℃／最高気温 37.8℃

(11 位)	30.6 歳	初婚年齢	28.9 歳	(2 位)
(19 位)	80.86 歳	寿命	86.99 歳	(27 位)
(13 位)	32.44 万円	月額給与	23.60 万円	(18 位)
(12 位)	170.9cm	身長	157.9cm	(19 位)
(22 位)	62.5kg	体重	53.4kg	(15 位)

地 価

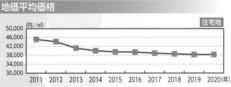

地価平均価格

住宅地

（円／㎡）
50,000
46,000
42,000
38,000
34,000
30,000
2011 2012 2013 2014 2015 2016 2017 2018 2019 2020（年）

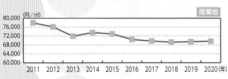

商業地

（円／㎡）
80,000
76,000
72,000
68,000
64,000
60,000
2011 2012 2013 2014 2015 2016 2017 2018 2019 2020（年）

用途別の平均変動率

住宅地	-0.7%	37 位
商業地	-0.4%	32 位
工業地	-0.2%	39 位

住宅地の平均価格*
4 万 800 円／㎡ 41 位
(-100 円)

商業地の最高値*
25 万 7,000 円／㎡ 38 位
(+1,000 円)

*は津市の値

旅行者 （対前年同月比）

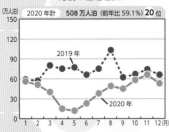

月別の宿泊者数

（万人泊） 2020 年計 508 万人泊（前年比 59.1%）20 位
150
120
90
60
30
0
1 2 3 4 5 6 7 8 9 10 11 12（月）

2019 年
2020 年

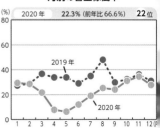

月別の客室稼働率

（%） 2020 年 22.3%（前年比 66.6%）22 位
80
60
40
20
0
1 2 3 4 5 6 7 8 9 10 11 12（月）

2019 年
2020 年

学校・施設

- 医師数 223.4 人／10 万人（36 位）
- 病院数 5.2 施設／10 万人（39 位）
- 一般診療所数
  85.3 施設／10 万人（20 位）
- 児童福祉施設数
  31.9 施設／10 万人（36 位）
- 老人福祉センター数
  5.00 施設／10 万人（27 位）
- 小学校数 372 校（18 位）
- 高校数 70 校（28 位）

- 大学数 7 校（30 位）
- 博物館数 1.12 施設／10 万人（27 位）
- 映画館数 3.54 施設／10 万人（7 位）
- 図書館数 2.62 施設／10 万人（36 位）
- 学校の IT 化 4.01 人／台（38 位）
- 保育所数 432 カ所（25 位）
- 幼稚園数 179 校（18 位）

消　費（津市の 1 世帯当たりの年間支出金額）

消費変化（対前年比較）

年間消費支出
342 万 1,370 円 **22 位**
（対前年比 91.6%）

消費支出増減率（前年同月比）

月	(%)
1	16.29
2	14.53
3	1.42
4	-12.97
5	-25.23
6	-2.11
7	-6.20
8	-14.31
9	-32.95
10	14.98
11	-23.36
12	-11.17

衣 (-18.6)
(-12.1) 学
食 (-2.7)
(-11.3) 動
楽 (-22.7)
(3.9) 通

※太線は前年。
太線の外側は
前年対比プラス、
内側はマイナス

衣：被服・履物費	10 万 7,888 円	**28**
食：食費	93 万 28 円	**31**
楽：教養娯楽費	31 万 9,616 円	**16**
通：通信費	17 万 136 円	**20**
動：交通費	46 万 1,473 円	**4**
学：教育費	11 万 2,311 円	**25**

■は全国順位

鮮　魚

4 万 3,129 円（9 位）

マグロ	7,394 円
サケ	4,462 円
エビ	3,948 円
ブリ	3,693 円
ウニ	2,531 円

生鮮野菜

6 万 7,233 円（35 位）

トマト	8,328 円
ね ぎ	3,683 円
キャベツ	2,865 円
きゅうり	2,820 円
たまねぎ	2,761 円

飲　料

5 万 6,905 円（30 位）

茶飲料	8,173 円
果実・野菜ジュース	7,677 円
炭酸飲料	6,381 円
コーヒー	6,280 円
緑茶	3,966 円

菓　子

8 万 8,915 円（18 位）

アイスクリーム	9,333 円
ケーキ	7,406 円
チョコレート	7,283 円
せんべい	6,791 円
スナック菓子	5,261 円

他の穀類
6,071 円
(7.6%)
パン
3 万 1,783 円
(39.8%)
麺 類
1 万 9,545 円
(24.5%)
穀 類
7 万 9,820 円
25 位
米
2 万 2,422 円
(28.1%)

その他
6,602 円
(6.6%)
鶏 肉
1 万 7,559 円
(17.4%)
豚 肉
2 万 8,781 円
(28.6%)
肉 類
10 万 629 円
21 位
加工肉
1 万 7,683 円
(17.6%)
牛 肉
3 万 4,000 円
(29.8%)

恵方巻 への 支出

2月3日は節分の日。節分といえば「豆まき」ですが、ここ最近は「恵方巻を食べる」ことも節分の日に行うこととして全国的に定着してきたようです。

2月は「すし（弁当）」への支出が12月に次いで多い

・12月（1,241円）が最も多く、次いで2月（1,193円）。
・2月でも節分の日の支出が圧倒的に多い。

近畿地方から全国的に広まってきている恵方巻

2月の「すし（弁当）」への1世帯当たりの支出金額を地方別に見てみると、近畿地方で最も多くなっています。節分の日に恵方巻を食べる風習は大阪周辺で始まったと言われ、現在も特に近畿地方でよく食べられているようです。また、10年前と比べてみると、北海道や沖縄などの地方で支出金額が増加していて、近畿地方以外の地方でも恵方巻を節分に食べるようになってきているとみられます。

出典：「家計調査結果」（総務省統計局）
家計ミニトピックス平成27年2月15日発行
http://www.stat.go.jp/data/kakei/tsushin/index.htm より作成

2月のすしへの支出金額

（1世帯当たり支出金額：円）

H24～26年2月平均

H14～16年2月平均

北海道 東北 関東 北陸 東海 近畿 中国 四国 九州 沖縄

た こ への 支出

今年の7月1日は、雑節の1つである「半夏生（はんげしょう）」です。半夏生に関して、全国には様々な風習がありますが、中でも関西周辺ではこの日に蛸（たこ）を食べる習慣があるようです。

全国では12月、近畿地方では7月の支出が多い

全国の「たこ」への支出金額を月ごとに見ると、おせち料理の準備などのために需要が増える12月は一年を通じて最も支出が多くなっています。また、12月を除いてみると、7月、8月の夏場に多く、冬場に少ない傾向がみられます。近畿地方でも、夏場に多く、冬場に少なくなっており、全国とほぼ同様の傾向がみられますが、半夏生のある7月の支出が最も多く、次いで、8月、6月となっており、12月の支出は全国の季節変化に比べると小さくなっています。

「たこ」への支出が多い近畿地方

○「たこ焼き」などが有名な近畿地方が1,754円と最多
　→全国平均（1,294円）の1.4倍、最も少ない沖縄地方の支出金額の3.7倍
○次いで、四国地方（1,357円）、中国地方（1,349円）が続く

「たこ」への月別支出金額 （単位：円／H24～26年平均）

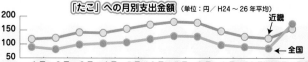

近畿

全国

1月 2月 3月 4月 5月 6月 7月 8月 9月 10月 11月 12月

出典：「家計調査結果」（総務省統計局）
家計ミニトピックス平成27年7月15日発行
http://www.stat.go.jp/data/kakei/tsushin/index.htm より作成

早わかり **2021**

都道府県

Data Book

近畿

滋賀県

県の
木：モミジ　　歌：滋賀県民の歌
花：シャクナゲ　びわ湖の日：
鳥：カイツブリ　　　　　7月1日

農業生産

工芸農作物 6
乳用牛 25
豚 3
その他畜産物 0（単位：億円）
鶏卵 15
加工農産物 2
その他作物 25
肉用牛 63
畜産 107
野菜 106
果実 7
花き 13
いも類 4
耕種 539
コメ 378

農業産出額 647 億円（2020 年）

Aビワマス／琵琶湖
琵琶湖の固有種。ビワマスの炊き込みご飯（アメノイオご飯）はご当地料理。

農業物産出額上位 **10** 品目

①	米	378 億円
②	肉用牛	63 億円
③	生乳	21 億円
④	大豆	18 億円
⑤	鶏卵	14 億円
⑥	トマト	11 億円
⑦	ねぎ	9 億円
⑧	なす	7 億円
⑨	いちご	7 億円
⑩	きゅうり	7 億円

高島市

 A B C J

琵琶湖

守山市
野洲市
草津市
栗東市
湖
大津市

Jホンモロコ／琵琶湖
通年漁獲されるが、とくに春先がおいしい。素焼きや南蛮漬けなどに利用される。

凡　例
ーーー　新幹線
ーー　J　R
ーー　国　道
ーー　県・府道

長浜市

米原市

D

彦根市

多賀町

甲良町

豊郷町

E

愛荘町

東近江市

F

日野町

G

H I

甲賀市

B ニゴロブナ／琵琶湖
名物「ふなずし」の材料。
平安時代にはすでに食され
ていたという記録もある。

C セタシジミ／琵琶湖
琵琶湖特産。汽水域に棲む
ヤマトシジミに比べて殻が
厚く、身にコクがある。

D 伊吹大根／米原市
辛みが普通の青首大根の2
倍ともいわれ、伊吹そばの
薬味としてそば通が絶賛。

E 秦荘のやまいも／愛荘町
すりおろすと箸で持ちあが
るほどの強い粘り。上品な
甘みがあり、ファンも多い。

F 政所茶／東近江市
日本茶発祥・近江茶のなか
で「宇治は茶所、茶は政所」
とうたわれた銘茶の産地。

G 日野菜／日野町
滋賀県を代表する伝統野菜
でカブの仲間。漬物は「桜
漬け」と親しまれている。

H 水口かんぴょう／甲賀市
「東海道五十三次」にも描
かれ、昔ながらの手むき・
天日乾燥でつくられる。

I 杉谷とうがらし／甲賀市
先が曲がった個性的な形。
皮が薄く、苦みもアクもな
く、ほのかに甘い。

滋賀県 の 食

＊大津市の1世帯当たりの年間支出金額

耕地面積（田畑計）
5万1,200ha
（第28位）

コメの作付面積（水稲延べ）

3万1,100ha
（第18位）

コメの収穫量（水稲）
15万8,300t
（第15位）

肉用牛（飼育頭数）
2万頭
（第29位）

養豚（飼育頭数）

3,980頭
（第43位）

ブロイラー（飼育頭数）

x
（第37位）

漁獲量・天然（海面漁業）

0t
（第一位）

漁獲量・養殖（海面養殖）

0t
（第一位）

食料自給率（カロリーベース）
48%
（第20位）

エンゲル係数＊
26.7
（第25位）

食品出荷額
4,129億1,600万円
（第22位）

コロナ禍での消費変化〜【グラフ】月別増減率〜

調味料
＊4万2,287円（第20位）

（円）
- 2019年 - 2020年
5,000
4,400
3,800
3,200
2,600
2,000
1 2 3 4 5 6 7 8 9 10 11 12（月）

酒類
＊4万2,332円（第27位）

（円）
- 2019年 - 2020年
9,000
7,400
5,800
4,200
2,600
1,000
1 2 3 4 5 6 7 8 9 10 11 12（月）

調理食品
＊13万4,146円（第16位）

（円）
- 2019年 - 2020年
20,000
17,200
14,400
11,600
8,800
6,000
1 2 3 4 5 6 7 8 9 10 11 12（月）

外食
＊15万8,246円（第5位）

（円）
- 2019年 - 2020年
28,000
22,800
17,600
12,400
7,200
2,000
1 2 3 4 5 6 7 8 9 10 11 12（月）

滋賀県民力

人 口

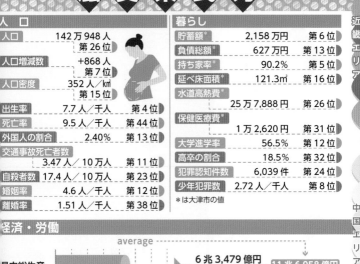

人口	142万948人	第26位
人口増減数	+868人	第7位
人口密度	352人/k㎡	第15位
出生率	7.7人/千人	第4位
死亡率	9.5人/千人	第44位
外国人の割合	2.40%	第13位
交通事故死亡者数	3.47人/10万人	第11位
自殺者数	17.4人/10万人	第23位
婚姻率	4.6人/千人	第12位
離婚率	1.51人/千人	第38位

暮らし

貯蓄額*	2,158万円	第6位
負債総額*	627万円	第13位
持ち家率*	90.2%	第5位
延べ床面積*	121.3㎡	第16位
水道高熱費*	25万7,888円	第26位
保健医療費*	1万2,620円	第31位
大学進学率	56.5%	第12位
高卒の割合	18.5%	第32位
犯罪認知件数	6,039件	第24位
少年犯罪数	2.72人/千人	第8位

*は大津市の値

経済・労働

average

県内総生産	6兆3,479億円 第23位	11兆6,058億円
県民所得	329万円/人 第8位	330.4万円
物価価格差	99.5 第15位	100.0

就 職

	第45位	第44位	第20位
	0.96	0.36人	2.44%
	有効求人倍率	正社員新規求人数	失業率
	1.19	0.51人	2.8%

仕 事

第7位	第28位	第11位
20.79万円	1,064円	12.9年
大卒初任給	パート時給	勤続年数
21.02万円	1,081円	12.4年

産 業

製 造

■事業所数　🐛製造品出荷額

	2010年	2016年	2017年	2018年	2019年
事業所数	2,873	2,655	1,766	2,656	2,606
製造品出荷額	65,741	72,973	77,936	80,744	80,423

流通・企業

年間商品販売額	2兆4,708億円	35
年間商品販売額のうち卸売販売額	1兆649億円	40
年間商品販売額のうち小売販売額	1兆4,059億円	28
上場企業数	10	28
企業倒産数	79件	21
代表取締役出身者数	1万86人	42

□は全国順位

Data で見る 滋賀県

世帯

58万9,027世帯 31位

- 他 12.8%
- 高齢者世帯 11.4%
- 単身者世帯 28.5%
- 核家族世帯 58.8%

- 平均人員 2.41人（7位）
- 世帯主年齢 56.9歳（38位）
- 子どもの人員 0.80人（4位）
- 高齢者の人員 0.70人（37位）
- 生活保護世帯数 8.6世帯／千世帯（30位）

気候

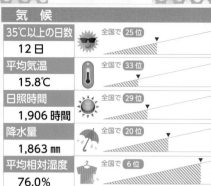

35℃以上の日数	12日	全国で 25位
平均気温	15.8℃	全国で 33位
日照時間	1,906時間	全国で 29位
降水量	1,863mm	全国で 20位
平均相対湿度	76.0%	全国で 6位

（彦根管区気象台 2020年）
最低気温 -1.4℃／最高気温 36.3℃

(16位)	30.7歳	初婚年齢	29.2歳	(18位)
(1位)	81.78歳	寿命	87.57歳	(4位)
(12位)	32.48万円	月額給与	24.19万円	(11位)
(14位)	170.8cm	身長	158.1cm	(10位)
(25位)	62.4kg	体重	52.7kg	(29位)

地価

地価平均価格

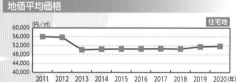

住宅地

商業地

用途別の平均変動率

住宅地	-0.8%	39位
商業地	0.7%	20位
工業地	1.2%	17位

住宅地の平均価格*
7万6,100円／m² 19位
（＋100円）

商業地の最高値*
35万4,000円／m² 32位
（＋7,000円）

*は大津市の値

旅行者（対前年同月比）

月別の宿泊者数

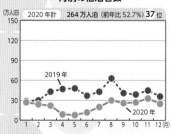

2020年計 264万人泊（前年比 52.7%）37位

月別の客室稼働率

2020年 19.3%（前年比 58.3%）33位

学校・施設

- 医師数 227.6 人／10 万人（33 位）
- 病院数 4.0 施設／10 万人（46 位）
- 一般診療所数
  77.2 施設／10 万人（29 位）
- 児童福祉施設数
  36.3 施設／10 万人（25 位）
- 老人福祉センター数
  3.68 施設／10 万人（38 位）
- 小学校数 220 校（36 位）
- 高校数 56 校（32 位）

- 大学数 9 校（24 位）
- 博物館数 1.27 施設／10 万人（19 位）
- 映画館数 2.69 施設／10 万人（26 位）
- 図書館数 3.54 施設／10 万人（18 位）
- 学校の IT 化 4.76 人／台（19 位）
- 保育所数 315 カ所（32 位）
- 幼稚園数 132 校（24 位）

消　費（大津市の 1 世帯当たりの年間支出金額）

消費変化（対前年比較）

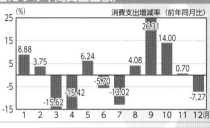

年間消費支出
365 万 61 円 **5 位**
（対前年比 100.2%）

消費支出増減率（前年同月比）（%）

8.88　3.75　-15.62　-15.42　6.24　-5.70　-13.02　4.08　26.31　14.00　0.70　-7.27
1 2 3 4 5 6 7 8 9 10 11 12(月)

衣 (9.6)
(-11.0) 学
(44.9) 動
(5.7) 通
楽 (-6.2)
食 (1.6)

※太線は前年。
太線の外側は
前年対比プラス、
内側はマイナス

衣：被服・履物費	14 万 5,128 円	**3**
食：食費	102 万 4,373 円	**5**
楽：教養娯楽費	36 万 112 円	**3**
通：通信費	16 万 1,059 円	**32**
動：交通費	50 万 5,398 円	**3**
学：教育費	14 万 5,658 円	**10**

■は全国順位

鮮　魚
4 万 3,604 円（7 位）

サ ケ	5,431 円
ブ リ	4,098 円
マグロ	3,446 円
エ ビ	3,045 円
カ ニ	2,111 円

生鮮野菜
7 万 9,501 円（13 位）

トマト	9,165 円
ね ぎ	3,785 円
たまねぎ	3,511 円
きゅうり	3,475 円
レタス	2,986 円

飲　料
5 万 3,756 円（42 位）

果実・野菜ジュース	8,300 円
コーヒー	7,543 円
茶飲料	6,560 円
炭酸飲料	5,682 円
コーヒー飲料	4,469 円

菓　子
9 万 7,924 円（2 位）

アイスクリーム	9,766 円
チョコレート	9,132 円
ケーキ	8,854 円
スナック菓子	5,705 円
せんべい	4,887 円

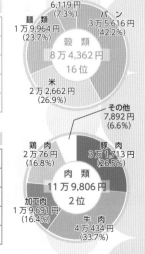

他の穀類
6,119 円
(7.3%)

麺 類
1 万 9,964 円
(23.7%)

パ ン
3 万 5,616 円
(42.2%)

穀 類
8 万 4,362 円
16 位

米
2 万 2,662 円
(26.9%)

その他
7,892 円
(6.6%)

鶏 肉
2 万 76 円
(16.8%)

豚 肉
3 万 1,713 円
(26.5%)

肉 類
11 万 9,806 円
2 位

加工肉
1 万 9,691 円
(16.4%)

牛 肉
4 万 434 円
(33.7%)

京都府

府の
木：北山杉　　鳥：
花：しだれ桜、嵯峨ぎく、ナデシコ　オオミズナギドリ
歌：京都府の歌

農業生産

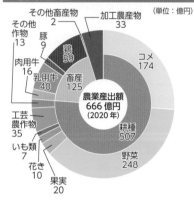

（単位：億円）

その他畜産物 2
加工農産物 33
コメ 174
その他作物 13
豚 9
鶏 59
肉用牛 16
乳用牛 40
畜産 125
工芸農作物 35
いも類 7
花き 10
果実 20
野菜 248
耕種 507

農業産出額
666 億円
（2020 年）

京丹後市
宮津市 **A**
与謝野町
宮津市
舞鶴
福知山市
伊
A

N

農業物産出額上位 **10** 品目	
① 米	174 億円
② 鶏卵	48 億円
③ 茶（生葉）	35 億円
④ 生乳 34 億円	⑧ ほうれんそう 22 億円
⑤ 荒茶 31 億円	⑨ たけのこ 19 億円
⑥ ねぎ 30 億円	⑩ 肉用牛 16 億円
⑦ なす 25 億円	

土エビ／丹後地方
クロザコエビやトゲザコエビなど日本海特産のエビ。甘エビより甘く美味。

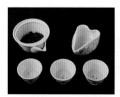

F玉露／宇治市
江戸時代後期に宇治で生み出された。現在も宇治は玉露・てん茶・煎茶の名産地。

G聖護院かぶ／亀岡市
国内最大級のカブで、千枚漬の材料として知られる。現在は亀岡市が産地の中心。

168 | 2021 都道府県 Data Book

丹後とり貝
／丹後地方

夏を越えて2年近く生育するため、大型の天然トリガイが漁獲される。

サヨリ
／丹後地方

イサザと並び、丹後に春の訪れを告げる魚。上品で淡白な味わいの高級魚。

A金樽イワシ
／宮津市、与謝野町

海水の出入りが少なくプランクトン豊富な阿蘇海で育った、脂ののったマイワシ。

Bマルベリー／綾部市

綾部市はかつて養蚕業が盛んだった蚕都。そのため桑の木が広く栽培された。

Cハタケシメジ
／京丹波町ほか

本しめじに近い種類のキノコ。シメジに比べて大ぶりで歯ごたえが良い。

綾部市

京丹波町

南丹市 **D E**

京都市

亀岡市　向日市 **G**

久御山町

F

長岡京市

宇治市

大山崎町

八幡市　宇治田原町

京田辺市

城陽市

井手町　和束町

南山城村

精華町

木津川市

笠置町

凡例
- - - 新幹線
- ・- JR
───── 国道
───── 県・府道

D京壬生菜／南丹市

1800年代にみず菜の自然交雑でできたとされる。千枚漬けに添えられる高級品。

E京みず菜／南丹市ほか

葉柄が繊細で、葉に深い切れ込みがある。シャキシャキとした食感の京野菜。

京都府 の食

※京都市の1世帯当たりの年間支出金額

耕地面積（田畑計）	コメの作付面積（水稲延べ）	コメの収穫量（水稲）
2万9,800ha（第39位）	1万4,300ha（第34位）	7万1,600t（第34位）

肉用牛（飼育頭数）	養豚（飼育頭数）	ブロイラー（飼育頭数）
5,800頭（第38位）	9,880頭（第41位）	32万8,000羽（第35位）

漁獲量・天然（海面漁業）	漁獲量・養殖（海面養殖）
8,558t（第36位）	777t（第30位）

食料自給率（カロリーベース）	エンゲル係数*	食品出荷額
12%（第42位）	31.1（第2位）	5,694億7,400万円（第19位）

コロナ禍での消費変化〜【グラフ】月別増減率〜

調味料
* 4万2,066円（第22位）

（円）
- 2019年　- 2020年

5,000
4,400
3,800
3,200
2,600
2,000
1 2 3 4 5 6 7 8 9 10 11 12（月）

酒類
* 4万1,313円（第32位）

（円）
- 2019年　- 2020年

9,000
7,400
5,800
4,200
2,600
1,000
1 2 3 4 5 6 7 8 9 10 11 12（月）

調理食品
* 12万6,373円（第27位）

（円）
- 2019年　- 2020年

20,000
17,200
14,400
11,600
8,800
6,000
1 2 3 4 5 6 7 8 9 10 11 12（月）

外食
* 12万5,318円（第31位）

（円）
- 2019年　- 2020年

28,000
22,800
17,600
12,400
7,200
2,000
1 2 3 4 5 6 7 8 9 10 11 12（月）

京都府民力

人 口

人口	254万5,899人	第13位
人口増減数	-9,169人	第24位
人口密度	566人／㎢	第10位
出生率	6.7人／千人	第22位
死亡率	10.7人／千人	第38位
外国人の割合	2.42%	第12位
交通事故死亡者数	1.90人／10万人	第40位
自殺者数	13.7人／10万人	第41位
婚姻率	4.5人／千人	第14位
離婚率	1.59人／千人	第34位

暮らし

貯蓄額*	1,889万円	第13位
負債総額*	442万円	第34位
持ち家率*	93.5%	第2位
延べ床面積*	100.4㎡	第39位
水道高熱費*	24万7,939円	第33位
保健医療費*	1万3,433円	第25位
大学進学率	67.8%	第1位
高卒の割合	8.3%	第46位
犯罪認知件数	1万1,851件	第12位
少年犯罪数	2.04人／千人	第19位

*は京都市の値

経済・労働

	average	
県内総生産	10兆5,045億円 第13位	11兆6,058億円
県民所得	302万円／人 第18位	330.4万円
物価価格差	100.6 第5位	100.0

就 職

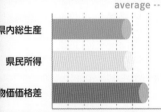

第23位	第26位	第17位
1.20	0.56人	2.64%
有効求人倍率	正社員新規求人数	失業率
1.19	0.51人	2.8%

仕 事

第9位	第5位	第40位
20.66万円	1,187円	11.6年
大卒初任給	パート時給	勤続年数
21.02万円	1,081円	12.4年

産 業

製 造

事業所数　製造品出荷額　（億円）

	2010年	2016年	2017年	2018年	2019年
事業所数	5,004	4,398	3,332	4,118	4,110
製造品出荷額	48,329	54,486	57,358	59,077	56,480

流通・企業

年間商品販売額	6兆3,498億円	13
年間商品販売額のうち卸売販売額	3兆5,511億円	15
年間商品販売額のうち小売販売額	2兆7,987億円	13
上場企業数	63	8
企業倒産数	253件	8
代表取締役出身者数	2万2,250人	15

□は全国順位

Data で見る 京都府

世帯

- 他 7.7%
- 高齢者世帯 11.9%
- 単身者世帯 38.2%
- 核家族世帯 54.1%

122万7,295世帯 13位

- ・平均人員 2.07 人（41 位）
- ・世帯主年齢 60.9 歳（9 位）
- ・子どもの人員 0.60 人（25 位）
- ・高齢者の人員 0.92 人（7 位）
- ・生活保護世帯数 8.2 世帯／千世帯（32 位）

気候

項目	値	全国順位
35℃以上の日数	26 日	全国で 1 位
平均気温	17.0℃	全国で 22 位
日照時間	1,852 時間	全国で 33 位
降水量	1,645 mm	全国で 28 位
平均相対湿度	66.8%	全国で 40 位

（京都管区気象台 2020 年）

最低気温 -1.1℃／最高気温 38.8℃

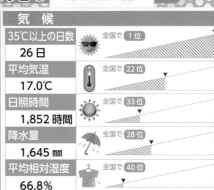

男			女
（40 位）	31.3 歳	初婚年齢 29.8 歳	（45 位）
（3 位）	81.40 歳	寿命 87.35 歳	（9 位）
（9 位）	32.76 万円	月額給与 25.72 万円	（5 位）
（18 位）	170.6cm	身長 158.4cm	（5 位）
（30 位）	62.3kg	体重 52.7kg	（29 位）

地価

地価平均価格

住宅地

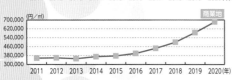

商業地

用途別の平均変動率

住宅地	0.7%	12 位
商業地	8.1%	2 位
工業地	5.6%	3 位

住宅地の平均価格*
21 万 5,800 円／㎡ 4 位
（＋ 6,300 円）

商業地の最高値*
850 万円／㎡ 6 位
（+130 万円）

*は京都市の値

旅行者（対前年同月比）

月別の宿泊者数

2020 年計 1,241 万人泊（前年比 40.4%）8 位

2019 年
2020 年

月別の客室稼働率

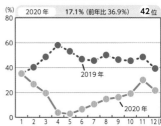

2020 年 17.1%（前年比 36.9%）42 位

2019 年
2020 年

学校・施設

- 医師数 323.3 人／10 万人（2 位）
- 病院数 6.4 施設／10 万人（28 位）
- 一般診療所数
  94.9 施設／10 万人（7 位）
- 児童福祉施設数
  35.5 施設／10 万人（28 位）
- 老人福祉センター数
  4.96 施設／10 万人（29 位）
- 小学校数 371 校（19 位）
- 高校数 110 校（13 位）

- 大学数 34 校（6 位）
- 博物館数 1.58 施設／10 万人（15 位）
- 映画館数 3.25 施設／10 万人（15 位）
- 図書館数 2.62 施設／10 万人（35 位）
- 学校の IT 化 5.49 人／台（11 位）
- 保育所数 509 カ所（18 位）
- 幼稚園数 197 校（16 位）

消 費（京都市の1世帯当たりの年間支出金額）

年間消費支出
304 万 6,559 円 40 位
（対前年比 98.5%）

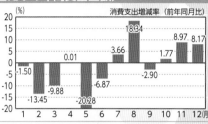

消費支出増減率（前年同月比）

1	-1.50	
2	-13.45	
3	-9.88	
4	0.01	
5	-20.28	
6	-6.87	
7	3.66	
8	18.34	
9	-2.90	
10	1.77	
11	8.97	
12（月）	8.17	

衣 (-11.8)
(-11.9) 学
(10.1) 動
(-7.3) 楽
(-1.9) 通
食 (4.5)

※太線の外側は、前年対比プラス、内側はマイナス。

衣：被服・履物費	10 万 9,319 円	26
食：食費	99 万 3,605 円	10
楽：教養娯楽費	28 万 9,871 円	31
通：通信費	13 万 3,843 円	47
動：交通費	24 万 9,409 円	37
学：教育費	14 万 9,858 円	9

■は全国順位

鮮 魚
4 万 4,642 円（6 位）

サ ケ	5,836 円
ブ リ	4,302 円
マグロ	4,246 円
エ ビ	3,387 円
アジ	2,308 円

飲 料
5 万 4,115 円（39 位）

果実・野菜ジュース	9,816 円
コーヒー	8,271 円
炭酸飲料	5,394 円
コーヒー飲料	4,228 円
ミネラルウォーター	3,696 円

生鮮野菜
8 万 3,828 円（7 位）

トマト	9,448 円
ね ぎ	4,236 円
たまねぎ	3,998 円
きゅうり	3,472 円
キャベツ	3,432 円

菓 子
8 万 8,553 円（19 位）

アイスクリーム	9,198 円
ケーキ	7,587 円
チョコレート	6,440 円
せんべい	5,206 円
スナック菓子	4,681 円

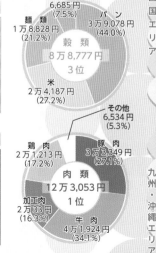

穀 類
8 万 8,777 円
3 位

- 他の穀類 6,685 円（7.5%）
- パン 3 万 9,078 円（44.0%）
- 麺 類 1 万 8,828 円（21.2%）
- 米 2 万 4,187 円（27.2%）

肉 類
12 万 3,053 円
1 位

- その他 6,534 円（5.3%）
- 豚 肉 3 万 3,349 円（27.1%）
- 鶏 肉 2 万 1,213 円（17.2%）
- 加工肉 2 万 33 円（16.3%）
- 牛 肉 4 万 1,924 円（34.1%）

大阪府

農業生産

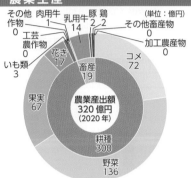

（単位：億円）

農業産出額
320 億円
（2020 年）

その他作物 0
肉用牛 1
乳用牛 14
豚 2
鶏 2
その他畜産物 0
加工農産物 0
工芸農作物 0
花き 17
いも類 3
果実 67
コメ 72
畜産 19
耕種 300
野菜 136

農業物産出額上位 **10** 品目

① 米	72 億円
② ぶどう	41 億円
③ ねぎ	29 億円

④ なす	21 億円	⑧ トマト	7 億円
⑤ みかん	16 億円	⑨ こまつな	7 億円
⑥ しゅんぎく	14 億円	⑩ いちご	6 億円
⑦ 生乳	12 億円		

J 大阪ふき／泉南地域
全国有数の生産地。「のびすぎでんねん」は愛知早生から選抜育成された品種。

能勢町
豊能町
茨木
池田市
箕面市
吹田
豊中市
摂
守
大阪C
B
I
松
F
堺
高石
泉大津市
忠岡町
泉佐野市
田尻町
泉南市
田尻町
熊取町
岸和田市
和泉
G
J
貝塚市
GJ
泉佐野市
HJ
阪南市
H
泉南市
HJ
岬町

N

A吹田慈姑／吹田市
江戸時代以前から自生していたクワイ。小型で栗のようなホクホク感。

B芽紫蘇／大阪市
明治時代、北区源八付近では芽ジソなど芽物の栽培が盛んで源八ものといわれた。

C大阪しろな／大阪市
山東菜（または白菜）と体菜の交雑種とされ、天神橋付近で栽培された。

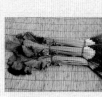

D若ごぼう／八尾市
やわらかい軸と若い根を食べる葉ゴボウ。「やーごんぼ」とも呼ばれる。

E碓井豌豆／羽曳野市
明治時代にアメリカから導入され改良された、むき実用の小型エンドウ。

Fマアナゴ／堺近海
アナゴの一大産地。北大路魯山人は「アナゴがうまいのは堺近海だ」と記した。

Gしゅんぎく／堺、岸和田市、貝塚市
葉を食べる菊ということから大阪では「菊菜」という。生育しても茎が立たない。

H泉州たまねぎ／泉佐野市、泉南市、阪南市
泉州は日本のタマネギ栽培の発祥地。水分が多く甘みがあって、やわらかい。

I金時人参／大阪市
江戸時代、浪速区付近の特産で大阪人参と呼ばれていた。深紅色で香り高い。

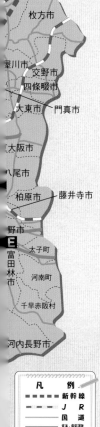

島本町
枚方市
（高槻市）
寝屋川市
交野市
四條畷市
大阪市
大東市　門真市
八尾市
柏原市　藤井寺市
松原市
太子町
河南町
千早赤阪村
河内長野市
E富田林市

凡　例
- - - 新幹線
JR
国　道
諸藩・郡境域

大阪府 の 食

耕地面積（田畑計）
1万
2,500ha
（第 **46** 位）

コメの作付面積（水稲延べ）

4,700ha
（第 **44** 位）

コメの収穫量（水稲）
2万
2,200t
（第 **44** 位）

肉用牛（飼育頭数）
760頭
（第 **46** 位）

養豚（飼育頭数）
3,450頭
（第 **44** 位）

ブロイラー（飼育頭数）
−
（第 **一** 位）

漁獲量・天然（海面漁業）
1万
4,488t
（第 **30** 位）

漁獲量・養殖（海面養殖）
410t
（第 **31** 位）

食料自給率（カロリーベース）
1%
（第 **46** 位）

エンゲル係数＊
31.2
（第 **1** 位）

食品出荷額
1兆3,082億
4,400万円
（第 **9** 位）

コロナ禍での消費変化～【グラフ】月別増減率～

調味料
＊ 4万334円 （第 **37** 位）

（円）
5,000
4,400
3,800
3,200
2,600
2,000

ー●ー 2019年 ー●ー 2020年

1 2 3 4 5 6 7 8 9 10 11 12（月）

酒類
＊ 5万2,830円 （第 **7** 位）

（円）
9,000
7,400
5,800
4,200
2,600
1,000

ー●ー 2019年 ー●ー 2020年

1 2 3 4 5 6 7 8 9 10 11 12（月）

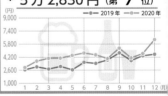

調理食品
＊13万6,753円 （第 **15** 位）

（円）
20,000
17,200
14,400
11,600
8,800
6,000

ー●ー 2019年 ー●ー 2020年

1 2 3 4 5 6 7 8 9 10 11 12（月）

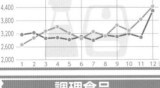

外食
＊12万3,945円 （第 **32** 位）

（円）
28,000
22,800
17,600
12,400
7,200
2,000

ー●ー 2019年 ー●ー 2020年

1 2 3 4 5 6 7 8 9 10 11 12（月）

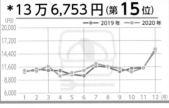
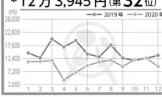

大阪府民力

人 口

人口	884万9,635人	第3位
人口増減数	+637人	第8位
人口密度	4,640人/km²	第2位
出生率	7.3人/千人	第10位
死亡率	10.5人/千人	第40位
外国人の割合	2.88%	第6位
交通事故死亡者数	1.41人/10万人	第46位
自殺者数	15.7人/10万人	第31位
婚姻率	5.4人/千人	第4位
離婚率	1.89人/千人	第4位

暮らし

貯蓄額*	1,656万円	第22位
負債総額*	674万円	第8位
持ち家率*	82.6%	第24位
延べ床面積*	96.9m²	第41位
水道高熱費*	24万1,970円	第37位
保健医療費*	1万2,829円	第29位
大学進学率	61.8%	第4位
高卒の割合	11.2%	第44位
犯罪認知件数	6万8,351件	第2位
少年犯罪数	3.26人/千人	第3位

*は大阪市の値

経済・労働

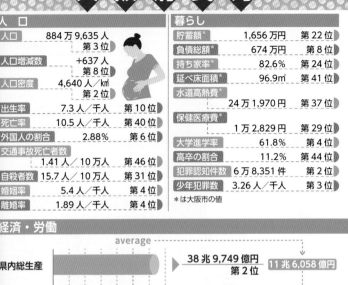

average

県内総生産	38兆9,749億円 第2位	11兆6,058億円
県民所得	318万円/人 第13位	330.4万円
物価価格差	99.7 第13位	100.0

就 職

第12位	第16位	第1位
1.31	0.63人	3.36%
有効求人倍率	正社員新規求人数	失業率
1.19	0.51人	2.8%

仕 事

第5位	第4位	第24位
21.01万円	1,194円	12.4年
大卒初任給	パート時給	勤続年数
21.02万円	1,081円	12.4年

産 業

製 造

事業所数　製造品出荷額

	2010年	2016年	2017年	2018年	2019年
事業所数	20,122	15,990	13,036	15,500	15,476
製造品出荷額	157,131	158,197	169,957	175,615	169,038

流通・企業

年間商品販売額	44兆2,651億円	2
年間商品販売額のうち卸売販売額	34兆3,258億円	2
年間商品販売額のうち小売販売額	9兆9,393億円	2
上場企業数	432	2
企業倒産数	1,132件	2
代表取締役出身者数	5万5,725人	3

□は全国順位

Data で見る 大阪府

世 帯

434万 8,468 世帯 3位

- 他 6.4%
- 高齢者世帯 11.2%
- 単身者世帯 37.5%
- 核家族世帯 56.1%

- 平均人員 2.04 人 (43 位)
- 世帯主年齢 59.9 歳 (14 位)
- 子どもの人員 0.55 人 (33 位)
- 高齢者の人員 0.84 人 (15 位)
- 生活保護世帯数 11.6 世帯／千世帯 (25 位)

気 候

		全国で	
35℃以上の日数	22 日	9 位	
平均気温	17.7℃	8 位	
日照時間	2,150 時間	17 位	
降水量	1,522 mm	33 位	
平均相対湿度	65.2%	44 位	

(大阪管区気象台 2020 年)
最低気温 -0.1℃／最高気温 38.6℃

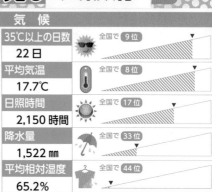

(34 位)	31.1 歳	初婚年齢	29.6 歳	(40 位)
(38 位)	80.23 歳	寿命	86.73 歳	(38 位)
(3 位)	36.59 万円	月額給与	27.07 万円	(3 位)
(23 位)	170.5cm	身長	158.0cm	(12 位)
(17 位)	62.8kg	体重	52.3kg	(41 位)

地 価

地価平均価格

用途別の平均変動率

住宅地	0.4%	15 位
商業地	7.7%	3 位
工業地	2.2%	10 位

―― 住宅地の平均価格* ――
24 万 6,800 円／㎡ 2 位
(＋ 5,000 円)

―― 商業地の最高値* ――
2,870 万円／㎡ 2 位
(＋890 万円)

＊は大阪市の値

旅行者 (対前年同月比)

月別の宿泊者数

2020 年計 1,712 万人泊 (前年比 36.1%) 3 位

月別の客室稼働率

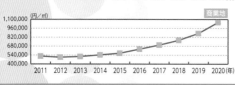

2020 年 23.2% (前年比 34.9%) 15 位

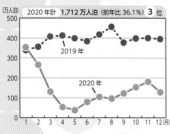
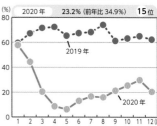

学校・施設

- 医師数 277.0 人／10 万人（15 位）
- 病院数 5.8 施設／10 万人（36 位）
- 一般診療所数 96.9 施設／10 万人（6 位）
- 児童福祉施設数 25.6 施設／10 万人（46 位）
- 老人福祉センター数 2.93 施設／10 万人（43 位）
- 小学校数 996 校（3 位）
- 高校数 256 校（3 位）

- 大学数 55 校（2 位）
- 博物館数 0.42 施設／10 万人（45 位）
- 映画館数 2.46 施設／10 万人（32 位）
- 図書館数 1.67 施設／10 万人（44 位）
- 学校の IT 化 4.38 人／台（29 位）
- 保育所数 1,531 カ所（3 位）
- 幼稚園数 569 校（3 位）

消　費（大阪市の 1 世帯当たりの年間支出金額）

年間消費支出
295 万 4,966 円 **44 位**
（対前年比 91.1%）

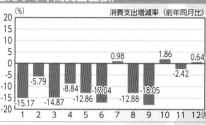

消費支出増減率（前年同月比）

- 1月 -15.17
- 2月 -14.87
- 3月 -5.79
- 4月 -8.84
- 5月 -12.86
- 6月 -17.04
- 7月 0.98
- 8月 -12.88
- 9月 -18.05
- 10月 1.86
- 11月 -2.42
- 12月 0.64

消費変化（対前年比較）

- 衣 (-21.4)
- (4.9) 学
- 食 (-2.8)
- (-26.9) 動
- 楽 (-30.8)
- (-12.0) 通

※太線は前年。
太線の外側は
前年対比プラス、
内側はマイナス

衣：被服・履物費	9 万 9,029 円	38
食：食費	95 万 8,249 円	22
楽：教養娯楽費	23 万 7,344 円	45
通：通信費	14 万 8,865 円	42
動：交通費	14 万 9,249 円	47
学：教育費	12 万 6,513 円	18

■は全国順位

鮮　魚
4 万 2,176 円（12 位）

サ ケ	4,898 円
エ ビ	4,119 円
マグロ	3,982 円
ブ リ	3,734 円
ウ ニ	2,536 円

飲　料
5 万 3,882 円（41 位）

果実・野菜ジュース	7,123 円
炭酸飲料	6,886 円
乳飲料	6,331 円
コーヒー	6,155 円
コーヒー飲料	4,494 円

生鮮野菜
7 万 6,499 円（18 位）

トマト	8,780 円
たまねぎ	3,768 円
ね ぎ	3,754 円
きゅうり	3,159 円
じゃがいも	3,044 円

菓　子
8 万 292 円（41 位）

アイスクリーム	9,895 円
チョコレート	6,525 円
ケーキ	6,233 円
スナック菓子	5,377 円
せんべい	5,260 円

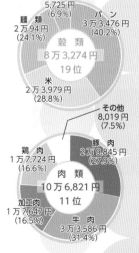

穀　類
8 万 3,274 円
19 位

- 他の穀類 5,725 円（6.9%）
- 麺 類 2 万 94 円（24.1%）
- パン 3 万 3,476 円（40.2%）
- 米 2 万 3,979 円（28.8%）

肉　類
10 万 6,821 円
11 位

- その他 8,019 円（7.5%）
- 鶏 肉 1 万 7,724 円（16.6%）
- 豚 肉 2 万 9,845 円（27.9%）
- 加工肉 1 万 7,647 円（16.5%）
- 牛 肉 3 万 3,586 円（31.4%）

兵庫県

農業生産

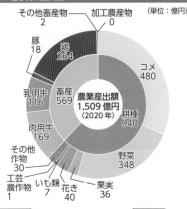

（単位：億円）

その他畜産物 2　加工農産物 0
豚 18
鶏 264
乳用牛 116
肉用牛 169
その他作物 30
工芸農作物 1
いも類 7
花き 40
果実 36
野菜 348
畜産 569
耕種 940
コメ 480

農業産出額
1,509 億円
（2020 年）

農業物産出額上位 10 品目

① 米　480 億円

② 肉用牛　169 億円

③ 鶏卵　152 億円

④ 生乳　95 億円

⑤ ブロイラー　81 億円

⑥ たまねぎ　76 億円

⑦ レタス　54 億円

⑧ ひな※　25 億円

⑨ トマト　24 億円

⑩ もやし　22 億円

※他都道府県販売

日塩／赤穂市
「『日本第一』の塩を産したまち播州赤穂」として日本遺産に認定された塩の産地。

凡　例
- - - - 新幹線
━━━ ＪＲ
━━━ 国　道
━━━ 県・郡道路

新温泉町
香美町
豊岡市
A
養父市
朝来市
宍粟市
神河町
佐用町
市川町
上郡町
相生市
たつの市
赤穂市
姫路市
加
太子町
家島諸島
高砂市
播
明石
淡路市
淡路島
洲本市
南あわじ市
E

山椒／但馬地域
「朝倉さんしょ」は、リモネン含量が多く爽やかな香りとやわらかな実が高評。

黒枝豆／丹波地域
成熟前の丹波黒大豆。旬はわずか2週間で、独特の甘みとコクがある。

丹波栗／丹波地域
「延喜式」にも記載があり、古く朝廷や幕府に献上されてきた歴史ある産地。

Ａシルクコーン
／豊岡市
絹のように白くツヤのあるトウモロコシ。甘みが強く採れたては生でおいしい。

Ｂ丹波大納言小豆
／丹波市ほか
春日町発祥とされる。大粒の俵型で色むらがなく、煮崩れしないと定評がある。

Ｃ黒ゴマ／丹波市ほか
丹波市青垣町を中心に、貴重な国産生産を進めている。大粒で光沢がある。

丹波市

丹波篠山市

三田市

猪名川町

川西市

宝塚市

伊丹市

稲美町

神戸市

尼崎市

芦屋市　西宮市

Ｄ猪 肉
／丹波篠山市ほか
秋に山の木の実を食べて脂ののった猪肉は、煮込むとやわらかくなる。

Ｆ山田錦
／三木市、加東市ほか
兵庫県で育成された、酒米を代表する品種。現在、兵庫県で全国の半分以上を出荷。

Ｇ日本酒
／神戸市、西宮市ほか
全国の清酒の約4分の1を生産。5つの酒造地「灘五郷」は日本一の酒どころ。

兵庫県 の 食

＊神戸市の1世帯当たりの年間支出金額

耕地面積（田畑計）
7万
3,000ha
（第18位）

コメの作付面積（水稲延べ）

3万
6,500ha
（第13位）

コメの収穫量（水稲）

17万
4,100t
（第14位）

肉用牛（飼育頭数）
5万
5,700頭
（第10位）

養豚（飼育頭数）

2万
2,100頭
（第38位）

ブロイラー（飼育頭数）
243万
8,000羽
（第13位）

漁獲量・天然（海面漁業）
4万
912t
（第19位）

漁獲量・養殖（海面養殖）
6万
4,585t
（第6位）

食料自給率（カロリーベース）
16%
（第39位）

エンゲル係数＊
29.1
（第6位）

食品出荷額
1兆6,779億
2,800万円
（第4位）

コロナ禍での消費変化～【グラフ】月別増減率～

調味料
＊　4万56円　（第39位）

（円）
5,000 / 4,400 / 3,800 / 3,200 / 2,600 / 2,000
―●― 2019年　―●― 2020年
1 2 3 4 5 6 7 8 9 10 11 12（月）

酒　類
＊　4万2,467円　（第26位）

（円）
9,000 / 7,400 / 5,800 / 4,200 / 2,600 / 1,000
―●― 2019年　―●― 2020年
1 2 3 4 5 6 7 8 9 10 11 12（月）

調理食品
＊13万8,143円（第14位）

（円）
20,000 / 17,200 / 14,400 / 11,600 / 8,800 / 6,000
―●― 2019年　―●― 2020年
1 2 3 4 5 6 7 8 9 10 11 12（月）

外　食
＊13万8,478円（第17位）

（円）
28,000 / 22,800 / 17,600 / 12,400 / 7,200 / 2,000
―●― 2019年　―●― 2020年
1 2 3 4 5 6 7 8 9 10 11 12（月）

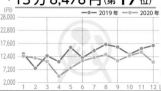

兵庫県民力

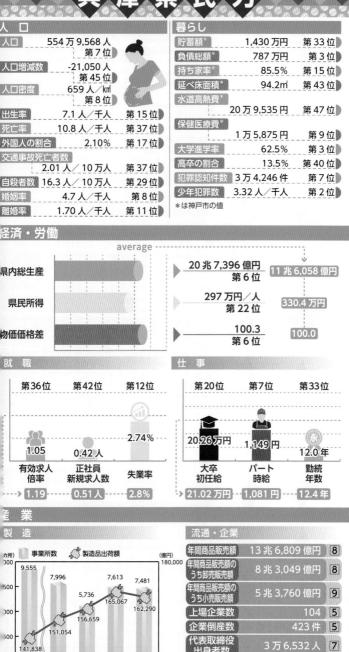

人口

人口	554万9,568人	第7位
人口増減数	-21,050人	第45位
人口密度	659人/km²	第8位
出生率	7.1人/千人	第15位
死亡率	10.8人/千人	第37位
外国人の割合	2.10%	第17位
交通事故死亡者数	2.01人/10万人	第37位
自殺者数	16.3人/10万人	第29位
婚姻率	4.7人/千人	第8位
離婚率	1.70人/千人	第11位

暮らし

貯蓄額*	1,430万円	第33位
負債総額*	787万円	第3位
持ち家率*	85.5%	第15位
延べ床面積*	94.2m²	第43位
水道高熱費*	20万9,535円	第47位
保健医療費*	1万5,875円	第9位
大学進学率	62.5%	第3位
高卒の割合	13.5%	第40位
犯罪認知件数	3万4,246件	第7位
少年犯罪数	3.32人/千人	第2位

*は神戸市の値

経済・労働

average

県内総生産	20兆7,396億円 第6位	11兆6,058億円
県民所得	297万円/人 第22位	330.4万円
物価価格差	100.3 第6位	100.0

就職

第36位	第42位	第12位
1.05	0.42人	2.74%
有効求人倍率	正社員新規求人数	失業率
1.19	0.51人	2.8%

仕事

第20位	第7位	第33位
20.26万円	1,149円	12.0年
大卒初任給	パート時給	勤続年数
21.02万円	1,081円	12.4年

産業

製造

事業所数 ／ 製造品出荷額

	2010年	2016年	2017年	2018年	2019年
事業所数	9,555	7,996	5,736	7,613	7,481
製造品出荷額（億円）	141,838	151,054	156,659	165,067	162,290

流通・企業

年間商品販売額	13兆6,809億円	8
年間商品販売額のうち卸売販売額	8兆3,049億円	8
年間商品販売額のうち小売販売額	5兆3,760億円	9
上場企業数	104	5
企業倒産数	423件	5
代表取締役出身者数	3万6,532人	7

□は全国順位

近畿エリア　中国エリア　四国エリア　九州・沖縄エリア

Data で見る 兵庫県

世帯

他 8.0%
高齢者世帯 12.6%

255万8,797世帯
8位

単身者世帯 32.7%

核家族世帯 59.3%

- 平均人員 2.17人 (30位)
- 世帯主年齢 59.3歳 (20位)
- 子どもの人員 0.56人 (31位)
- 高齢者の人員 0.79人 (25位)
- 生活保護世帯数 5.3世帯/千世帯 (41位)

気候

35℃以上の日数	全国で 22位
13日	
平均気温	全国で 9位
17.6℃	
日照時間	全国で 7位
2,186時間	
降水量	全国で 31位
1,615mm	
平均相対湿度	全国で 43位
66.2%	

(神戸管区気象台 2020年)

最低気温 0.2℃ / 最高気温 37.4℃

(24位)	30.9歳	初婚年齢	29.5歳	(35位)
(18位)	80.92歳	寿命	87.07歳	(25位)
(5位)	33.35万円	月額給与	25.40万円	(7位)
(23位)	170.5cm	身長	157.7cm	(26位)
(43位)	61.7kg	体重	52.9kg	(25位)

地価

地価平均価格

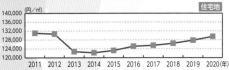

(円/㎡) 住宅地

140,000 / 136,000 / 132,000 / 128,000 / 124,000 / 120,000
2011 2012 2013 2014 2015 2016 2017 2018 2019 2020(年)

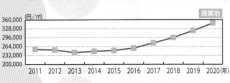

(円/㎡) 商業地

360,000 / 328,000 / 296,000 / 264,000 / 232,000 / 200,000
2011 2012 2013 2014 2015 2016 2017 2018 2019 2020(年)

用途別の平均変動率

住宅地	-0.1%	24位
商業地	2.8%	12位
工業地	1.7%	14位

住宅地の平均価格*
14万8,700円/㎡ 9位
(+ 2,300円)

商業地の最高値*
720万円/㎡ 7位
(+108万円)

*は神戸市の値

旅行者 (対前年同月比)

月別の宿泊者数

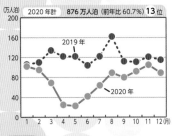

(万人泊) 2020年計 876万人泊 (前年比 60.7%) 13位
200 / 160 / 120 / 80 / 40 / 0
2019年
2020年
1 2 3 4 5 6 7 8 9 10 11 12(月)

月別の客室稼働率

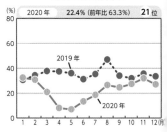

(%) 2020年 22.4% (前年比 63.3%) 21位
80 / 60 / 40 / 20 / 0
2019年
2020年
1 2 3 4 5 6 7 8 9 10 11 12(月)

学校・施設

- 医師数 252.2 人／10 万人（24 位）
- 病院数 6.4 施設／10 万人（28 位）
- 一般診療所数
  93.8 施設／10 万人（8 位）
- 児童福祉施設数
  30.6 施設／10 万人（39 位）
- 老人福祉センター数
  3.95 施設／10 万人（35 位）
- 小学校数 754 校（8 位）
- 高校数 205 校（6 位）

- 大学数 36 校（5 位）
- 博物館数 0.80 施設／10 万人（37 位）
- 映画館数 2.21 施設／10 万人（38 位）
- 図書館数 1.95 施設／10 万人（43 位）
- 学校の IT 化 5.66 人／台（7 位）
- 保育所数 1,030 カ所（7 位）
- 幼稚園数 473 校（6 位）

消　費（神戸市の 1 世帯当たりの年間支出金額）

年間消費支出
322 万 5,123 円　33位
（対前年比 99.1％）

消費支出増減率（前年同月比）

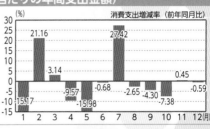

（消費変化（対前年比較））

衣 (-2.1)　(2.9) 学　食 (3.2)　(-14.0) 動　楽 (-14.8)　(3.5) 通

※太線は前年。
太線の外側は、
前年対比プラス、
内側はマイナス

衣：被服・履物費	12 万 1,302 円	13
食：食費	97 万 3,047 円	17
楽：教養娯楽費	28 万 9,839 円	32
通：通信費	14 万 780 円	45
動：交通費	23 万 4,898 円	40
学：教育費	15 万 323 円	8

■は全国順位

鮮 魚

4 万 3,122 円（10 位）

サ　ケ	4,616 円
ア　ジ	4,029 円
ブ　リ	3,636 円
エ　ビ	3,560 円
マグロ	3,258 円

生鮮野菜

7 万 7,849 円（14 位）

トマト	8,480 円
ね　ぎ	3,863 円
たまねぎ	3,668 円
きゅうり	3,286 円
キャベツ	3,193 円

飲 料

5 万 297 円（47 位）

コーヒー	7,650 円
果実・野菜ジュース	5,789 円
茶飲料	5,301 円
炭酸飲料	4,690 円
乳酸菌飲料	4,213 円

菓 子

8 万 1,600 円（38 位）

アイスクリーム	7,957 円
チョコレート	7,578 円
ケーキ	7,064 円
せんべい	4,384 円
ビスケット	3,911 円

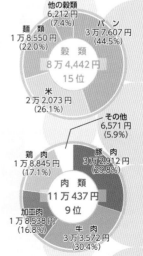

穀　類
8 万 4,442 円
15 位

他の穀類
6,212 円
（7.4%）

パン
3 万 7,607 円
（44.5%）

麺　類
1 万 8,550 円
（22.0%）

米
2 万 2,073 円
（26.1%）

肉　類
11 万 437 円
9 位

その他
6,571 円
（5.9%）

鶏 肉
1 万 8,845 円
（17.1%）

豚 肉
3 万 2,912 円
（29.8%）

加工肉
1 万 8,538 円
（16.8%）

牛 肉
3 万 3,572 円
（30.4%）

奈良県

農業生産

（単位：億円）

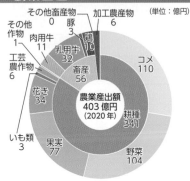

農業産出額
403 億円
（2020 年）

- その他畜産物 0
- 豚 3
- 加工農産物 6
- 鶏 10
- 乳用牛 32
- 肉用牛 11
- その他作物 1
- 工芸農作物 6
- 花き 34
- いも類 3
- 果実 77
- 畜産 56
- コメ 110
- 耕種 341
- 野菜 104

農業物産出額上位 **10** 品目

①	米	110 億円
②	柿	58 億円
③	生乳	28 億円

④ いちご 27 億円	⑧ 肉用牛 11 億円
⑤ ほうれんそう 16 億円	⑨ 鶏卵 9 億円
⑥ きく 12 億円	⑩ ぶどう 7 億円
⑦ なす 12 億円	

N

ひもとうがらし／県内全域
大和の伝統野菜。加熱するとやわらかく甘みが増す。太さ5mm程度で細長い。

Fぶなしめじ／十津川村
通常約80日のところ130日くらいかけて栽培されるビッグサイズの特産物。

生駒市
奈良市
大和郡山市
平群町
安堵町
三郷町
王寺町
香芝市
大和高田市
葛城市
御所市
五條市
天理市
桜井市
橿原市
明日香村
高取町
大淀町
吉野町
下市町
黒滝村
天川村
野迫川村
十津川村

F

古都華／県内広域
糖度が安定したイチゴを目指した県育成品種。県内でのみ栽培される。

大和まな／県内広域
かつて採油用に栽培されたアブラナ科の野菜。漬物、炒め物、おひたしに。

大和なでしこ卵／県内広域
親鶏の飼料に大和茶粉末や魚油を配合。卵特有の生臭さを抑え、DHAが豊富。

A軟白ずいき／奈良市
アクの少ないサトイモの茎を軟白化したもの。高級食材として重宝される。

B大和丸なす
／大和郡山市、奈良市ほか
大和の伝統野菜の代表。肉質が緻密で煮崩れししないうえ、油を吸い過ぎない。

C大和当帰葉
／五條市、宇陀市、吉野町ほか
セリ科の野菜でセロリのような爽やかな香り。根は生薬に利用される。

D香りごぼう
／五條市
排水の良い土地を生かして栽培される春ゴボウ。香りが良くやわらかい。

E花みょうが
／五條市、吉野郡ほか
大ぶりでふっくらしている。硬めで形が崩れにくいため、薬味や漬物に適する。

地図上の地名：山添村、宇陀市、曽爾村、御杖村、東吉野村、川上村、上北山村、北山村

凡例
- ■■■ 新幹線
- ── J R
- ── 国道
- ── 誌・府道

耕地面積(田畑計)	コメの作付面積(水稲延べ)	コメの収穫量(水稲)
2万 ha (第44位) 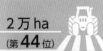	8,480ha (第41位) 	4万 900t (第41位)

肉用牛(飼育頭数)	養豚(飼育頭数)	ブロイラー(飼育頭数)
4,230頭 (第41位)	6,590頭 (第42位)	x (第37位)

漁獲量・天然(海面漁業)	漁獲量・養殖(海面養殖)
0t (第一位)	0t (第一位)

食料自給率 (カロリーベース)	エンゲル係数*	食品出荷額
14% (第41位)	27.1 (第21位)	2,450億 2,100万円 (第34位)

コロナ禍での消費変化～【グラフ】月別増減率～

調味料
* 4万5,218円 (第6位)

(円)
- 2019年 ― 2020年

5,000 / 4,400 / 3,800 / 3,200 / 2,600 / 2,000
1 2 3 4 5 6 7 8 9 10 11 12 (月)

酒 類
* 5万1,582円 (第9位)

(円)
- 2019年 ― 2020年

9,000 / 7,400 / 5,800 / 4,200 / 2,600 / 1,000
1 2 3 4 5 6 7 8 9 10 11 12 (月)

調理食品
*14万1,442円 (第11位)

(円)
- 2019年 ― 2020年

20,000 / 17,200 / 14,400 / 11,600 / 8,800 / 6,000
1 2 3 4 5 6 7 8 9 10 11 12 (月)

外 食
*12万6,209円 (第28位)

(円)
- 2019年 ― 2020年

28,000 / 22,800 / 17,600 / 12,400 / 7,200 / 2,000
1 2 3 4 5 6 7 8 9 10 11 12 (月)

奈良県民力

人 口

人口	135 万 3,837 人	第 29 位
人口増減数	-8,944 人	第 22 位
人口密度	370 人／㎢	第 14 位
出生率	6.3 人／千人	第 37 位
死亡率	11.1 人／千人	第 35 位
外国人の割合	1.05%	第 29 位
交通事故死亡者数	1.88 人／10 万人	第 41 位
自殺者数	15.1 人／10 万人	第 36 位
婚姻率	4.0 人／千人	第 38 位
離婚率	1.53 人／千人	第 37 位

暮らし

貯蓄額*	2,128 万円	第 7 位
負債総額*	490 万円	第 27 位
持ち家率*	83.1%	第 21 位
延べ床面積*	116.9㎡	第 25 位
水道高熱費*	27 万 2,040 円	第 14 位
保健医療費*	1 万 4,386 円	第 16 位
大学進学率	59.9%	第 7 位
高卒の割合	11.5%	第 43 位
犯罪認知件数	5,774 件	第 26 位
少年犯罪数	3.15 人／千人	第 4 位

*は奈良市の値

経済・労働

average

県内総生産	3 兆 6,117 億円 第 38 位	11 兆 6,058 億円
県民所得	260 万円／人 第 40 位	330.4 万円
物価価格差	97.5 第 41 位	100.0

就 職

第 22 位	第 38 位	第 15 位
1.22	0.47 人	2.67%
有効求人倍率	正社員新規求人数	失業率
1.19	0.51 人	2.8%

仕 事

第 18 位	第 10 位	第 28 位
20.35 万円	1,137 円	12.2 年
大卒初任給	パート時給	勤続年数
21.02 円	1,081 円	12.4 年

工 業

製 造

事業所数　製造品出荷額

年	事業所数	製造品出荷額（億円）
2010年	2,271	19,181
2016年	1,923	18,193
2017年	1,465	20,917
2018年	1,835	21,733
2019年	1,775	21,141

流通・企業

年間商品販売額	1 兆 8,024 億円	41
年間商品販売額のうち卸売販売額	6,995 億円	46
年間商品販売額のうち小売販売額	1 兆 1,029 億円	37
上場企業数	5	38
企業倒産数	86 件	18
代表取締役出身者数	9,751 人	44

□は全国順位

近畿エリア

中国エリア

四国エリア

九州・沖縄エリア

189

Data で見る 奈良県

世 帯

59万7,458世帯 29位

- 他 10.4%
- 高齢者世帯 15.0%
- 核家族世帯 63.9%
- 単身者世帯 25.7%

- 平均人員 2.27 人（21 位）
- 世帯主年齢 62.5 歳（4 位）
- 子どもの人員 0.42 人（45 位）
- 高齢者の人員 0.92 人（7 位）
- 生活保護世帯数 15.8 世帯／千世帯（11 位）

気 候

35℃以上の日数	24 日	全国で 2 位	
平均気温	16.3℃	全国で 26 位	
日照時間	1,882 時間	全国で 31 位	
降水量	1,629 mm	全国で 30 位	
平均相対湿度	71.2%	全国で 24 位	

（奈良管区気象台 2020 年）

最低気温 -2.5℃／最高気温 38.0℃

（男）			（女）
（43 位）	31.4 歳	初婚年齢 29.7 歳	（41 位）
（4 位）	81.36 歳	寿命 87.25 歳	（16 位）
（6 位）	33.13 万円	月額給与 25.95 万円	（4 位）
（23 位）	170.5cm	身長 158.0cm	（12 位）
（38 位）	62.0kg	体重 53.1kg	（22 位）

地 価

地価平均価格

住宅地
80,000（円／㎡）
76,000
72,000
68,000
64,000
60,000
2011 2012 2013 2014 2015 2016 2017 2018 2019 2020（年）

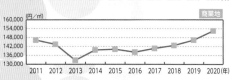

商業地
160,000（円／㎡）
154,000
148,000
142,000
136,000
130,000
2011 2012 2013 2014 2015 2016 2017 2018 2019 2020（年）

用途別の平均変動率

住宅地	-0.6%	33 位
商業地	1.5%	16 位
工業地	1.7%	14 位

住宅地の平均価格＊
9 万 7,300 円／㎡ 13 位
（＋ 700 円）

商業地の最高値＊
83 万円／㎡ 20 位
（＋14 万円）

＊は奈良市の値

旅行者 （対前年同月比）

月別の宿泊者数

2020 年計 128 万人泊（前年比 47.1%）47 位

（万人泊）
150
120
90
60
30
0
1 2 3 4 5 6 7 8 9 10 11 12（月）

2020 年
2019 年

月別の客室稼働率

2020 年 12.7%（前年比 45.8%）46 位

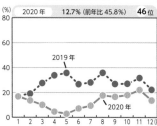

（%）
80
60
40
20
0
1 2 3 4 5 6 7 8 9 10 11 12（月）

2019 年
2020 年

学校・施設

医師数 258.5 人／10 万人（20 位）
病院数 5.9 施設／10 万人（35 位）
一般診療所数
　91.4 施設／10 万人（11 位）
児童福祉施設数
　24.2 施設／10 万人（47 位）
老人福祉センター数
　5.34 施設／10 万人（23 位）
小学校数 202 校（38 位）
高校数 54 校（35 位）

・大学数 11 校（19 位）
・博物館数 1.64 施設／10 万人（13 位）
・映画館数 2.56 施設／10 万人（31 位）
・図書館数 2.46 施設／10 万人（38 位）
・学校の IT 化 5.60 人／台（8 位）
・保育所数 219 カ所（43 位）
・幼稚園数 159 校（22 位）

消　費（奈良市の 1 世帯当たりの年間支出金額）

年間消費支出
359 万 5,521 円 **9位**
（対前年比 95.1%）

消費支出増減率（前年同月比）

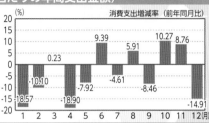

	月	値
1		-18.57
2		-10.10
3		0.23
4		-18.90
5		-7.92
6		9.39
7		-4.61
8		5.91
9		-8.46
10		10.27
11		8.76
12		-14.91

衣 (-12.8)
(0.8) 学
(-24.9) 動
(7.7) 通
(4.4) 食
(-10.3) 楽

※太線は前年。太線の外側は前年比プラス、内側はマイナス

衣：被服・履物費	12 万 3,758 円	**10**
食：食費	102 万 2,569 円	**6**
楽：教養娯楽費	34 万 1,949 円	**6**
通：通信費	16 万 5,977 円	**27**
動：交通費	32 万 726 円	**23**
学：教育費	20 万 2,854 円	**4**

■は全国順位

鮮 魚

4 万 5,064 円（4 位）

サ ケ	5,165 円
エ ビ	4,160 円
マグロ	4,007 円
ブ リ	3,894 円
ウ ニ	3,397 円

生鮮野菜

8 万 1,197 円（9 位）

トマト	8,222 円
ね ぎ	3,962 円
たまねぎ	3,705 円
きゅうり	3,453 円
キャベツ	3,337 円

飲 料

5 万 6,432 円（31 位）

果実・野菜ジュース	8,498 円
コーヒー	7,725 円
茶飲料	5,990 円
炭酸飲料	5,871 円
乳酸菌飲料	4,415 円

菓 子

8 万 8,950 円（16 位）

アイスクリーム	9,632 円
チョコレート	7,846 円
せんべい	6,855 円
ケーキ	6,569 円
スナック菓子	4,900 円

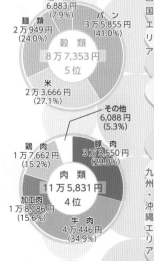

他の穀類
6,883 円
(7.9%)

麺 類
2 万 949 円
(24.0%)

パン
3 万 5,855 円
(41.0%)

穀 類
8 万 7,353 円
5 位

米
2 万 3,666 円
(27.1%)

その他
6,088 円
(5.3%)

鶏 肉
1 万 7,662 円
(15.2%)

豚 肉
3 万 3,550 円
(29.0%)

肉 類
11 万 5,831 円
4 位

加工肉
1 万 8,086 円
(15.6%)

牛 肉
4 万 446 円
(34.9%)

191

和歌山県

県の
木：ウバメガシ　魚：マグロ
花：ウメ　　　　歌：和歌山県民
鳥：メジロ

農業生産

肉用牛 乳用牛 豚 鶏 その他畜産物　（単位：億円）
8　　7　　1　28　　5
その他作物 0　　　　　　　加工農産物
工芸　　　　　　　　　　　6
農作物
6
花き　　　コメ
57　　　　76
いも類　畜産　　野菜
2　　　49　　144

農業産出額
1,109億円
（2020年）

耕種
1,054

果実
740

凡　例
━ ━ ━　新幹線
━─━─━　JR
━━━━　国　道
━━━━　謎・鯻邏

農業物産出額上位 **10** 品目

①	みかん	**276** 億円
②	うめ	**222** 億円
③	柿	**78** 億円

④	米 76億円	⑧	トマト 22億円
⑤	もも 45億円	⑨	スターチス 19億円
⑥	はっさく 37億円	⑩	いちご 16億円
⑦	さやえんどう※ 27億円		

※未成熟のもの

岩出市
和歌山市　紀の川
A
海南市　紀美野
B 有田市
C 湯浅町　有田川町
由良町　広川町
日高川町
日高町　**D**
美浜町　御坊市　みなべ
印南町
上富田町
白浜町、

G天台烏薬／新宮市
秦の始皇帝が求めた不老不
死の霊薬といわれる薬木。
お茶にして飲用される。

H マグロ／那智勝浦町
全国屈指の生マグロの産
地。はえ縄漁で漁獲され船
上で活け締め処理される。

イガミ／紀南地方沿岸域
ブダイ。紀南地方で刺網により漁獲される磯魚。田辺市ではお正月に欠かせない。

Aクエ／紀伊水道
美食家をうならせる上品な味。地元の漁師でもめったに漁獲できない。

B紀州 紀ノ太刀／有田市ほか
定置網で漁獲されたタチウオは傷がなく、まるで一振りの太刀のような美しさ。

橋本市

かつらぎ町

九度山町

高野町

N

新宮市飛地

北山村

田辺市
F

G 新宮市

E H
那智勝浦町

古座川町

すさみ町

太地町

串本町

C三宝柑／湯浅町ほか
江戸時代、珍しさから「三宝」にのせて和歌山城主に献上されたことから命名。

Dホロホロ鳥／日高川町
昭和57年に本格的飼育が始まる。キジ肉に匹敵するくらいおいしい。

Eフカヒレ／那智勝浦町
イラギ（アオザメ）はフカヒレだけでなく紀南地方で干物として身も食される。

F仏手柑／田辺市ほか
仏の手のような形。砂糖煮やジャムに加工されるほか、生け花など観賞用に使用。

和歌山県 の 食

*＝和歌山市の１世帯＝たりの年間支出金額

耕地面積(田畑計)	コメの作付面積(水稲延べ)	コメの収穫量(水稲)
3万1,800ha	6,250ha	2万8,900t
(第38位)	(第42位)	(第42位)

肉用牛(飼育頭数)	養豚(飼育頭数)	ブロイラー(飼育頭数)
2,680頭	1,730頭	59万6,000羽
(第44位)	(第47位)	(第30位)

漁獲量・天然(海面漁業)	漁獲量・養殖(海面養殖)
1万3,752t	3,056t
(第32位)	(第23位)

食料自給率 (カロリーベース)	エンゲル係数*	食品出荷額
28%	26.9	1,860億6,500万円
(第32位)	(第24位)	(第38位)

コロナ禍での消費変化～【グラフ】月別増減率～

調味料
＊ 3万7,049円 (第46位)

酒 類
＊ 3万7円 (第47位)

調理食品
＊11万3,486円 (第45位)

外 食
＊10万5,423円 (第42位)

和歌山県民力

人 口

人口	95万4,258人	第40位
人口増減数	-10,340人	第26位
人口密度	204人／km	第29位
出生率	6.4人／千人	第33位
死亡率	14.0人／千人	第8位
外国人の割合	0.77%	第39位
交通事故死亡者数	1.95人／10万人	第38位
自殺者数	18.9人／10万人	第12位
婚姻率	4.2人／千人	第31位
離婚率	1.74人／千人	第9位

暮らし

貯蓄額*	1,460万円	第31位
負債総額*	237万円	第47位
持ち家率*	85.0%	第16位
延べ床面積*	118.2㎡	第19位
水道高熱費*	23万6,026円	第40位
保健医療費*	1万5,361円	第10位
大学進学率	51.5%	第26位
高卒の割合	22.0%	第25位
犯罪認知件数	3,899件	第32位
少年犯罪数	2.44人／千人	第10位

*は和歌山市の値

経済・労働

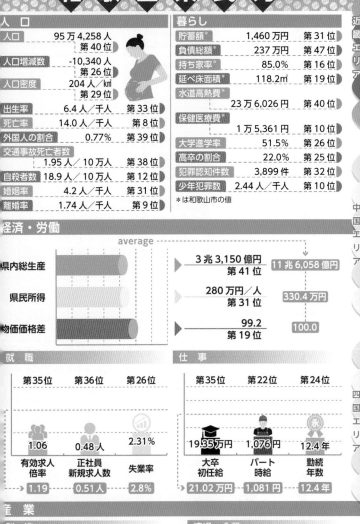

	average	全国
県内総生産	3兆3,150億円 第41位	11兆6,058億円
県民所得	280万円／人 第31位	330.4万円
物価価格差	99.2 第19位	100.0

就 職

第35位	第36位	第26位
1.06	0.48人	2.31%
有効求人倍率	正社員新規求人数	失業率
1.19	0.51人	2.8%

仕 事

第35位	第22位	第24位
19.35万円	1,076円	12.4年
大卒初任給	パート時給	勤続年数
21.02万円	1,081円	12.4年

産 業

製 造

事業所数　製造品出荷額

	2010年	2016年	2017年	2018年	2019年
事業所数	1,930	1,736	1,343	1,660	1,661
製造品出荷額	26,769	26,135	26,647	27,280	26,469

流通・企業

年間商品販売額	2兆192億円	39
年間商品販売額のうち卸売販売額	1兆1,478億円	36
年間商品販売額のうち小売販売額	8,714億円	40
上場企業数	9	31
企業倒産数	90件	17
代表取締役出身者数	1万1,681人	39

□は全国順位

Data で見る 和歌山県

世 帯

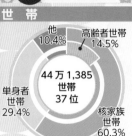

44万1,385世帯 37位

- 他 10.4%
- 高齢者世帯 14.5%
- 単身者世帯 29.4%
- 核家族世帯 60.3%

- 平均人員 2.16 人（31 位）
- 世帯主年齢 61.2 歳（7 位）
- 子どもの人員 0.53 人（35 位）
- 高齢者の人員 0.89 人（10 位）
- 生活保護世帯数
  10.9 世帯／千世帯（28 位）

気 候

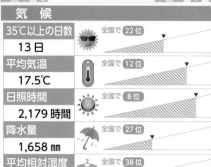

35℃以上の日数	13 日	全国で 22 位
平均気温	17.5℃	全国で 12 位
日照時間	2,179 時間	全国で 8 位
降水量	1,658 mm	全国で 27 位
平均相対湿度	68.3%	全国で 38 位

（和歌山管区気象台 2020 年）
最低気温 -0.5℃／最高気温 37.7℃

（9 位）	30.5 歳	初婚年齢	29.0 歳	（7 位）
（44 位）	79.94 歳	寿命	86.47 歳	（41 位）
（25 位）	30.67 万円	月額給与	22.94 万円	（27 位）
（7 位）	171.2cm	身長	158.1cm	（10 位）
（7 位）	63.8kg	体重	53.2kg	（20 位）

地 価

地価平均価格

住宅地
60,000 56,000 52,000 48,000 44,000 40,000（円／㎡）
2011 2012 2013 2014 2015 2016 2017 2018 2019 2020（年）

商業地
100,000 96,000 92,000 88,000 84,000 80,000（円／㎡）
2011 2012 2013 2014 2015 2016 2017 2018 2019 2020（年）

用途別の平均変動率

住宅地	-1.2%	47 位
商業地	-0.9%	44 位
工業地	-0.9%	47 位

住宅地の平均価格*
6 万 700 円／㎡ 25 位
(-100 円)

商業地の最高値*
44 万 2,000 円／㎡ 26 位
(+2,000 円)

*は和歌山市の値

旅行者（対前年同月比）

月別の宿泊者数

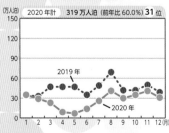

2020 年計 319 万人泊（前年比 60.0%）31 位

（万人泊）
150 120 90 60 30 0
1 2 3 4 5 6 7 8 9 10 11 12（月）
2019 年
2020 年

月別の客室稼働率

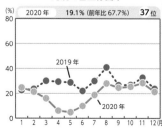

2020 年 19.1%（前年比 67.7%）37 位

（%）
80 60 40 20 0
1 2 3 4 5 6 7 8 9 10 11 12（月）
2019 年
2020 年

学校・施設

- 医師数 302.1 人／10 万人（9 位）
- 病院数 9.0 施設／10 万人（14 位）
- 一般診療所数
  110.8 施設／10 万人（1 位）
- 児童福祉施設数
  35.4 施設／10 万人（29 位）
- 老人福祉センター数
  4.32 施設／10 万人（32 位）
- 小学校数 248 校（32 位）
- 高校数 47 校（39 位）

- 大学数 4 校（42 位）
- 博物館数 1.07 施設／10 万人（28 位）
- 映画館数 3.24 施設／10 万人（16 位）
- 図書館数 2.78 施設／10 万人（32 位）
- 学校の IT 化 4.20 人／台（34 位）
- 保育所数 201 カ所（46 位）
- 幼稚園数 69 校（38 位）

消 費（和歌山市の 1 世帯当たりの年間支出金額）

消費変化（対前年比較）

年間消費支出
294 万 5,602 円 **45 位**
（対前年比 101.4%）

消費支出増減率（前年同月比）

月	増減率(%)
1	0.66
2	17.66
3	13.88
4	14.19
5	-22.29
6	11.29
7	8.25
8	2.99
9	4.25
10	2.67
11	-9.53
12	-15.90

衣 (-11.1)
食 (-0.4)
学 (-3.8)
楽 (-12.3)
動 (-18.5)
通 (4.5)

※太線は前年。
太線の外側は
前年対比プラス、
内側はマイナス

衣：被服・履物費	9 万 4,860 円	41
食：食費	83 万 6,939 円	46
楽：教養娯楽費	27 万 244 円	39
通：通信費	14 万 9,034 円	41
動：交通費	20 万 9,474 円	44
学：教育費	10 万 4,866 円	30

■は全国順位

鮮 魚
3 万 7,003 円（31 位）

マグロ	4,115 円
サ ケ	3,758 円
エ ビ	3,414 円
ブ リ	3,187 円
イ カ	2,261 円

生鮮野菜
6 万 46 円（46 位）

トマト	6,398 円
ね ぎ	2,917 円
きゅうり	2,715 円
たまねぎ	2,705 円
じゃがいも	2,567 円

飲 料
5 万 3,138 円（43 位）

果実・野菜ジュース	7,281 円
茶飲料	6,848 円
コーヒー	6,267 円
炭酸飲料	5,578 円
コーヒー飲料	5,324 円

菓 子
7 万 3,061 円（46 位）

アイスクリーム	9,161 円
ケーキ	5,875 円
チョコレート	5,803 円
スナック菓子	4,103 円
せんべい	3,898 円

穀 類
7 万 7,548 円
34 位
- 他の穀類 5,722 円（7.4%）
- 麺 類 1 万 7,955 円（23.2%）
- パン 3 万 2,360 円（41.7%）
- 米 2 万 1,511 円（27.7%）

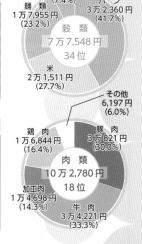

肉 類
10 万 2,780 円
18 位
- その他 6,197 円（6.0%）
- 鶏 肉 1 万 6,844 円（16.4%）
- 豚 肉 3 万 821 円（30.0%）
- 加工肉 1 万 4,698 円（14.3%）
- 牛 肉 3 万 4,221 円（33.3%）

梨 への支出

8～9月に多い「梨」の購入数量

秋の味覚「梨」は、疲労回復効果があり、夏バテ気味の体の疲労回復にも役立つと言われています。2015～2017年平均における1世帯当たりの「梨」の購入量を月別にみると、9月が最も多く、次いで8月、10月の順に多くなっています。

鳥取市で多い「梨」の支出

次に1世帯当たりの支出金額を都市別にみると、鳥取市が最も多く、次いで新潟市、山形市の順に多くなっており、「梨」の産地注1) に近い市が上位を占めています。

注1) 平成29年産日本なしの収穫量(農林水産省)の都道府県別結果をみると、鳥取県が5番目、栃木県が3番目に多くなっています。また、平成29年産西洋なしの収穫量(農林水産省)をみると、山形県が1番目、新潟県が2番目に多くなっています。

梨の年間支出金額
(1世帯当たり年間支出金額：円／H27～H29平均)

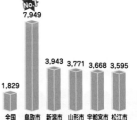

		No.1				
		7,949	3,943	3,771	3,668	3,595
1,829						
全国	鳥取市	新潟市	山形市	宇都宮市	松江市

出典:「家計調査結果」(総務省統計局)
家計ミニトピックス平成30年9月15日発行
http://www.stat.go.jp/data/kakei/tsushin/index.htm より作成

かき(貝)への支出

購入金額は広島市が1位

最後に、「かき(貝)」の1世帯当たり年間支出金額を都道府県庁所在市及び政令指定都市別にみると、広島市が最も多く、全国平均の約2.9倍となっています。次いで、岡山市、仙台市となっています

支出が最も多い月は12月

「かき(貝)」の1世帯当たりの支出金額を月別にみると、12月が241円と最も多く、次いで、1月、2月などとなっています。

「かき(貝)」の割合は上昇傾向

「貝類」の品目別年間支出金額の内訳を構成比でみると、2009年は「ほたて貝」が33.7%と最も高く、次いで、「あさり」が22.9%、「かき(貝)」が21.9%などとなっています。その後、「ほたて貝」の割合は低下傾向、「かき(貝)」の割合が上昇傾向にあり、2018年は「かき(貝)」が26.5%と最も高くなっています。

かきの年間支出金額
(1世帯当たり年間支出金額：円／2016年～2018年平均)

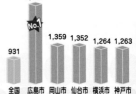

	No.1				
	2,683	1,359	1,352	1,264	1,263
931					
全国	広島市	岡山市	仙台市	横浜市	神戸市

出典:「家計調査結果」(総務省統計局)
「家計調査通信第551号(2020年1月15日発行)」より作成

早わかり

2021

都道府県
Data Book

中国

鳥取県

木：ダイセンキャ 県民歌：
ラボク わきあがる
花：二十世紀梨の花 県民の日：
鳥：オシドリ 9月12
魚：ヒラメ

農業生産

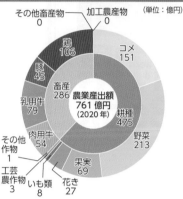

その他畜産物 0 — 加工農産物 0

（単位：億円）

鶏 106
豚 45
乳用牛 79
肉用牛 54
その他作物 1
工芸農作物 3
いも類 8
花き 27
果実 69
野菜 213
コメ 151
畜産 286
耕種 475

農業産出額 761 億円（2020 年）

農業物産出額上位 10 品目

① 米　　　　151 億円
② ブロイラー　85 億円
③ 生乳　　　　68 億円

④ なし 56 億円
⑤ 肉用牛 54 億円
⑥ 豚 45 億円
⑦ ねぎ 42 億円
⑧ すいか 39 億円
⑨ ブロッコリー 22 億円
⑩ らっきょう 21 億円

A 境港市
日吉津村
北栄町
大山町
琴浦町
米子市
倉吉市
E
南部町
江府町
伯耆町
日野町
日南町

N

D 大山ブロッコリー ／大山町ほか
葉・茎付きブロッコリーを日本で最初に販売。大山山麓の黒ぼく土壌で栽培。

E 極実すいか ／倉吉市に
スイカ本来の味を追求
皮が薄く、シャリ感と
トな食感をあわせもつ。

プリンセスかおり ／県内広域

平成29年にデビューしたカレー専用のお米。炊くとポップコーンのような香り。

五輝星※（いつきぼし）／沿岸部

成長したズワイガニのオス・松葉ガニのなかでも最上級のトップブランド。
※「特選とっとり松葉がに五輝星」

夏 輝 ／沿岸部

県内で採取された殻長13cm以上の高品質な岩ガキのブランド。生食が最上。

鳥取茸王 ／県内山間部

一財）日本きのこセンター開発の生シイタケ「とっと〇115」のブランド。

Aアカガレイ
／境漁港、鳥取港、網代漁港

地元では「マガレイ」とも呼ばれ、鳥取での冬の家庭の味。子持ちのメスは高価。

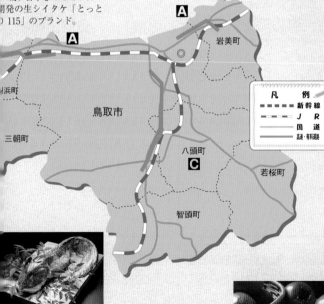

凡 例
- ━ ━ ━ 新幹線
- ━・━ JR
- ━━━ 国 道
- ━━━ 高速・有料道路

浜町
三朝町
鳥取市
八頭町 **C**
岩美町
A
B
A
若桜町
智頭町

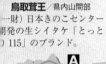

ばばちゃん ／岩美町ほか

ナカゲンゲ。その姿形から市場に出回らなかったが、味の良さから人気に。

C花御所柿 ／八頭町ほか

鳥取県原産で因幡地方のみで栽培。日本でもっとも甘い柿といわれる。

鳥取県 の 食

*鳥取市の1世帯当りの年間支出金額

耕地面積(田畑計)
3万
4,300ha
(第 37 位)

コメの作付面積(水稲延べ)
1万
2,900ha
(第 36 位)

コメの収穫量(水稲)
6万
6,000t
(第 35 位)

肉用牛(飼育頭数)
1万
9,900頭
(第 30 位)

養豚(飼育頭数)
6万
6,500頭
(第 29 位)

ブロイラー(飼育頭数)
317万羽
(第 9 位)

漁獲量・天然(海面漁業)
8万
2,079t
(第 10 位)

漁獲量・養殖(海面養殖)
1,335t
(第 26 位)

食料自給率
(カロリーベース)
62%
(第 17 位)

エンゲル係数*
25.7
(第 39 位)

食品出荷額
1,571億
9,800万円
(第 40 位)

コロナ禍での消費変化~【グラフ】月別増減率~

調味料
* 4万5,271円 (第 5 位)

(円)
5,000 ─●─ 2019年 ─●─ 2020年
4,400
3,800
3,200
2,600
2,000
1 2 3 4 5 6 7 8 9 10 11 12 (月)

酒類
* 4万8,124円 (第 14 位)

(円)
9,000 ─●─ 2019年 ─●─ 2020年
7,400
5,800
4,200
2,600
1,000
1 2 3 4 5 6 7 8 9 10 11 12 (月)

調理食品
* 11万6,255円 (第 43 位)

(円)
20,000 ─●─ 2019年 ─●─ 2020年
17,200
14,400
11,600
8,800
6,000
1 2 3 4 5 6 7 8 9 10 11 12 (月)

外食
* 13万9,789円 (第 11 位)

(円)
28,000 ─●─ 2019年 ─●─ 2020年
22,800
17,600
12,400
7,200
2,000
1 2 3 4 5 6 7 8 9 10 11 12 (月)

鳥取県民力

人 口

人口	56万1,175人	第47位
人口増減数	-4,877人	第10位
人口密度	164人／km²	第37位
出生率	7.2人／千人	第14位
死亡率	13.8人／千人	第11位
外国人の割合	0.90%	第34位
交通事故死亡者数	3.06人／10万人	第18位
自殺者数	15.1人／10万人	第37位
婚姻率	4.3人／千人	第29位
離婚率	1.61人／千人	第31位

暮らし

貯蓄額*	1,385万円	第35位
負債総額*	452万円	第32位
持ち家率*	81.0%	第28位
延べ床面積*	138.5m²	第7位
水道高熱費*	26万732円	第22位
保健医療費*	1万3,722円	第22位
大学進学率	45.4%	第39位
高卒の割合	25.1%	第14位
犯罪認知件数	1,814件	第47位
少年犯罪数	2.18人／千人	第13位

*は鳥取市の値

経済・労働

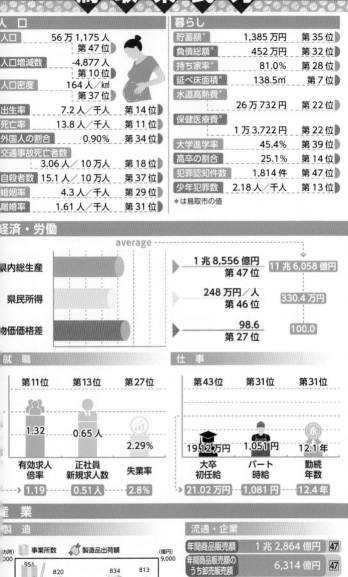

average

県内総生産	1兆8,556億円 第47位	11兆6,058億円
県民所得	248万円／人 第46位	330.4万円
物価価格差	98.6 第27位	100.0

就 職

第11位	第13位	第27位
1.32	0.65人	2.29%
有効求人倍率	正社員新規求人数	失業率
1.19	0.51人	2.8%

仕 事

第43位	第31位	第31位
19.12万円	1,051円	12.1年
大卒初任給	パート時給	勤続年数
21.02万円	1,081円	12.4年

産 業

製 造

事業所数	製造品出荷額

年	事業所数	製造品出荷額
2010年	951	8,428
2016年	820	7,353
2017年	569	8,040
2018年	834	8,055
2019年	813	7,809

流通・企業

年間商品販売額	1兆2,864億円	47
年間商品販売額のうち卸売販売額	6,314億円	47
年間商品販売額のうち小売販売額	6,550億円	47
上場企業数	4	41
企業倒産数	19件	47
代表取締役出身者数	6,044人	47

□は全国順位

Data で見る 鳥取県

世 帯

他 17.4%	高齢者世帯 11.2%

23万7,924世帯 47位

単身者世帯 29.5%

核家族世帯 53.1%

- 平均人員 2.36人（10位）
- 世帯主年齢 55.9歳（44位）
- 子どもの人員 0.83人（1位）
- 高齢者の人員 0.74人（31位）
- 生活保護世帯数 13.7世帯/千世帯（18位）

気 候

35℃以上の日数	21日	全国で 10位
平均気温	15.9℃	全国で 29位
日照時間	1,727時間	全国で 39位
降水量	2,096mm	全国で 14位
平均相対湿度	75.7%	全国で 9位

（鳥取管区気象台 2020年）

最低気温 -3.2℃／最高気温 38.1℃

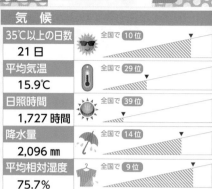

（11位）	30.6歳	初婚年齢	29.2歳	（18位）
（39位）	80.17歳	寿命	87.27歳	（14位）
（40位）	27.78万円	月額給与	21.44万円	（38位）
（9位）	171.1cm	身長	157.8cm	（22位）
（25位）	62.4kg	体重	52.4kg	（38位）

地 価

地価平均価格

住宅地

（円/㎡）
40,000 / 36,000 / 32,000 / 28,000 / 24,000 / 20,000
2011 2012 2013 2014 2015 2016 2017 2018 2019 2020（年）

商業地

（円/㎡）
72,000 / 68,000 / 64,000 / 60,000 / 56,000 / 52,000
2011 2012 2013 2014 2015 2016 2017 2018 2019 2020（年）

用途別の平均変動率

住宅地	-0.6%	33位
商業地	-0.8%	42位
工業地	0.6%	25位

住宅地の平均価格*
3万9,000円/㎡ 44位
（±0円）

商業地の最高値*
13万4,000円/㎡ 47位
（±0円）

*は鳥取市の値

旅行者（対前年同月比）

月別の宿泊者数

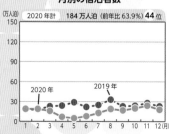

（万人泊）
2020年計 184万人泊（前年比63.9%）44位
150 / 120 / 90 / 60 / 30 / 0
2020年　2019年
1 2 3 4 5 6 7 8 9 10 11 12（月）

月別の客室稼働率

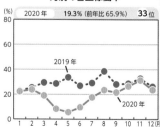

（%）
2020年 19.3%（前年比65.9%）33位
80 / 60 / 40 / 20
2019年
2020年
1 2 3 4 5 6 7 8 9 10 11 12（月）

学校・施設

- 医師数 304.8 人／10 万人（7 位）
- 病院数 7.7 施設／10 万人（20 位）
- 一般診療所数
  89.4 施設／10 万人（14 位）
- 児童福祉施設数
  55.6 施設／10 万人（4 位）
- 老人福祉センター数
  10.25 施設／10 万人（2 位）
- 小学校数 118 校（47 位）
- 高校数 32 校（47 位）

- 大学数 3 校（45 位）
- 博物館数 1.25 施設／10 万人（20 位）
- 映画館数 1.98 施設／10 万人（41 位）
- 図書館数 5.36 施設／10 万人（6 位）
- 学校の IT 化 3.57 人／台（41 位）
- 保育所数 186 カ所（47 位）
- 幼稚園数 20 校（47 位）

消 費（鳥取市の 1 世帯当たりの年間支出金額）

消費変化（対前年比）

年間消費支出
356 万 24 円 **11位**
（対前年比 105.6%）

消費支出増減率（前年同月比）
(%)

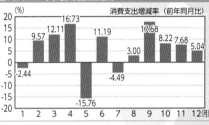

	月	増減率
1		-2.44
2		9.57
3		12.11
4		16.73
5		11.19
6		-15.76
7		3.00
8		-4.49
9		17.68
10		8.22
11		7.68
12		5.04

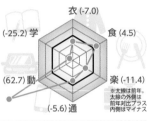

衣 (-7.0)
(-25.2) 学　　食 (4.5)
(62.7) 動　　楽 (-11.4)
(-5.6) 通

※太線は前年。
太線の外側は
前年対比プラス、
内側はマイナス

衣：被服・履物費	11 万 6,568 円	**17**	
食：食費	96 万 9,124 円	**19**	
楽：教養娯楽費	30 万 8,973 円	**20**	
通：通信費	16 万 9,484 円	**21**	
動：交通費	57 万 516 円	**1**	
学：教育費	6 万 8,831 円	**43**	

■は全国順位

鮮 魚
4 万 1,770 円（14 位）

カニ	6,045 円
サケ	4,887 円
ブリ	3,828 円
エビ	3,311 円
カレイ	3,054 円

生鮮野菜
6 万 5,851 円（37 位）

トマト	6,872 円
キャベツ	3,452 円
きゅうり	2,954 円
たまねぎ	2,925 円
レタス	2,915 円

飲 料
6 万 854 円（15 位）

コーヒー	7,656 円
果実・野菜ジュース	7,242 円
炭酸飲料	7,042 円
ミネラルウォーター	6,859 円
コーヒー飲料	6,394 円

菓 子
9 万 3,596 円（8 位）

アイスクリーム	1 万 1,014 円
ケーキ	9,139 円
スナック菓子	8,567 円
チョコレート	8,162 円
せんべい	5,661 円

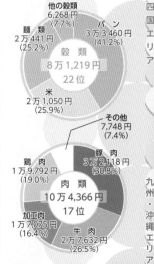

穀 類
8 万 1,219 円
22 位
- 他の穀類 6,268 円（7.7%）
- パン 3 万 3,460 円（41.2%）
- 麺 類 2 万 441 円（25.2%）
- 米 2 万 1,050 円（25.9%）
- その他 7,748 円（7.4%）

肉 類
10 万 4,366 円
17 位
- 鶏 肉 1 万 9,792 円（19.0%）
- 豚 肉 3 万 2,118 円（30.8%）
- 加工肉 1 万 7,075 円（16.4%）
- 牛 肉 2 万 7,632 円（26.5%）

島根県

木：クロマツ	魚：トビウオ	
花：ボタン	県民歌：	
鳥：ハクチョウ	薄紫の山	

農業生産

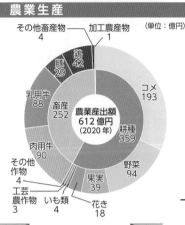

（単位：億円）

- その他畜産物 4
- 加工農産物 1
- 鶏 42
- 豚 29
- 乳用牛 88
- 畜産 252
- 肉用牛 90
- その他作物 4
- 工芸農作物 3
- いも類 4
- 花き 18
- 果実 39
- 野菜 94
- 耕種 359
- コメ 193

農業産出額 612億円（2020年）

アールスメロ
／県内広域
すべてハウス
よる立体栽培
1本のつるに
個の果実を丁
に栽培。

農業物産出額上位 **10** 品目

① 米	193億円	
② 肉用牛	90億円	
③ 生乳	77億円	
④ 鶏卵 30億円	⑧ 乳牛 11億円	
⑤ 豚 29億円	⑨ トマト 11億円	
⑥ ぶどう 27億円	⑩ ねぎ 8億円	
⑦ ブロイラー 12億円		

竹島

A 隠岐の島町

西ノ島町

隠岐諸島

海士町

知夫村

江津市

川本

E

浜田市

邑南町

益田市

F 津和野町

吉賀町

N

凡　例
- ━━━ 新幹線
- ━━━ ＪＲ
- ━━━ 国　道
- ‥‥‥ 謎・郡道

米／県内広域
仁多米は「東の魚沼、西の仁多」と称される奥出雲町産コシヒカリのブランド米。

板わかめ／沿岸部
ワカメをシート状に乾燥させたもので、島根県や北陸で生産されている。

トビウオ／沿岸部
夏を代表する「県の魚」。東製品である「飛魚（あご）予焼き」は名産品。

Ａヒオウギ貝／隠岐の島町
隠岐で養殖されたものは、貝殻がカラフル。新鮮なうちは刺身でもOK。

Ｂ出雲おろち大根／奥出雲町、出雲市、雲南市、松江市ほか
出雲地域に自生するハマダイコンから島根大学で品種改良された辛味大根。

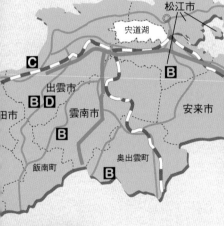

松江市

宍道湖

Ｃ

出雲市

Ｂ **Ｄ**

田市

雲南市

安来市

Ｂ

奥出雲町

Ｂ

飯南町

Ｂ

Ｂ

Ｃ十六島（うっぷるい）海苔／出雲市
十六島地域のみで獲れる。かつて最高級の岩海苔として都に献上されていた。

Ｄ出西しょうが／出雲市
川町でのみ育つブランドョウガ。繊維が少なくやらかで、爽やかな香り。

Ｅどんちっち三魚／浜田市
「どんちっち」は石見神楽を表す言葉。アジ・ノドグロ・カレイの独自ブランド。

Ｆつわの栗／津和野町
津和野産の栗は糖度が高く、品質が良いと知る人ぞ知る栗の名産地。

島根県 の 食

※松江市の1世帯当たりの年間支出金額

耕地面積(田畑計)
3万
6,400ha
(第36位)

コメの作付面積(水稲延べ)
1万
7,100ha
(第30位)

コメの収穫量(水稲)
8万
7,400t
(第28位)

肉用牛(飼育頭数)
3万
1,500頭
(第22位)

養豚(飼育頭数)
3万
9,600頭
(第32位)

ブロイラー(飼育頭数)
38万
8,000羽
(第34位)

漁獲量・天然(海面漁業)
8万
222t
(第12位)

漁獲量・養殖(海面養殖)
361t
(第32位)

食料自給率
(カロリーベース)
66%
(第14位)

エンゲル係数*
24.9
(第45位)

食品出荷額
706億
4,400万円
(第46位)

コロナ禍での消費変化～【グラフ】月別増減率～

調味料
* 4万4,211円 (第9位)

(円)
5,000
4,400
3,800
3,200
2,600
2,000
― 2019年 ― 2020年
1 2 3 4 5 6 7 8 9 10 11 12 (月)

酒類
* 4万2,178円 (第29位)

(円)
9,000
7,400
5,800
4,200
2,600
1,000
― 2019年 ― 2020年
1 2 3 4 5 6 7 8 9 10 11 12 (月)

調理食品
*12万5,045円 (第31位)

(円)
20,000
17,200
14,400
11,600
8,800
6,000
― 2019年 ― 2020年
1 2 3 4 5 6 7 8 9 10 11 12 (月)

外食
*13万8,648円 (第15位)

(円)
28,000
22,800
17,600
12,400
7,200
2,000
― 2019年 ― 2020年
1 2 3 4 5 6 7 8 9 10 11 12 (月)

島根県民力

人 口

人口	67万9,324人	第46位
人口増減数	-6,802人	第16位
人口密度	104人/km	第43位
出生率	6.9人/千人	第20位
死亡率	14.6人/千人	第5位
外国人の割合	1.40%	第26位
交通事故死亡者数	2.67人/10万人	第25位
自殺者数	18.2人/10万人	第17位
婚姻率	3.9人/千人	第42位
離婚率	1.42人/千人	第42位

暮らし

貯蓄額※	1,609万円	第25位
負債総額※	439万円	第36位
持ち家率※	74.8%	第40位
延べ床面積※	126.3m²	第11位
水道高熱費※	29万9,483円	第8位
保健医療費	1万3,740円	第21位
大学進学率	45.1%	第41位
高卒の割合	24.4%	第15位
犯罪認知件数	1,936件	第46位
少年犯罪数	1.98人/千人	第22位

※は松江市の値

経済・労働

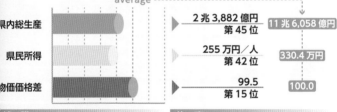

	average	
県内総生産	2兆3,882億円 第45位	11兆6,058億円
県民所得	255万円/人 第42位	330.4万円
物価価格差	99.5 第15位	100.0

就 職

第4位	第1位	第45位
1.47	0.76人	1.71%
有効求人倍率	正社員新規求人数	失業率
1.19	0.51人	2.8%

仕 事

第38位	第16位	第17位
19.28万円	1,097円	12.6年
大卒初任給	パート時給	勤続年数
21.02万円	1,081円	12.4年

産 業

製 造

事業所数 ／ 製造品出荷額

2010年	2016年	2017年	2018年	2019年
1,359	1,140	866	1,130	1,107
9,840	10,961	11,721	12,732	12,366

流通・企業

年間商品販売額	1兆4,570億円	45
年間商品販売額のうち卸売販売額	7,742億円	44
年間商品販売額のうち小売販売額	6,828億円	46
上場企業数	3	45
企業倒産数	32件	44
代表取締役出身者数	8,714人	45

□は全国順位

Data で見る 島根県

世 帯

29 万 2,134 世帯 46 位

- 他 18.0%
- 高齢者世帯 12.9%
- 単身者世帯 30.2%
- 核家族世帯 51.8%

- 平均人員 2.33 人（14 位）
- 世帯主年齢 56.9 歳（38 位）
- 子どもの人員 0.78 人（5 位）
- 高齢者の人員 0.68 人（41 位）
- 生活保護世帯数 8.2 世帯／千世帯（31 位）

気 候

		順位	
35℃以上の日数	14 日	全国で 17 位	
平均気温	15.8℃	全国で 34 位	
日照時間	1,781 時間	全国で 35 位	
降水量	2,015 mm	全国で 19 位	
平均相対湿度	76.8%	全国で 5 位	

（松江管区気象台 2020 年）

最低気温 -2.4℃／最高気温 37.3℃

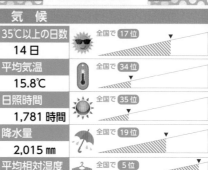

（3 位）	30.3 歳	初婚年齢	29.0 歳	（7 位）
（23 位）	80.79 歳	寿命	87.64 歳	（3 位）
（38 位）	28.23 万円	月額給与	21.86 万円	（36 位）
（31 位）	170.3cm	身長	156.9cm	（41 位）
（22 位）	62.5kg	体重	52.1kg	（44 位）

地 価

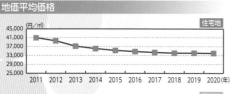

地価平均価格

住宅地

（円／㎡）
45,000 / 41,000 / 37,000 / 33,000 / 29,000 / 25,000
2011 2012 2013 2014 2015 2016 2017 2018 2019 2020（年）

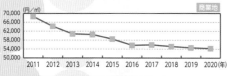

商業地

（円／㎡）
70,000 / 66,000 / 62,000 / 58,000 / 54,000 / 50,000
2011 2012 2013 2014 2015 2016 2017 2018 2019 2020（年）

用途別の平均変動率

住宅地	-0.5%	30 位
商業地	-1.1%	47 位
工業地	-0.6%	45 位

住宅地の平均価格*
4 万 8,400 円／㎡ 35 位
（＋ 200 円）

商業地の最高値*
16 万 9,000 円／㎡ 44 位
（＋2,000 円）

＊は松江市の値

旅行者 （対前年同月比）

月別の宿泊者数

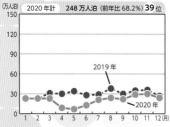

（万人泊） 2020 年計 248 万人泊（前年比 68.2%）39 位
150 / 120 / 90 / 60 / 30 / 0
1 2 3 4 5 6 7 8 9 10 11 12（月）

2019 年
2020 年

月別の客室稼働率

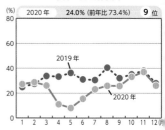

（%） 2020 年 24.0%（前年比 73.4%） 9 位
80 / 60 / 40 / 20 / 0
1 2 3 4 5 6 7 8 9 10 11 12（月）

2019 年
2020 年

学校・施設

- 医師数 286.3 人／10 万人（11 位）
- 病院数 7.3 施設／10 万人（24 位）
- 一般診療所数
  106.1 施設／10 万人（2 位）
- 児童福祉施設数
  50.9 施設／10 万人（7 位）
- 老人福祉センター数
  8.61 施設／10 万人（3 位）
- 小学校数 200 校（39 位）
- 高校数 47 校（39 位）

- 大学数 2 校（46 位）
- 博物館数 3.24 施設／10 万人（3 位）
- 映画館数 2.23 施設／10 万人（37 位）
- 図書館数 5.88 施設／10 万人（3 位）
- 学校の IT 化 4.37 人／台（30 位）
- 保育所数 295 カ所（36 位）
- 幼稚園数 89 校（33 位）

消　費（松江市の 1 世帯当たりの年間支出金額）

年間消費支出
353 万 4,227 円　**14 位** （対前年比 106.7%）

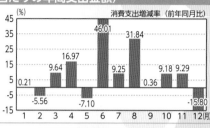

消費支出増減率（前年同月比）

0.21	1		
-5.56	2		
9.64	3		
16.97	4		
-7.10	5		
46.01	6		
9.25	7		
31.84	8		
0.36	9		
9.18	10		
9.29	11		
-15.80	12（月）		

消費変化（対前年比較）

- 衣 (-16.3)
- (37.4) 学
- 食 (7.4)
- (14.8) 動
- 楽 (6.6)
- (8.1) 通

※太線は前年。
太線の外側は
前年対比プラス、
内側はマイナス

衣：被服・履物費	10 万 9,097 円	27
食：食費	92 万 1,802 円	34
楽：教養娯楽費	30 万 438 円	25
通：通信費	18 万 5,810 円	7
動：交通費	41 万 2,633 円	9
学：教育費	9 万 9,858 円	32

■は全国順位

鮮 魚

3 万 3,409 円（45 位）

ナケ	4,617 円
ブリ	3,950 円
ウニ	2,365 円
エビ	2,265 円
アジ	2,167 円

生鮮野菜

7 万 2,596 円（28 位）

トマト	8,047 円
きゅうり	3,516 円
ね ぎ	3,492 円
キャベツ	3,446 円
たまねぎ	3,237 円

飲料

5 万 2,641 円（44 位）

コーヒー	7,455 円
炭酸飲料	6,689 円
果実・野菜ジュース	6,043 円
茶飲料	4,811 円
乳酸菌飲料	3,836 円

菓子

8 万 2,218 円（34 位）

アイスクリーム	8,167 円
ケーキ	7,638 円
チョコレート	6,636 円
スナック菓子	6,029 円
せんべい	4,193 円

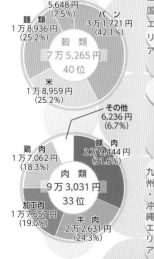

穀 類
7 万 5,265 円
40 位

- 他の穀類 5,648 円（7.5%）
- パン 3 万 1,721 円（42.1%）
- 麺 類 1 万 8,936 円（25.2%）
- 米 1 万 8,959 円（25.2%）
- その他 6,236 円（6.7%）

肉 類
9 万 3,031 円
33 位

- 鶏 肉 1 万 7,062 円（18.3%）
- 豚 肉 2 万 9,444 円（31.6%）
- 加工肉 1 万 7,657 円（19.0%）
- 牛 肉 2 万 2,631 円（24.3%）

岡山県

農業生産

その他畜産物 1　加工農産物 0
（単位：億円）

豚 15
鶏 331
コメ 324
畜産 581
農業産出額 1,417 億円（2020 年）
耕種 835
乳用牛 136
野菜 205
その他作物 26
工芸農作物 1
いも類 6
花き 24
肉用牛 97
果実 249

縦書き：
夏に出荷し、冬まで日持ちする冬瓜は、日差しの強い瀬戸内市牛窓地区の特産品。

F 冬　瓜／瀬戸内市ほか

農業物産出額上位 10 品目

① 米　　　324 億円
② 鶏卵　　241 億円
③ ぶどう　181 億円

④ 生乳 118 億円
⑤ 肉用牛 97 億円
⑥ ブロイラー 76 億円
⑦ もも 48 億円
⑧ なす 19 億円
⑨ 乳牛 18 億円
⑩ トマト 16 億円

G 里庄まこもだけ／里庄町
イネ科マコモに黒穂菌がついて肥大化したマコモタケは、中華料理の高級食材。

地図：
新庄村
A
真庭市
B
新見市
C
吉備中央町
高梁市
D
総社市
井原市
D
矢掛町
笠岡市
倉敷市
D E
浅口市
里庄町
G
早島町

N

ままかり／瀬戸内海沿岸
ニシン科サッパ。「まま(飯)」を「借り」に行くほどおいしい魚として親しまれる。

シャコ／瀬戸内海沿岸
昔、瀬戸内海では獲れすぎて畑の肥料に使われていたとか。ばらずしの具材。

Aひめのもち／新庄村ほか
村全体でモチ米「ヒメノモチ」をブランド化。杵つきモチはキメ細かく粘りが強い。

鏡野町

西粟倉村

津山市

奈義町

勝央町

美作市

咲町

久米南町

備前市

和気町

赤磐市

岡山市

瀬戸内市

F

野市

Bジャージー牛／真庭市ほか
国内飼育頭数1万頭あまりのジャージー牛のうち、蒜山高原は有数の飼育地。

Cキャビア／新見市
新見漁業協同組合がチョウザメの養殖に挑戦し、国産キャビアの生産に成功。

D桃太郎ぶどう／岡山市、倉敷市、高梁市、井原市
品種は瀬戸ジャイアンツ。パリっとした食感の種なしブドウ。皮ごと食べられる。

E下津井ダコ／倉敷市
身が締まった「寒ダコ」をつるして干した干しダコは、マダコのうまみが凝縮。

凡　例
- - - - 新幹線
JR
国　道
県道・町道等

213

岡山県 の 食

*岡山市の1世帯当たりの年間支出金額

耕地面積(田畑計)
6万3,600ha
(第21位)

コメの作付面積(水稲延べ)

2万9,800ha
(第19位)

コメの収穫量(水稲)

15万500t
(第18位)

肉用牛(飼育頭数)
3万3,300頭
(第20位)

養豚(飼育頭数)
4万100頭
(第31位)

ブロイラー(飼育頭数)

254万5,000羽
(第11位)

漁獲量・天然(海面漁業)

3,232t
(第39位)

漁獲量・養殖(海面養殖)

1万8,893t
(第17位)

食料自給率(カロリーベース)
36%
(第27位)

エンゲル係数*

27.4
(第16位)

食品出荷額

5,502億6,000万円
(第20位)

コロナ禍での消費変化～【グラフ】月別増減率～

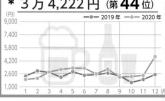

調味料
*3万7,380円(第45位)

(円)
5,000 / 4,400 / 3,800 / 3,200 / 2,600 / 2,000
―●― 2019年 ―●― 2020年
1 2 3 4 5 6 7 8 9 10 11 12 (月)

酒類
*3万4,222円(第44位)

(円)
9,000 / 7,400 / 5,800 / 4,200 / 2,600 / 1,000
―●― 2019年 ―●― 2020年
1 2 3 4 5 6 7 8 9 10 11 12 (月)

調理食品
*12万2,252円(第34位)

(円)
20,000 / 17,200 / 14,400 / 11,600 / 8,800 / 6,000
―●― 2019年 ―●― 2020年
1 2 3 4 5 6 7 8 9 10 11 12 (月)

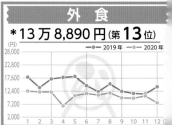

外食
*13万8,890円(第13位)

(円)
28,000 / 22,800 / 17,600 / 12,400 / 7,200 / 2,000
―●― 2019年 ―●― 2020年
1 2 3 4 5 6 7 8 9 10 11 12 (月)

岡山県民力

人口

人口	190万3,627人	第20位
人口増減数	-8,095人	第20位
人口密度	270人／km²	第24位
出生率	7.3人／千人	第10位
死亡率	11.8人／千人	第31位
外国人の割合	1.64%	第21位
交通事故死亡者数	3.28人／10万人	第14位
自殺者数	14.1人／10万人	第39位
婚姻率	4.7人／千人	第8位
離婚率	1.64人／千人	第23位

暮らし

貯蓄額*	1,643万円	第23位
負債総額*	512万円	第24位
持ち家率*	72.8%	第44位
延べ床面積*	107.1m²	第32位
水道光熱費*	24万7,831円	第34位
保健医療費*	1万3,493円	第24位
大学進学率	51.8%	第25位
高卒の割合	22.8%	第20位
犯罪認知件数	7,832件	第20位
少年犯罪数	2.95人／千人	第6位

*は岡山市の値

経済・労働

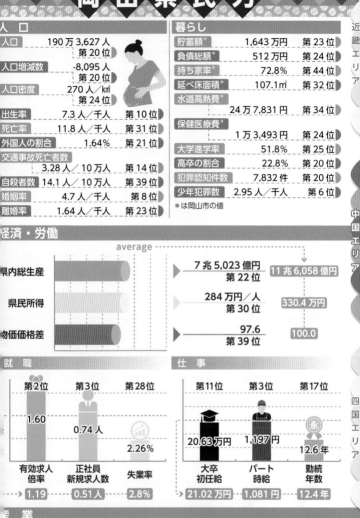

average

県内総生産	7兆5,023億円 第22位	11兆6,058億円
県民所得	284万円／人 第30位	330.4万円
物価価格差	97.6 第39位	100.0

就職

第2位	第3位	第28位
1.60	0.74人	2.26%
有効求人倍率	正社員新規求人数	失業率
1.19	0.51人	2.8%

仕事

第11位	第3位	第17位
20.63万円	1,197円	12.6年
大卒初任給	パート時給	勤続年数
21.02万円	1,081円	12.4年

産業

製造

	2010年	2016年	2017年	2018年	2019年
事業所数	3,695	3,272	2,270	3,161	3,138
製造品出荷額	77,006	70,919	76,032	83,543	76,988

（億円）

流通・企業

年間商品販売額	4兆6,699億円	19
年間商品販売額のうち卸売販売額	2兆6,880億円	19
年間商品販売額のうち小売販売額	1兆9,819億円	21
上場企業数	20	21
企業倒産数	75件	23
代表取締役出身者数	1万9,210人	19

□は全国順位

215

Data で見る 岡山県

世 帯

85 万 4,521 世帯 18 位

- 他 11.9%
- 高齢者世帯 12.8%
- 単身者世帯 32.2%
- 核家族世帯 55.9%

- 平均人員 2.23 人（25 位）
- 世帯主年齢 55.2 歳（45 位）
- 子どもの人員 0.76 人（8 位）
- 高齢者の人員 0.66 人（44 位）
- 生活保護世帯数 4.4 世帯／千世帯（45 位）

気 候

35℃以上の日数 24 日	全国で 2 位
平均気温 16.5℃	全国で 24 位
日照時間 2,162 時間	全国で 15 位
降水量 1,154 mm	全国で 44 位
平均相対湿度 70.8%	全国で 27 位

（岡山管区気象台 2020 年）

最低気温 -2.5℃／最高気温 38.2℃

(2 位)	30.2 歳	初婚年齢	28.8 歳	(1 位)
(13 位)	81.03 歳	寿命	87.673 歳	(2 位)
(23 位)	30.90 万円	月額給与	23.29 万円	(20 位)
(40 位)	169.9cm	身長	157.1cm	(37 位)
(34 位)	62.1kg	体重	52.0kg	(46 位)

地 価

地価平均価格

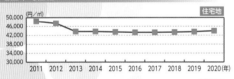

住宅地

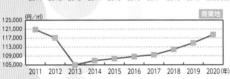

商業地

用途別の平均変動率

住宅地	0.0%	21 位
商業地	1.0%	19 位
工業地	1.6%	16 位

住宅地の平均価格*
5 万 9,800 円／㎡ 28 位
（＋ 1,100 円）

商業地の最高値*
152 万円／㎡ 15 位
（＋12 万円）

*は岡山市の値

旅行者（対前年同月比）

月別の宿泊者数

2020 年計 347 万人泊（前年比 61.3%）29 位

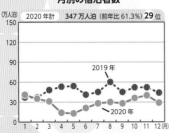

月別の客室稼働率

2020 年 21.2%（前年比 58.9%）26 位

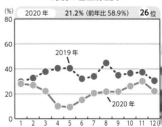

学校・施設

- 医師数 308.2 人／ 10 万人 (4 位)
- 病院数 8.5 施設／ 10 万人 (17 位)
- 一般診療所数
  87.3 施設／ 10 万人 (15 位)
- 児童福祉施設数
  32.8 施設／ 10 万人 (34 位)
- 老人福祉センター数
  6.61 施設／ 10 万人 (14 位)
- 小学校数 389 校 (16 位)
- 高校数 86 校 (19 位)

- 大学数 18 校 (13 位)
- 博物館数 1.69 施設／ 10 万人 (11 位)
- 映画館数 2.01 施設／ 10 万人 (40 位)
- 図書館数 3.69 施設／ 10 万人 (13 位)
- 学校の IT 化 4.20 人／台 (33 位)
- 保育所数 440 カ所 (23 位)
- 幼稚園数 224 校 (15 位)

消費変化（対前年比較）

消費（岡山市の 1 世帯当たりの年間支出金額）

年間消費支出
314 万 8,620 円 **38 位**
(対前年比 85.6％)

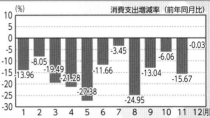

消費支出増減率（前年同月比）

月	増減率(%)
1	-13.96
2	-8.05
3	-19.49
4	-21.28
5	-27.38
6	-11.66
7	-3.45
8	-24.95
9	-6.06
10	-13.04
11	-15.67
12	-0.03

衣 (-19.1)
(-0.6) 学
食 (-3.0)
(-37.5) 動
楽 (-25.0)
(10.3) 通

※太線は前年。
太線の外側は
前年対比プラス、
内側はマイナス

衣：被服・履物費	11 万 5,674 円	**20**
食：食費	90 万 1,090 円	**40**
楽：教養娯楽費	25 万 9,672 円	**41**
通：通信費	17 万 3,249 円	**14**
動：交通費	26 万 9,479 円	**34**
学：教育費	14 万 2,758 円	**12**

■は全国順位

鮮魚

3 万 6,258 円 (34 位)

サケ	4,865 円
エビ	3,565 円
ブリ	3,517 円
イカ	1,880 円
マグロ	1,646 円

生鮮野菜

6 万 1,149 円 (45 位)

トマト	6,346 円
キャベツ	3,098 円
ねぎ	3,020 円
たまねぎ	2,769 円
じゃがいも	2,624 円

飲料

5 万 6,349 円 (33 位)

果実・野菜ジュース	7,726 円
茶飲料	7,146 円
コーヒー	6,706 円
コーヒー飲料	6,050 円
炭酸飲料	5,614 円

菓子

8 万 3,270 円 (30 位)

アイスクリーム	9,754 円
ケーキ	7,461 円
チョコレート	6,281 円
スナック菓子	5,336 円
せんべい	4,229 円

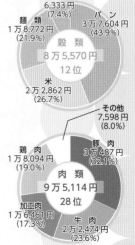

他の穀類
6,333 円
(7.4%)

麺類
1 万 8,772 円
(21.9%)

パン
3 万 7,604 円
(43.9%)

穀類
8 万 5,570 円
12 位

米
2 万 2,862 円
(26.7%)

その他
7,598 円
(8.0%)

鶏肉
1 万 8,094 円
(19.0%)

豚肉
3 万 487 円
(32.1%)

肉類
9 万 5,114 円
28 位

加工肉
1 万 6,461 円
(17.3%)

牛肉
2 万 2,474 円
(23.6%)

近畿エリア

中国エリア

四国エリア

九州・沖縄エリア

広島県

県の

木：モミジ　　鳥：アビ
花：モミジ　　魚：カキ

農業生産

（単位：億円）

その他畜産物 3　加工農産物 1

乳用牛 62
豚 89
その他作物 1
工芸農作物 1
いも類 11
花き 26

鶏 242
畜産 467
肉用牛 71
果実 172

農業産出額
1,168億円
（2020年）

コメ 247
耕種 700
野菜 236

農業物産出額上位 **10** 品目

①	米	247 億円
②	鶏卵	215 億円
③	豚	89 億円

④ 肉用牛 71 億円	⑧ ねぎ 36 億円
⑤ 生乳 54 億円	⑨ ぶどう 30 億円
⑥ みかん 51 億円	⑩ ほうれんそう 20 億円
⑦ トマト 36 億円	

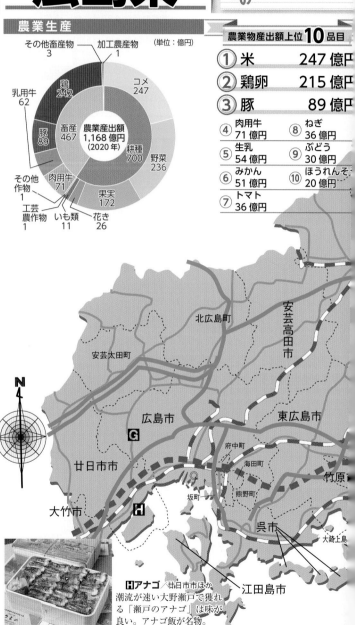

北広島町

安芸高田市

安芸太田町

N

広島市 **G**

東広島市

廿日市市

府中町
海田町
坂町
熊野町

竹原

大竹市 **H**

呉市

大崎上島

江田島市

H アナゴ　廿日市市ほか。潮流が速い大野瀬戸で獲れる「瀬戸のアナゴ」は味が良い。アナゴ飯が名物。

メバル／瀬戸内海沿岸
広島では「春告魚」とも呼ばれ、広島湾七大海の幸の一つ。煮付けが一般的。

Aサヨリ／福山市ほか
瀬戸内海では冬〜春がサヨリの旬。サヨリの干物は鞆の浦の冬の風物詩。

Bハッサク／尾道市ほか
万延年間（1860年頃）に発生した実生に由来するハッサクは、因島が発祥地。

C青パパイヤ／尾道市
新しい農業モデルにより尾道産の青パパイヤが誕生。地域活性につなぐ。

Dワケギ／尾道市、三原市ほか
広島が日本一の生産地。種球を植えつけると、そこから株分かれして増える。

原市

神石高原町

三次市

府中市

尾道市　福山市

E
C
D
F A
B

E阿部白桃／三原市
阿部農園で育種・品種登録した桃。ジャンボサイズで、シャキシャキの食感。

F保命酒／福山市
16種類の薬味をみりんに漬け込んだ薬味酒。鞆の浦の名産品で起源は350年前。

凡　例
――― 新幹線
――― J R
――― 国　道
県・府界

G広島菜／広島市
ほとんどが漬物に加工。広島菜漬は野沢菜漬や高菜漬と並ぶ日本三大菜漬の一つ。

広島県 の 食

*広島市の1世帯当たりの年間支出金額

耕地面積(田畑計)
5万3,500ha
(第27位)

コメの作付面積(水稲延べ)
2万2,600ha
(第25位)

コメの収穫量(水稲)
11万2,800t
(第24位)

肉用牛(飼育頭数)
2万4,900頭
(第24位)

養豚(飼育頭数)
11万800頭
(第22位)

ブロイラー(飼育頭数)
76万5,000羽
(第27位)

漁獲量・天然(海面漁業)
1万3,933t
(第31位)

漁獲量・養殖(海面養殖)
10万1,952t
(第1位)

食料自給率(カロリーベース)
23%
(第36位)

エンゲル係数*
27.5
(第14位)

食品出荷額
6,514億9,100万円
(第17位)

コロナ禍での消費変化～[グラフ] 月別増減率～

調味料
* 4万4,037円 (第10位)

酒 類
* 5万666円 (第11位)

調理食品
*14万1,421円 (第12位)

外 食
*12万6,944円 (第25位)

広島県民力

人口

人口	282万6,858人	第12位
人口増減数	-11,774人	第32位
人口密度	335人/km	第17位
出生率	7.3人/千人	第10位
死亡率	11.3人/千人	第34位
外国人の割合	2.01%	第18位
交通事故死亡者数	2.53人/10万人	第29位
自殺者数	15.3人/10万人	第34位
婚姻率	4.8人/千人	第7位
離婚率	1.62人/千人	第28位

暮らし

貯蓄額*	1,826万円	第15位
負債総額*	376万円	第40位
持ち家率*	80.1%	第30位
延べ床面積*	102.6m	第35位
水道高熱費*	26万1,355円	第20位
保健医療費*	1万6,707円	第4位
大学進学率	61.3%	第5位
高卒の割合	14.9%	第39位
犯罪認知件数	1万1,726件	第13位
少年犯罪数	2.93人/千人	第7位

*は広島市の値

経済・労働

項目	値	順位	average
県内総生産	11兆4,044億円	第12位	11兆6,058億円
県民所得	317万円/人	第14位	330.4万円
物価格差	99.0	第21位	100.0

就職

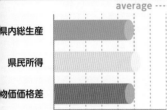

有効求人倍率	正社員新規求人数	失業率
第5位	第15位	第24位
1.44	0.64人	2.36%
1.19	0.51人	2.8%

仕事

大卒初任給	パート時給	勤続年数
第12位	第8位	第5位
20.62万円	1,145円	13.2年
21.02万円	1,081円	12.4年

産業

製造

事業所数	製造品出荷額

年	事業所数	製造品出荷額
2010年	5,490	87,325
2016年	4,920	99,415
2017年	3,640	100,404
2018年	4,688	100,397
2019年	4,561	97,272

流通・企業

項目	値	全国順位
年間商品販売額	9兆8,276億円	10
年間商品販売額のうち卸売販売額	6兆7,115億円	9
年間商品販売額のうち小売販売額	3兆1,162億円	11
上場企業数	45	12
企業倒産数	167件	12
代表取締役出身者数	2万8,655人	11

□は全国順位

Data で見る 広島県

世帯

他 8.0%
高齢者世帯 13.0%

132万4,413世帯
11位

単身者世帯 34.5%

核家族世帯 57.5%

- 平均人員 2.13 人（34 位）
- 世帯主年齢 59.0 歳（25 位）
- 子どもの人員 0.69 人（13 位）
- 高齢者の人員 0.82 人（20 位）
- 生活保護世帯数 4.3 世帯／千世帯（46 位）

気候

			全国で
35℃以上の日数	15 日		14 位
平均気温	17.1℃		17 位
日照時間	2,167 時間		12 位
降水量	2,027 mm		17 位
平均相対湿度	61.0%		47 位

（広島管区気象台 2020 年）
最低気温 -0.3℃／最高気温 37.1℃

（9 位）	30.5 歳	初婚年齢	29.1 歳	（12 位）
（9 位）	81.08 歳	寿命	87.33 歳	（10 位）
（10 位）	32.73 万円	月額給与	24.55 万円	（10 位）
（29 位）	170.4cm	身長	157.4cm	（33 位）
（30 位）	62.3kg	体重	51.9kg	（47 位）

地価

地価平均価格

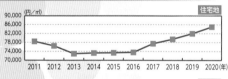

住宅地

90,000（円／㎡）
86,000
82,000
78,000
74,000
70,000
2011 2012 2013 2014 2015 2016 2017 2018 2019 2020（年）

商業地

400,000（円／㎡）
360,000
320,000
280,000
240,000
200,000
2011 2012 2013 2014 2015 2016 2017 2018 2019 2020（年）

用途別の平均変動率

住宅地	1.3%	7 位
商業地	3.9%	9 位
工業地	2.2%	10 位

住宅地の平均価格*
13 万 2,600 円／㎡ 10 位
（+ 6,200 円）

商業地の最高値*
355 万円／㎡ 10 位
（+27 万円）

＊は広島市の値

旅行者 （対前年同月比）

月別の宿泊者数

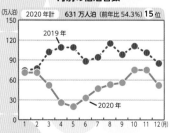

（万人泊） 2020 年計 631 万人泊（前年比 54.3%）15 位

150
120
90
60
30

2019 年
2020 年

1 2 3 4 5 6 7 8 9 10 11 12（月）

月別の客室稼働率

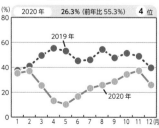

（%） 2020 年 26.3%（前年比 55.3%） 4 位

80
60
40
20

2019 年
2020 年

1 2 3 4 5 6 7 8 9 10 11 12（月）

学校・施設

- 医師数 258.6 人／10 万人（19 位）
- 病院数 8.5 施設／10 万人（17 位）
- 一般診療所数
  91.4 施設／10 万人（11 位）
- 児童福祉施設数
  35.9 施設／10 万人（26 位）
- 老人福祉センター数
  4.96 施設／10 万人（28 位）
- 小学校数 475 校（13 位）
- 高校数 130 校（11 位）

- 大学数 20 校（12 位）
- 博物館数 1.06 施設／10 万人（29 位）
- 映画館数 2.82 施設／10 万人（23 位）
- 図書館数 2.98 施設／10 万人（23 位）
- 学校の IT 化 6.27 人／台（4 位）
- 保育所数 680 カ所（11 位）
- 幼稚園数 225 校（14 位）

消　費（広島市の 1 世帯当たりの年間支出金額）

年間消費支出
344 万 7,087 円 **20 位**
（対前年比 93.1%）

消費支出増減率（前年同月比）

(月)	1	2	3	4	5	6	7	8	9	10	11	12
(%)	-10.77	-17.22	-13.51	-13.29	-23.00	0.75	3.24	-13.56	-18.72	6.68	2.99	22.80

衣 (-26.9)
(-32.8) 学
食 (2.4)
(-22.8) 動
楽 (-17.4)
(3.6) 通

※太線は前年。
太線の外側は
前年対比プラス、
内側はマイナス

衣：被服・履物費	11 万 300 円	24
食：食費	99 万 3,045 円	11
楽：教養娯楽費	32 万 6,417 円	12
通：通信費	17 万 1,120 円	17
動：交通費	31 万 457 円	26
学：教育費	12 万 5,080 円	19

■は全国順位

鮮　魚

4 万 880 円（17 位）

サ ケ	6,083 円
ブ リ	4,438 円
エ ビ	3,159 円
マグロ	2,286 円
タ コ	1,651 円

生鮮野菜

7 万 6,159 円（21 位）

トマト	8,037 円
きゅうり	3,756 円
ね ぎ	3,498 円
たまねぎ	3,457 円
じゃがいも	3,361 円

飲　料

5 万 6,361 円（32 位）

果実・野菜ジュース	8,526 円
コーヒー	8,006 円
茶飲料	6,258 円
炭酸飲料	5,261 円
乳酸菌飲料	4,880 円

菓　子

8 万 5,232 円（25 位）

アイスクリーム	9,312 円
ケーキ	7,679 円
チョコレート	6,726 円
スナック菓子	5,144 円
せんべい	4,263 円

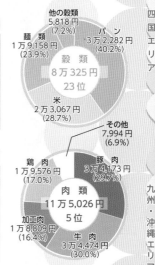

他の穀類
5,818 円
(7.2%)

パン
3 万 2,282 円
(40.2%)

麺 類
1 万 9,158 円
(23.9%)

穀 類
8 万 325 円
23 位

米
2 万 3,067 円
(28.7%)

その他
7,994 円
(6.9%)

鶏 肉
1 万 9,576 円
(17.0%)

豚 肉
3 万 4,173 円
(29.7%)

肉 類
11 万 5,026 円
5 位

加工肉
1 万 8,809 円
(16.4%)

牛 肉
3 万 4,474 円
(30.0%)

山口県

農業生産

農業物産出額上位 **10** 品目

① 米		204 億円
② 肉用牛		47 億円
③ 鶏卵		43 億円
④ ブロイラー 38 億円	⑧ みかん 16 億円	
⑤ いちご 24 億円	⑨ 豚 16 億円	
⑥ 生乳 18 億円	⑩ トマト 15 億円	
⑦ ねぎ 17 億円		

（単位：億円）

その他畜産物 3　加工農産物 0
乳用牛 23
豚 16
鶏 89
その他作物 14
畜産 178
コメ 204
農業産出額 629 億円（2020 年）
肉用牛 47
耕種 451
花き 28
果実 47
野菜 148
いも類 8
工芸農作物 2

地図

凡例
- 新幹線
- JR
- 国道
- 高速・有料道路

阿武町
B
萩市
C
長門市
C E F
山口市
美祢市
D
下関市
宇部市
防府市
D
山陽小野田市

E 長州黒かしわ／長門市
天然記念物「黒柏鶏」が男親の地鶏。適度な歯ごたえでやわらかくジューシー。

F 白オクラ／長門市
白っぽい色のオクラ。約 50 年前に海外から持ち帰られたとも伝えられる。

瀬つきあじ
／下関市沖〜萩市沖

旨がのりふっくらした瀬つきあじは、やや黄色みを帯び、キアジとも呼ばれる。

山口県産きじはた
／沿岸地域

フグのような歯ごたえで、「冬のふぐ、夏のきじはた」とも称される幻の高級魚。

周防瀬戸のタコ
／瀬戸内海東部

複雑な地形や潮流によりエサが豊富で、周防瀬戸のタコは足が太く身がやわらか。

Ａ岩国れんこん／岩国市

江戸時代の岩国藩主・吉川家の家紋に形が似ており、殿様に喜ばれたとされる。

Ｂやまぐちのあまだい
／萩市ほか

はえ縄漁業または釣りで漁獲し、500ｇ以上の高鮮度なアマダイをブランド化。

Ｃ萩たまげなす
／長門市、萩市ほか

「田屋ナス」という品種のうち、普通の3〜4倍のジャンボサイズのナス。

Ｄ美東ゴボウ／美祢市、防府市
カルスト台地の赤土により、やわらかい肉質と風味の良さが高く評価されている。

Ｇゆめほっぺ
／周防大島町ほか

山口県育成「せとみ」のブランド。温州みかんの倍近い大きさで甘い。

和木町

岩国市

南市

岩国市

下松市　光市　柳井市

田布施町　平生町

周防大島町

上関町

柳井市

山口県 の 食

＊山口市の1世帯当たりの年間支出金額

耕地面積（田畑計）
4万4,900ha
（第32位）

コメの作付面積（水稲延べ）
1万8,900ha
（第29位）

コメの収穫量（水稲）
7万3,000t
（第33位）

肉用牛（飼育頭数）
1万4,700頭
（第34位）

養豚（飼育頭数）
2万3,300頭
（第37位）

ブロイラー（飼育頭数）
154万4,000羽
（第17位）

漁獲量・天然（海面漁業）
2万2,453t
（第25位）

漁獲量・養殖（海面養殖）
1,233t
（第27位）

食料自給率（カロリーベース）
32%
（第31位）

エンゲル係数＊
25.1
（第44位）

食品出荷額
2,199億1,400万円
（第35位）

コロナ禍での消費変化〜【グラフ】月別増減率〜

調味料
＊4万1,348円（第29位）

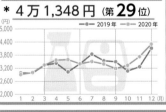

酒　類
＊4万5,076円（第19位）

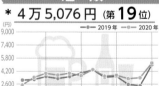

調理食品
＊11万9,911円（第38位）

外　食
＊10万8,474円（第41位）

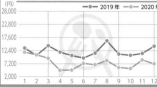

山口県民力

人口

人口	136万9,882人	第27位
人口増減数	-13,197人	第35位
人口密度	230人/km²	第28位
出生率	6.5人/千人	第30位
死亡率	14.2人/千人	第7位
外国人の割合	1.28%	第27位
交通事故死亡者数	3.09人/10万人	第16位
自殺者数	16.9人/10万人	第26位
婚姻率	4.2人/千人	第31位
離婚率	1.60人/千人	第33位

暮らし

貯蓄額*	1,631万円	第24位
負債総額*	794万円	第2位
持ち家率*	77.7%	第35位
延べ床面積*	124.0m²	第12位
水道高熱費*	26万3,250円	第19位
保健医療費*	1万2,254円	第37位
大学進学率	44.3%	第44位
高卒の割合	30.9%	第2位
犯罪認知件数	4,137件	第31位
少年犯罪数	2.04人/千人	第20位

*は山口市の値

経済・労働

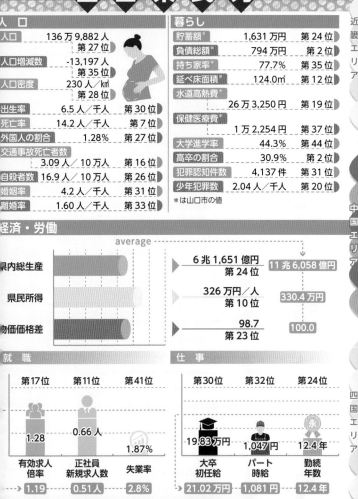

average

項目	値	順位	average
県内総生産	6兆1,651億円	第24位	11兆6,058億円
県民所得	326万円/人	第10位	330.4万円
物価価格差	98.7	第23位	100.0

就職

	第17位	第11位	第41位
	1.28	0.66人	1.87%
	有効求人倍率	正社員新規求人数	失業率
average	1.19	0.51人	2.8%

仕事

	第30位	第32位	第24位
	19.83万円	1,047円	12.4年
	大卒初任給	パート時給	勤続年数
average	21.02万円	1,081円	12.4年

産業

製造

事業所数　製造品出荷額

	2010年	2016年	2017年	2018年	2019年
事業所数	2,054	1,735	1,173	1,703	1,667
製造品出荷額	63,487	56,090	61,097	67,012	65,502

流通・企業

項目	値	全国順位
年間商品販売額	2兆8,099億円	32
年間商品販売額のうち卸売販売額	1兆3,552億円	33
年間商品販売額のうち小売販売額	1兆4,547億円	26
上場企業数	21	18
企業倒産数	65件	29
代表取締役出身者数	1万5,200人	29

□は全国順位

227

Data で見る 山口県

世帯

他 8.8%
高齢者世帯 15.1%

66万790世帯 26位

単身者世帯 33.3%
核家族世帯 57.9%

- 平均人員 2.07人（42位）
- 世帯主年齢 56.5歳（42位）
- 子どもの人員 0.78人（5位）
- 高齢者の人員 0.67人（43位）
- 生活保護世帯数 13.0世帯／千世帯（20位）

気候

項目	値	全国順位
35℃以上の日数	15日	全国で 14位
平均気温	16.1℃	全国で 28位
日照時間	2,007時間	全国で 24位
降水量	2,277mm	全国で 11位
平均相対湿度	75.4%	全国で 12位

（山口管区気象台 2020年）

最低気温 -3.1℃／最高気温 38.6℃

		初婚年齢 28.9歳	(2位)
(3位)	30.3歳	初婚年齢 28.9歳	(2位)
(30位)	80.51歳	寿命 86.88歳	(31位)
(21位)	30.94万円	月額給与 22.82万円	(30位)
(31位)	170.3cm	身長 157.2cm	(36位)
(25位)	62.4kg	体重 52.6kg	(33位)

地価

地価平均価格

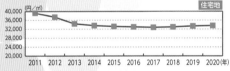

住宅地

用途別の平均変動率

住宅地	0.3%	17位
商業地	-0.2%	26位
工業地	-0.5%	43位

― 住宅地の平均価格* ―
3万2,700円／㎡ 46位
（＋300円）

― 商業地の最高値* ―
16万円／㎡ 46位
（±0円）

*は山口市の値

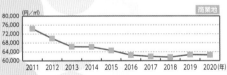

商業地

旅行者（対前年同月比）

月別の宿泊者数

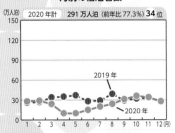

2020年計 291万人泊（前年比77.3%）34位

2019年
2020年

月別の客室稼働率

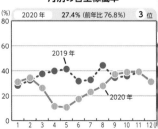

2020年 27.4%（前年比76.8%）3位

2019年
2020年

学校・施設

- 医師数 252.9 人／10 万人（22 位）
- 病院数 10.7 施設／10 万人（9 位）
  一般診療所数
  91.3 施設／10 万人（13 位）
  児童福祉施設数
  37.8 施設／10 万人（23 位）
  老人福祉センター数
  6.48 施設／10 万人（17 位）
  小学校数 303 校（27 位）
  高校数 79 校（21 位）

- 大学数 10 校（20 位）
- 博物館数 1.68 施設／10 万人（12 位）
- 映画館数 2.28 施設／10 万人（36 位）
- 図書館数 4.01 施設／10 万人（9 位）
- 学校の IT 化 4.20 人／台（35 位）
- 保育所数 302 カ所（34 位）
- 幼稚園数 166 校（19 位）

消費（山口市の1世帯当たりの年間支出金額）

消費変化（対前年比較）

年間消費支出
343 万 3,556 円　**21 位**
（対前年比 93.4%）

消費支出増減率（前年同月比）

月	増減率(%)
1	-9.23
2	-7.20
3	-0.35
4	-16.07
5	8.27
6	
7	9.74
8	-2.63
9	-1.63
10	1.59
11	-2.99
12	-35.31 / -3.52

衣 (2.0)
(-24.4) 学
(-7.3) 動
(-6.7) 通
楽 (-9.9)
食 (-4.2)

※太線は前年。
太線の外側は前年対比プラス、内側はマイナス

衣：被服・履物費	13 万 173 円	**7**
食：食費	90 万 3,309 円	**39**
楽：教養娯楽費	31 万 4,071 円	**17**
通：通信費	15 万 7,238 円	**36**
動：交通費	45 万 581 円	**7**
学：教育費	9 万 4,935 円	**33**

■は全国順位

鮮魚

3 万 8,276 円（23 位）

サケ	4,819 円
ブリ	3,979 円
エビ	2,553 円
マグロ	2,279 円
アジ	1,902 円

生鮮野菜

6 万 2,143 円（44 位）

トマト	6,930 円
たまねぎ	3,120 円
ねぎ	3,100 円
きゅうり	3,048 円
キャベツ	2,974 円

飲料

5 万 7,949 円（26 位）

果実・野菜ジュース	8,266 円
炭酸飲料	7,735 円
コーヒー	7,375 円
茶飲料	6,717 円
コーヒー飲料	5,303 円

菓子

9 万 406 円（13 位）

アイスクリーム	9,543 円
スナック菓子	8,339 円
チョコレート	8,124 円
ケーキ	7,973 円
せんべい	6,170 円

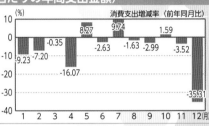

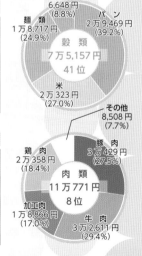

穀類
7 万 5,157 円
41 位
- 他の穀類 6,648 円（8.8%）
- パン 2 万 9,469 円（39.2%）
- 麺類 1 万 8,717 円（24.9%）
- 米 2 万 323 円（27.0%）
- その他 8,508 円（7.7%）

肉類
11 万 771 円
8 位
- 鶏肉 2 万 358 円（18.4%）
- 豚肉 3 万 429 円（27.5%）
- 加工肉 1 万 8,866 円（17.0%）
- 牛肉 3 万 2,611 円（29.4%）

四国

徳島県

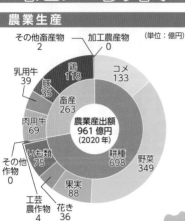

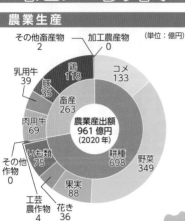
県の
- 木：ヤマモモ
- 花：すだちの花
- 鳥：シラサギ
- 歌：徳島県民の

農業生産

（単位：億円）

その他畜産物 2 ／ 加工農産物 0

農業産出額 961 億円（2020 年）

- 鶏 118
- 乳用牛 39
- 豚 35
- 畜産 263
- 肉用牛 69
- コメ 133
- 耕種 698
- 野菜 349
- いも類 75
- その他作物 0
- 工芸農作物 4
- 果実 88
- 花き 36

農業物産出額上位 10 品目

	品目	金額
①	米	133 億円
②	ブロイラー	74 億円
③	さつまいも	73 億円
④	肉用牛	69 億円
⑤	にんじん	52 億円
⑥	豚	35 億円
⑦	ブロッコリー	33 億円
⑧	生乳	32 億円
⑨	いちご	32 億円
⑩	れんこん	30 億円

三好市

東みよし町

美馬

つるぎ町

三好市

那賀町 **GH**

G茶／那賀町、上勝町ほか
阿波晩茶は、盛夏に摘んだ葉を大桶で乳酸発酵させ、天日干しさせる独自の製法。

凡　例
- ━ ━ ━ 新幹線
- ━━━ JR
- ━━━ 国道
- ━━━ 謎・解選

N

Hユ　ズ／那賀町、上勝町
ユズの一大産地、那賀町の「木頭ゆず」は、鮮やかな色合いに豊潤な香り。

Iアワビ類／阿南市、美波町、牟岐町、海陽町
エサとなるアラメなどの海藻が豊富な漁場で、海士が素潜りで獲る。

海陽

ボウゼ
／沿岸部

イボダイ。秋祭りの頃に来遊するため、「祭りの魚」として県民に親しまれる。

Ａ鳴門らっきょ
／鳴門市

大鳴門橋周辺の海岸沿いのミネラル豊富な銀砂（海砂）で栽培され、小粒で色白。

Ｂ阿波和三盆糖
／上板町、阿波市

サトウキビの品種・竹糖を原料に、伝統的な手法で作られる貴重な国産の砂糖。

鳴門市 **Ａ**

阿波市

上板町

板野町 **Ｃ**

ＢＣ

石井町

藍住町

北島町

松茂町

吉野川市

徳島市 **Ｅ**

ＣＦ

小松島市 **ＤＥＦ**

神山町 **Ｆ**

佐那河内村

勝浦町

上勝町 **ＧＨ**

阿南市 **Ｅ**

Ｉ

美波町

牟岐町 **ＥＩ**

Ｉ

Ｃカリフラワー
／藍住町、上板町、徳島市

徳島県の出荷量は全国トップで川内町が産地。純白な花蕾は堅く締まっている。

Ｄヤマモモ／小松島市ほか
県の木に選定され、徳島県の初夏の味覚。小松島市が県下一の生産地。

Ｆ生シイタケ
／徳島市、小松島市、神山町
徳島県では、全国に先駆けて菌床栽培を取り入れ、生産量は全国１位。

Ｅハ　モ／徳島市、小松島市、阿南市、牟岐町
漁獲量は全国トップクラス。「梅雨の水を飲んで旨くなる」といわれる。

徳島県 の 食

*徳島市の1世帯当たりの年間支出金額

耕地面積(田畑計)

2万8,500ha
(第41位)

コメの作付面積(水稲延べ)

1万1,000ha
(第40位)

コメの収穫量(水稲)

5万2,400t
(第38位)

肉用牛(飼育頭数)

2万2,900頭
(第25位)

養豚(飼育頭数)

3万8,100頭
(第34位)

ブロイラー(飼育頭数)
427万6,000羽
(第6位)

漁獲量・天然(海面漁業)

9,673t
(第35位)

漁獲量・養殖(海面養殖)

1万492t
(第20位)

食料自給率(カロリーベース)

41%
(第25位)

エンゲル係数*
25.8
(第37位)

食品出荷額

1,432億1,000万円
(第43位)

コロナ禍での消費変化~【グラフ】月別増減率~

調味料
* 4万885円 (第31位)

酒類
* 4万953円 (第33位)

調理食品
* 13万8,469円 (第13位)

外食
* 14万3,317円 (第9位)

近畿エリア

中国エリア

四国エリア

九州・沖縄エリア

人 口

人口	74万 2,505人	第44位
人口増減数	-8,014人	第19位
人口密度	182人／km	第35位
出生率	6.3人／千人	第37位
死亡率	14.0人／千人	第8位
外国人の割合	0.91%	第33位
交通事故死亡者数	2.75人／10万人	第23位
自殺者数	15.2人／10万人	第35位
婚姻率	4.0人／千人	第38位
離婚率	1.55人／千人	第35位

暮らし

貯蓄額*	1,774万円	第16位
負債総額*	410万円	第38位
持ち家率*	86.3%	第11位
延べ床面積*	118.1㎡	第20位
水道高熱費*	25万4,594円	第29位
保健医療費*	1万6,379円	第5位
大学進学率	53.8%	第19位
高卒の割合	22.9%	第18位
犯罪認知件数	2,414件	第44位
少年犯罪数	2.08人／千人	第16位

*は徳島市の値

経済・労働

average

県内総生産	3兆722億円 第43位	11兆6,058億円
県民所得	309万円／人 第16位	330.4万円
物価価格差	100.1 第9位	100.0

就 職

第28位	第9位	第34位
1.17	0.68人	2.19%
有効求人倍率	正社員新規求人数	失業率
1.19	0.51人	2.8%

仕 事

第33位	第24位	第13位
19.37万円	1,074円	12.8年
大卒初任給	パート時給	勤続年数
21.02万円	1,081円	12.4年

産 業

製 造

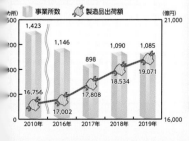

	事業所数	製造品出荷額

年	事業所数	製造品出荷額（億円）
2010年	1,423	16,756
2016年	1,146	17,002
2017年	898	17,808
2018年	1,090	18,534
2019年	1,085	19,071

流通・企業

年間商品販売額	1兆5,186億円	44
年間商品販売額のうち卸売販売額	7,853億円	43
年間商品販売額のうち小売販売額	7,333億円	44
上場企業数	7	34
企業倒産数	50件	32
代表取締役出身者数	1万64人	43

□は全国順位

Data で見る 徳島県

世 帯

- 他 12.9%
- 高齢者世帯 12.9%
- 単身者世帯 32.2%
- 核家族世帯 54.9%

33万6,257世帯 44位

- 平均人員 2.21 人（28位）
- 世帯主年齢 59.4 歳（19位）
- 子どもの人員 0.55 人（33位）
- 高齢者の人員 0.83 人（17位）
- 生活保護世帯数 31.2 世帯／千世帯（1位）

気 候

35℃以上の日数	14 日	全国で 17位	
平均気温	17.5℃	全国で 13位	
日照時間	2,241 時間	全国で 4位	
降水量	1,644 mm	全国で 29位	
平均相対湿度	69.7%	全国で 30位	

（徳島管区気象台 2020 年）

最低気温 -0.4℃ ／ 最高気温 37.7℃

(11位)	30.6 歳	初婚年齢	29.3 歳	(22位)
(33位)	80.32 歳	寿命	86.66 歳	(39位)
(29位)	30.35 万円	月額給与	23.33 万円	(19位)
(37位)	170.1cm	身長	157.4cm	(33位)
(33位)	62.2kg	体重	53.7kg	(10位)

地 価

地価平均価格

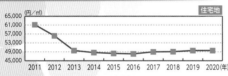

住宅地

65,000 61,000 57,000 53,000 49,000 45,000 (円/㎡)
2011 2012 2013 2014 2015 2016 2017 2018 2019 2020(年)

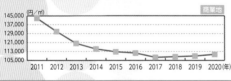

商業地

145,000 137,000 129,000 121,000 113,000 105,000 (円/㎡)
2011 2012 2013 2014 2015 2016 2017 2018 2019 2020(年)

用途別の平均変動率

住宅地	-0.2%	27位
商業地	-0.3%	27位
工業地	0.1%	31位

住宅地の平均価格*
7 万 4,000 円／㎡ 20位
(＋ 300 円)

商業地の最高値*
38 万 3,000 円／㎡ 28位
(＋6,000 円)

＊は徳島市の値

旅行者 （対前年同月比）

月別の宿泊者数

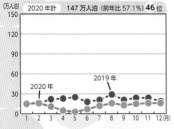

(万人泊) 2020 年計 147 万人泊（前年比 57.1%）46 位

150 120 90 60 30
1 2 3 4 5 6 7 8 9 10 11 12(月)

2020 年 / 2019 年

月別の客室稼働率

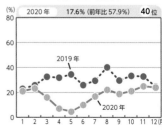

(%) 2020 年 17.6%（前年比 57.9%） 40 位

80 60 40 20
1 2 3 4 5 6 7 8 9 10 11 12(月)

2019 年 / 2020 年

学校・施設

- 医師数 329.5 人／10 万人（1 位）
- 病院数 14.7 施設／10 万人（3 位）
- 一般診療所数
  99.9 施設／10 万人（4 位）
- 児童福祉施設数
  41.5 施設／10 万人（20 位）
- 老人福祉センター数
  11.40 施設／10 万人（1 位）
- 小学校数 190 校（42 位）
- 高校数 37 校（45 位）

- 大学数 4 校（42 位）
- 博物館数 1.49 施設／10 万人（17 位）
- 映画館数 2.61 施設／10 万人（28 位）
- 図書館数 3.80 施設／10 万人（11 位）
- 学校の IT 化 3.45 人／台（43 位）
- 保育所数 208 カ所（45 位）
- 幼稚園数 111 校（28 位）

消費（徳島市の 1 世帯当たりの年間支出金額）

消費変化（対前年比較）

年間消費支出
354 万 7,932 円 **13 位**
（対前年比 106.0%）

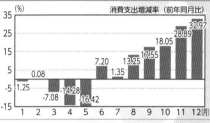

消費支出増減率（前年同月比）

	(%)											
月	1	2	3	4	5	6	7	8	9	10	11	12
	-1.25	0.08	-7.08	-14.28	-16.42	7.20	1.35	13.25	17.55	18.05	28.89	32.97

衣 (-11.8)
(2.4) 学
(-22.3) 動
(-3.8) 通
楽 (-9.4)
食 (9.2)

※太線は前年。
太線の外側は
前年対比プラス、
内側はマイナス

衣：被服・履物費	11 万 7,388 円	16
食：食費	96 万 5,059 円	20
楽：教養娯楽費	31 万 124 円	19
通：通信費	15 万 3,173 円	39
動：交通費	29 万 5,944 円	31
学：教育費	12 万 3,201 円	21

■は全国順位

鮮魚

4 万 1,229 円（16 位）

ブ リ	5,262 円
サ ケ	4,904 円
マグロ	3,266 円
エ ビ	2,827 円
カツオ	2,297 円

生鮮野菜

7 万 1,091 円（30 位）

トマト	8,177 円
きゅうり	3,403 円
キャベツ	3,232 円
ね ぎ	3,150 円
たまねぎ	3,017 円

飲料

6 万 1,593 円（13 位）

炭酸飲料	8,486 円
果実・野菜ジュース	8,253 円
コーヒー	7,546 円
茶飲料	7,129 円
コーヒー飲料	5,995 円

菓子

8 万 620 円（40 位）

アイスクリーム	9,336 円
ケーキ	6,989 円
チョコレート	6,714 円
スナック菓子	4,490 円
せんべい	3,470 円

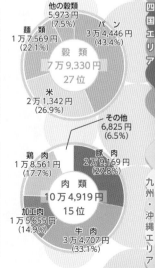

他の穀類
5,973 円
(7.5%)

パン
3 万 4,446 円
(43.4%)

麺 類
1 万 7,569 円
(22.1%)

穀 類
7 万 9,330 円
27 位

米
2 万 1,342 円
(26.9%)

その他
6,825 円
(6.5%)

鶏 肉
1 万 8,561 円
(17.7%)

豚 肉
2 万 9,169 円
(27.8%)

肉 類
10 万 4,919 円
15 位

加工肉
1 万 5,655 円
(14.9%)

牛 肉
3 万 4,707 円
(33.1%)

香川県

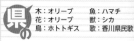

県の		
木：オリーブ	魚：ハマチ	
花：オリーブ	獣：シカ	
鳥：ホトトギス	歌：香川県民歌	

農業生産

（単位：億円）

その他畜産物 1
加工農産物 −
コメ 120
鶏 193
豚 25
畜産 320
耕種 482
野菜 242
乳用牛 52
肉用牛 50
農業産出額 803 億円 (2020 年)
その他作物 15
工芸農作物 6
いも類 8
花き 27
果実 63

農業物産出額上位 **10** 品目

① 鶏卵　　123 億円

② 米　　　120 億円

③ ブロッコリー　54 億円

④ 肉用牛 50 億円	⑧ レタス 31 億円
⑤ ブロイラー 48 億円	⑨ 豚 25 億円
⑥ 生乳 44 億円	⑩ ひな※ 22 億円
⑦ いちご 43 億円	

※他都道府県販売

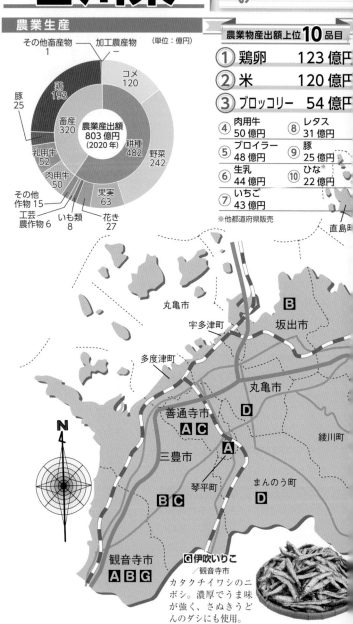

丸亀市
宇多津町
多度津町
B
坂出市
A
善通寺市 **A C**
三豊市
B C
丸亀市
D
綾川町
琴平町
まんのう町 **D**
観音寺市 **A B G**
直島町

G 伊吹いりこ ／観音寺市
カタクチイワシのニボシ。濃厚でうま味が強く、さぬきうどんのダシにも使用。

らりるれレタス／県内広域
堆肥による土づくりと安全
管理にこだわって栽培。葉
が厚く、色つやが良い。

さぬきの夢／県内広域
県がさぬきうどんのために
開発した小麦品種の総称。
コシのあるモチモチめんに。

Ａニンニク／琴平町、善通寺
市、観音寺市、さぬき市ほか
全国有数の産地ながら手間
ひまかけて丁寧に栽培。身
が詰まり香り豊か。

豊島

土庄町　小豆島町

小豆島

凡例
- ━━ 新幹線
- ━ ━ JR
- ━━ 国道
- ━━ 高速・有料道路

高松市

Ｂ
Ｃ

さぬき市
Ａ

三木町

Ｂ小原紅早生／高松市、
坂出市、観音寺市、三豊市
県内で発見された果皮が濃
い紅色ミカン。高糖度で濃
厚な甘み。

Ｃさぬきゴールド／高松市、
善通寺市、三豊市
黄金色の果肉と豊かな果汁
のキウイ。メロンのような
食感が特徴の県育成品種。

Ｆ

Ｅ
東かがわ市

Ｄさぬきのめざめ
／丸亀市、まんのう町ほか
元までやわらかい県育成
アスパラガス。紫色の「ビ
オレッタ」も誕生。

Ｅ大内パセリ／東かがわ市
昭和41年に種を取るために
栽培したのが始まり。葉が
やわらかく苦みが少ない。

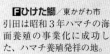

Ｆひけた鰤／東かがわ市
引田は昭和3年ハマチの海
面養殖の事業化に成功し
た、ハマチ養殖発祥の地。

耕地面積(田畑計)	コメの作付面積(水稲延べ)	コメの収穫量(水稲)
2万9,700ha (第40位)	1万1,700ha (第37位)	5万8,000t (第37位)

肉用牛(飼育頭数)	養豚(飼育頭数)	ブロイラー(飼育頭数)
2万1,000頭 (第27位)	3万8,500頭 (第33位)	215万3,000羽 (第15位)

漁獲量・天然(海面漁業)	漁獲量・養殖(海面養殖)
1万5,855t (第27位)	2万49t (第15位)

食料自給率(カロリーベース)	エンゲル係数＊	食品出荷額
33% (第29位)	26.2 (第34位)	3,415億5,800万円 (第28位)

コロナ禍での消費変化～【グラフ】月別増減率～

調味料
＊3万9,872円 (第40位)

酒 類
＊3万9,498円 (第35位)

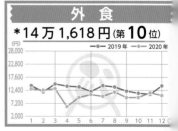

調理食品
＊12万9,095円 (第22位)

外 食
＊14万1,618円 (第10位)

人 口

人口	98 万 1,280 人	第 39 位
人口増減数	-6,056 人	第 12 位
人口密度	520 人／k㎡	第 11 位
出生率	7.0 人／千人	第 16 位
死亡率	12.9 人／千人	第 17 位
外国人の割合	1.49%	第 23 位
交通事故死亡者数	6.17 人／10 万人	第 1 位
自殺者数	15.8 人／10 万人	第 30 位
婚姻率	4.5 人／千人	第 14 位
離婚率	1.77 人／千人	第 8 位

暮らし

貯蓄額*	1,718 万円	第 18 位
負債総額*	464 万円	第 30 位
持ち家率*	83.3%	第 20 位
延べ床面積*	115.3㎡	第 26 位
水道高熱費*	24 万 747 円	第 38 位
保健医療費*	1 万 1,940 円	第 41 位
大学進学率	55.1%	第 17 位
高卒の割合	18.3%	第 34 位
犯罪認知件数	4,543 件	第 29 位
少年犯罪数	1.95 人／千人	第 23 位

＊は高松市の値

経済・労働

average

県内総生産	3 兆 7,509 億円 第 36 位	11 兆 6,058 億円
県民所得	302 万円／人 第 19 位	330.4 万円
物価価格差	98.3 第 33 位	100.0

就 職

第6位	第5位	第32位
1.43	0.72 人	2.20%
有効求人倍率	正社員新規求人数	失業率
1.19	0.51 人	2.8%

仕 事

第24位	第19位	第27位
20.03 万円	1,081 円	12.3 年
大卒初任給	パート時給	勤続年数
21.02 万円	1,081 円	12.4 年

産 業

製 造

年	事業所数	製造品出荷額（億円）
2010年	2,228	26,144
2016年	1,890	24,625
2017年	1,383	25,763
2018年	1,825	27,695
2019年	1,764	27,012

流通・企業

年間商品販売額	2 兆 9,574 億円	30
年間商品販売額のうち卸売販売額	1 兆 8,128 億円	26
年間商品販売額のうち小売販売額	1 兆 1,446 億円	36
上場企業数	15	24
企業倒産数	37 件	41
代表取締役出身者数	1 万 1,785 人	38

□は全国順位

Data で見る　香川県

世　帯

他 11.2%
高齢者世帯 13.5%

44万 3,745 世帯 36位

単身者世帯 31.6%
核家族世帯 57.2%

- 平均人員 2.21 人（27位）
- 世帯主年齢 57.0 歳（37位）
- 子どもの人員 0.72 人（12位）
- 高齢者の人員 0.82 人（20位）
- 生活保護世帯数 7.6世帯／千世帯（35位）

気　候

35℃以上の日数	全国で 7位
23 日	
平均気温	全国で 14位
17.4℃	
日照時間	全国で 10位
2,174 時間	
降水量	全国で 45位
1,109 ㎜	
平均相対湿度	全国で 36位
68.7%	

（高松管区気象台 2020年）

最低気温 -0.7℃／最高気温 38.3℃

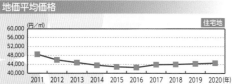

（6位）	30.4 歳	初婚年齢	28.9 歳	（2位）
（20位）	80.85 歳	寿命	87.21 歳	（19位）
（30位）	29.78 万円	月額給与	22.91 万円	（28位）
（40位）	169.9㎝	身長	156.8㎝	（44位）
（17位）	62.8kg	体重	53.0kg	（24位）

地　価

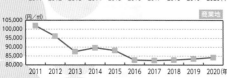

地価平均価格

住宅地

60,000（円／㎡）
56,000
52,000
48,000
44,000
40,000
2011 2012 2013 2014 2015 2016 2017 2018 2019 2020(年)

商業地

105,000（円／㎡）
100,000
95,000
90,000
85,000
80,000
2011 2012 2013 2014 2015 2016 2017 2018 2019 2020(年)

用途別の平均変動率

住宅地	0.0%	21位
商業地	0.1%	23位
工業地	-0.1%	34位

― 住宅地の平均価格* ―
6 万円／㎡ 27位
（＋ 800 円）

― 商業地の最高値* ―
44 万円／㎡ 27位
（＋1万 7,000 円）

＊は高松市の値

旅行者（対前年同月比）

月別の宿泊者数

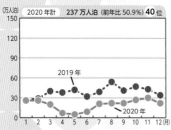

（万人泊）　2020年計　237 万人泊（前年比 50.9%）40位
150
120
90
60
30
0
1 2 3 4 5 6 7 8 9 10 11 12(月)

2019年
2020年

月別の客室稼働率

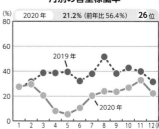

（%）　2020年　21.2%（前年比 56.4%）　26位
80
60
40
20
0
1 2 3 4 5 6 7 8 9 10 11 12(月)

2019年
2020年

学校・施設

医師数 282.5 人／10 万人（13 位）
病院数 9.2 施設／10 万人（13 位）
一般診療所数
　86.3 施設／10 万人（16 位）
児童福祉施設数
　33.9 施設／10 万人（30 位）
老人福祉センター数
　6.69 施設／10 万人（12 位）
小学校数 160 校（46 位）
高校数 40 校（44 位）

・大学数 4 校（42 位）
・博物館数 1.25 施設／10 万人（21 位）
・映画館数 2.72 施設／10 万人（25 位）
・図書館数 3.12 施設／10 万人（22 位）
・学校の IT 化 4.90 人／台（15 位）
・保育所数 215 カ所（44 位）
・幼稚園数 120 校（27 位）

消　費（高松市の 1 世帯当たりの年間支出金額）

消費変化（対前年比較）

年間消費支出
330 万 3,203 円 **26 位**
（対前年比 89.3％）

衣 (-21.9)
(-21.1) 学　　　食 (2.9)
(-38.4) 動　　　楽 (-20.3)
(-2.0) 通

※太線は前年。
太線の外側は
前年対比プラス、
内側はマイナス

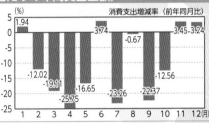

消費支出増減率（前年同月比）
1.94　-3.74　-0.67　3.45　3.24
-12.02　-19.11　-25.75　-16.65　-23.26　-22.37　-12.56

衣：被服・履物費	10 万 3,989 円	33
食：食費	91 万 7,606 円	35
楽：教養娯楽費	31 万 1,378 円	18
通：通信費	17 万 8,215 円	10
動：交通費	27 万 8,270 円	33
学：教育費	9 万 1,555 円	36

■は全国順位

鮮　魚

3 万 9,323 円（21 位）

ブ　リ	5,530 円
サ　ケ	5,503 円
エ　ビ	3,095 円
マグロ	2,612 円
カツオ	2,528 円

飲　料

6 万 667 円（17 位）

炭酸飲料	8,300 円
果実・野菜ジュース	8,034 円
コーヒー	6,992 円
茶飲料	6,694 円
コーヒー飲料	5,781 円

生鮮野菜

5 万 7,855 円（47 位）

トマト	5,864 円
ね　ぎ	3,066 円
キャベツ	2,955 円
たまねぎ	2,863 円
きゅうり	2,858 円

菓　子

8 万 5,603 円（23 位）

アイスクリーム	1 万 294 円
ケーキ	7,600 円
スナック菓子	7,569 円
チョコレート	6,119 円
せんべい	5,867 円

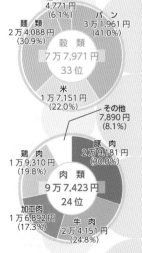

他の穀類
4,771 円
(6.1%)
パン
3 万 1,961 円
(41.0%)
麺　類
2 万 4,088 円
(30.9%)
穀　類
7 万 7,971 円
33 位
米
1 万 7,151 円
(22.0%)
その他
7,890 円
(8.1%)

豚　肉
2 万 9,181 円
(30.0%)
鶏　肉
1 万 9,310 円
(19.8%)
肉　類
9 万 7,423 円
24 位
加工肉
1 万 6,892 円
(17.3%)
牛　肉
2 万 4,151 円
(24.8%)

愛媛県

県の
木：マツ
花：みかんの花
鳥：コマドリ
魚：マダイ
獣：ニッポンカワウソ
歌：愛媛の歌

農業生産

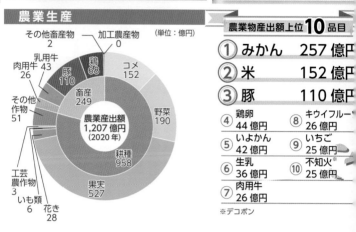

農業生産

その他畜産物 2
加工農産物 0
乳用牛 43
肉用牛 26
豚 110
鶏 68
畜産 249
コメ 152
その他作物 51
工芸農作物 3
いも類 6
花き 28
果実 527
耕種 958
野菜 190

農業産出額 1,207 億円（2020 年）

（単位：億円）

農業物産出額上位 10 品目

① みかん　257 億円
② 米　152 億円
③ 豚　110 億円
④ 鶏卵　44 億円
⑤ いよかん　42 億円
⑥ 生乳　36 億円
⑦ 肉用牛　26 億円
⑧ キウイフルーツ　26 億円
⑨ いちご　25 億円
⑩ 不知火※　25 億円

※デコポン

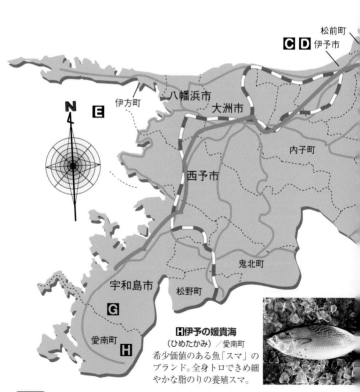

松前町
C **D** 伊予市
伊方町
八幡浜市
大洲市
内子町
西予市
N
E
鬼北町
宇和島市
松野町
G
愛南町
H

H 伊予の媛貴海
（ひめたかみ）／愛南町
希少価値のある魚「スマ」のブランド。全身トロできめ細やかな脂のりの養殖スマ。

甘平／県内広域
西之香とポンカンのかけ合わせで、県内でのみ生産。むきやすく袋ごと食べられる。

Ａマコモタケ／今治市ほか
玉川町龍岡地区で主に栽培される中華食材。外皮をむいた白い部分を食べる。

Ｂ紅まどんな／松山市、今治市
県育成のかんきつ。皮やじょうのうはやわらかく、ゼリーのようなとろける食感。

凡　例
- - - - 新幹線
──── ＪＲ
──── 国道
──── 謎・朝題

今治市

上島町

Ｃ松山長なす／松山市、伊予市
長さ40cmの細長いナス。どこを輪切りにしても同じ大きさになることから人気。

公山市
Ａ Ｂ
今治市

Ｂ Ｃ

東温市

Ｄびわ葉茶／伊予市ほか
唐川地区は古くからビワの産地として知られ、ビワ葉茶も民間薬として飲まれた。

西条市

新居浜市

万高原町

四国中央市 **Ｆ**

Ｅ愛　鯛／宇和海
だわりの養殖マダイ。愛県は養殖マダイ生産量日一で県魚にも制定。

Ｆやまじ王／四国中央市
丸い形のツクネイモの県育成品種。長イモと比べて粘りが非常に強い。

Ｇ早掘りばれいしょ／宇和島市
石垣で囲まれた段畑で栽培される男爵イモ。リアス式海岸の急斜面に畑が広がる。

愛媛県 の 食

※松山市の1世帯当たりの年間支出金額

耕地面積 (田畑計)	コメの作付面積 (水稲延べ)	コメの収穫量 (水稲)
4万7,000ha (第30位)	1万3,400ha (第35位)	6万3,500t (第36位)

肉用牛 (飼育頭数)	養豚 (飼育頭数)	ブロイラー (飼育頭数)
1万100頭 (第36位)	19万3,000頭 (第15位)	96万8,000羽 (第23位)

漁獲量・天然 (海面漁業)	漁獲量・養殖 (海面養殖)
7万4,251t (第13位)	6万4,207t (第7位)

食料自給率 (カロリーベース)	エンゲル係数*	食品出荷額
36% (第27位)	28.2 (第10位)	3,007億600万円 (第33位)

コロナ禍での消費変化～【グラフ】月別増減率～

調味料
* 3万9,307円 (第41位)

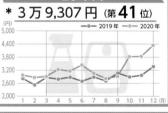

(円) 5,000 / 4,400 / 3,800 / 3,200 / 2,600 / 2,000
━●━ 2019年　━●━ 2020年
1 2 3 4 5 6 7 8 9 10 11 12 (月)

酒 類
* 3万6,346円 (第41位)

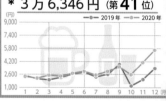

(円) 9,000 / 7,400 / 5,800 / 4,200 / 2,600 / 1,000
━●━ 2019年　━●━ 2020年
1 2 3 4 5 6 7 8 9 10 11 12 (月)

調理食品
* 11万6,371円 (第42位)

(円) 20,000 / 17,200 / 14,400 / 11,600 / 8,800 / 6,000
━●━ 2019年　━●━ 2020年
1 2 3 4 5 6 7 8 9 10 11 12 (月)

外 食
* 9万6,256円 (第46位)

(円) 28,000 / 22,800 / 17,600 / 12,400 / 7,200 / 2,000
━●━ 2019年　━●━ 2020年
1 2 3 4 5 6 7 8 9 10 11 12 (月)

愛媛県民力

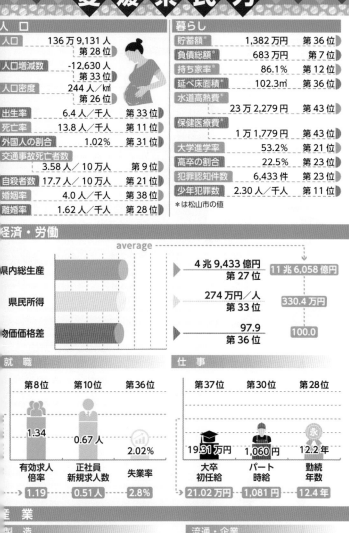

近畿エリア　中国エリア　四国エリア　九州・沖縄エリア

人 口

人口	136万9,131人	第28位
人口増減数	-12,630人	第33位
人口密度	244人／㎢	第26位
出生率	6.4人／千人	第33位
死亡率	13.8人／千人	第11位
外国人の割合	1.02%	第31位
交通事故死亡者数	3.58人／10万人	第9位
自殺者数	17.7人／10万人	第21位
婚姻率	4.0人／千人	第38位
離婚率	1.62人／千人	第28位

暮らし

貯蓄額*	1,382万円	第36位
負債総額*	683万円	第7位
持ち家率*	86.1%	第12位
延べ床面積*	102.3㎡	第36位
水道高熱費*	23万2,279円	第43位
保健医療費*	1万1,779円	第43位
大学進学率	53.2%	第21位
高卒の割合	22.5%	第23位
犯罪認知件数	6,433件	第23位
少年犯罪数	2.30人／千人	第11位

*は松山市の値

経済・労働

		average
県内総生産	4兆9,433億円　第27位	11兆6,058億円
県民所得	274万円／人　第33位	330.4万円
物価価格差	97.9　第36位	100.0

就 職

第8位	第10位	第36位
1.34	0.67人	2.02%
有効求人倍率	正社員新規求人数	失業率
1.19	0.51人	2.8%

仕 事

第37位	第30位	第28位
19.31万円	1,060円	12.2年
大卒初任給	パート時給	勤続年数
21.02万円	1,081円	12.4年

産 業

製 造

事業所数　製造品出荷額

	2010年	2016年	2017年	2018年	2019年
事業所数	2,434	2,189	1,634	2,078	2,053
製造品出荷額	37,924	38,142	41,785	42,640	43,089

（億円）

流通・企業

年間商品販売額	3兆6,115億円	24
年間商品販売額のうち卸売販売額	2兆1,373億円	24
年間商品販売額のうち小売販売額	1兆4,742億円	25
上場企業数	13	26
企業倒産数	40件	39
代表取締役出身者数	1万6,307人	25

□は全国順位

Data で見る 愛媛県

世 帯

65万5,255世帯 27位

他 9.2%
高齢者世帯 13.8%
単身者世帯 33.6%
核家族世帯 57.2%

- 平均人員 2.09人 (39位)
- 世帯主年齢 56.5歳 (42位)
- 子どもの人員 0.78人 (5位)
- 高齢者の人員 0.70人 (37位)
- 生活保護世帯数 11.5世帯／千世帯 (26位)

気 候

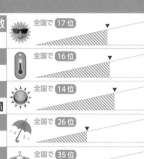

35℃以上の日数	14日	全国で 17位
平均気温	17.3℃	全国で 16位
日照時間	2,163時間	全国で 14位
降水量	1,662mm	全国で 26位
平均相対湿度	68.8%	全国で 35位

(松山管区気象台 2020年)
最低気温 0.5℃／最高気温 36.2℃

(6位)	30.4歳	初婚年齢	29.1歳	(12位)
(40位)	80.16歳	寿命	86.82歳	(34位)
(33位)	29.01万円	月額給与	21.31万円	(40位)
(43位)	169.7cm	身長	156.8cm	(44位)
(43位)	61.7kg	体重	52.7kg	(29位)

地 価

地価平均価格

住宅地
(円／㎡)
65,000 61,000 57,000 53,000 49,000 45,000
2011 2012 2013 2014 2015 2016 2017 2018 2019 2020(年)

商業地
(円／㎡)
130,000 126,000 122,000 118,000 114,000 110,000
2011 2012 2013 2014 2015 2016 2017 2018 2019 2020(年)

用途別の平均変動率

住宅地	-0.8%	39位
商業地	-0.6%	38位
工業地	-0.2%	39位

――― 住宅地の平均価格* ―――
9万1,900円／㎡ 15位
(+ 500円)

――― 商業地の最高値* ―――
82万1,000円／㎡ 21位
(+1万8,000円)

＊は松山市の値

旅行者 (対前年同月比)

月別の宿泊者数

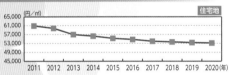

(万人泊) 2020年計 283万人泊 (前年比 64.4%) 35位
150 120 90 60 30
2019年
2020年
1 2 3 4 5 6 7 8 9 10 11 12(月)

月別の客室稼働率

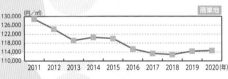

(%) 2020年 26.1% (前年比 67.3%) 5位
80 60 40 20
2019年
2020年
1 2 3 4 5 6 7 8 9 10 11 12(月)

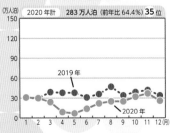

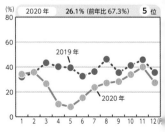

学校・施設

- 医師数 269.2 人／10 万人（18 位）
- 病院数 10.1 施設／10 万人（12 位）
- 一般診療所数
  91.6 施設／10 万人（10 位）
- 児童福祉施設数
  33.8 施設／10 万人（31 位）
- 老人福祉センター数
  7.17 施設／10 万人（7 位）
- 小学校数 281 校（28 位）
- 高校数 66 校（29 位）

- 大学数 5 校（38 位）
- 博物館数 1.78 施設／10 万人（8 位）
- 映画館数 3.96 施設／10 万人（3 位）
- 図書館数 3.33 施設／10 万人（21 位）
- 学校の IT 化 3.90 人／台（39 位）
- 保育所数 315 カ所（33 位）
- 幼稚園数 126 校（26 位）

消　費（松山市の 1 世帯当たりの年間支出金額）

消費変化（対前年比較）

年間消費支出
288 万 2,515 円 **46 位**
（対前年比 94.7%）

消費支出増減率（前年同月比）

(%)												
13.66	-2.86	6.28	-11.30	-29.22	-14.11	-22.33	-20.33	-1.28	10.13	8.83	4.81	
1	2	3	4	5	6	7	8	9	10	11	12 (月)	

衣 (-17.7)
(34.8) 学
食 (0.7)
(6.9) 動
楽 (-18.6)
(-11.4) 通

※太線は前年。
太線の外側は
前年対比プラス、
内側はマイナス

衣：被服・履物費	9 万 5,235 円	40
食：食費	84 万 407 円	45
楽：教養娯楽費	24 万 516 円	43
通：通信費	14 万 5,918 円	44
動：交通費	33 万 6,514 円	19
学：教育費	14 万 1,669 円	13

■は全国順位

鮮　魚
3 万 6,047 円（35 位）

サケ	4,612 円
ブリ	3,385 円
エビ	3,342 円
タイ	2,423 円
マグロ	1,905 円

飲　料
5 万 6,064 円（35 位）

果実・野菜ジュース	8,006 円
コーヒー	6,373 円
炭酸飲料	5,844 円
乳酸飲料	5,162 円
ミネラルウォーター	4,980 円

生鮮野菜
6 万 3,591 円（41 位）

トマト	6,653 円
キャベツ	3,374 円
ね ぎ	3,014 円
たまねぎ	2,959 円
きゅうり	2,872 円

菓　子
7 万 8,643 円（43 位）

アイスクリーム	8,977 円
ケーキ	6,366 円
チョコレート	6,222 円
スナック菓子	5,240 円
せんべい	3,675 円

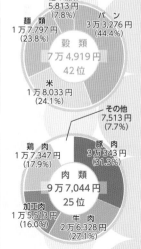

他の穀類
5,813 円
(7.8%)

パン
3 万 3,276 円
(44.4%)

麺 類
1 万 7,797 円
(23.8%)

穀 類
7 万 4,919 円
42 位

米
1 万 8,033 円
(24.1%)

その他
7,513 円
(7.7%)

鶏 肉
1 万 7,347 円
(17.9%)

豚 肉
3 万 343 円
(31.3%)

肉 類
9 万 7,044 円
25 位

加工肉
1 万 5,513 円
(16.0%)

牛 肉
2 万 6,328 円
(27.1%)

高知県

農業生産

（単位：億円）

その他作物 8
工芸農作物 11
いも類 21
花き 63
果実 104
肉用牛 16
乳用牛 26
豚 20
鶏 19
その他畜産物 1
コメ 112
加工農産物 2
畜産 81
野菜 715
耕種 1,035

農業産出額 1,117 億円（2020 年）

①土佐はちきん地鶏
／大川村、室戸市、土佐清水市
自然のなかでゆったり育ち、おとなしい性格。肉質は引き締まり弾力がある。

農業物産出額上位 10 品目

① なす　　135 億円
② 米　　　112 億円
③ しょうが 100 億円
④ みょうが 94 億円
⑤ にら　　 80 億円
⑥ きゅうり 71 億円
⑦ ピーマン 48 億円
⑧ ししとう 35 億円
⑨ トマト　 34 億円
⑩ ゆず　　 30 億円

凡　　例
------- 新幹線
— — JR
国　道
港・船舶航路

N

仁淀川町
越知
佐川町
檮原町
津野町
中土佐町
須崎
四万十町
D
四万十市
黒潮町
F
宿毛市
E
G
三原村
大月町
土佐清水市
H I

Hモンパエビ／土佐清水
セミエビ。漁獲量は少なあまりお目にかかれな甘みがあり独特の食感。

ハスイモ／県内広域
イモの茎の部分を食べる高知の伝統野菜。リュウキュウともいい、特有の風味。

A 銀不老／大豊町
インゲン豆の在来種。サヤから出した豆を日に当てると、銀色に輝く。

B ルナピエナ／香南市
ブランドスイカ。太陽光がまんべんなく当たる空中立体栽培で育てている。

C 四方竹／高知市、南国市ほか
秋の限定期間に採れるタケノコ。断面が四角い形でシャキシャキした食感。

I 大川村
本山町
A 大豊町
土佐町
香美市
D
C 高知市
C 南国市
B 香南市
E D 芸西村
馬路村
安芸市
E 市
安田町
北川村
東洋町
田野町
奈半利町
室戸市
I

D ニ ラ
／香南市、香美市、四万十町など
高知県は全国の出荷量の4分の1のシェアを占める。特許包装で鮮度保持。

E 土佐文旦
／土佐市、宿毛市、香南市
知を代表する果物。ハウ栽培と露地により秋から青果店に並ぶ。

F 土佐黒潮天日塩
／黒潮町
釜焚きをせず、海水を太陽と風の力だけで蒸発させてつくる天日塩。

G 四万十青のり
／四万十市
スジアオノリ。汽水域で冬～早春頃に自生する青のり。天日と川風で乾燥させる。

高知県 の 食

※高知市の1世帯当たりの年間支出金額

耕地面積(田畑計)	コメの作付面積(水稲延べ)	コメの収穫量(水稲)
2万6,600ha (第42位)	1万1,300ha (第38位)	4万8,900t (第39位)

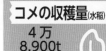

肉用牛(飼育頭数)	養豚(飼育頭数)	ブロイラー(飼育頭数)
5,890頭 (第37位)	2万6,300頭 (第36位)	40万3,000羽 (第33位)

漁獲量・天然(海面漁業)	漁獲量・養殖(海面養殖)
6万2,803t (第15位)	2万8t (第16位)

食料自給率(カロリーベース)	エンゲル係数*	食品出荷額
47% (第22位)	27.3 (第17位)	1,073億1,400万円 (第45位)

コロナ禍での消費変化～【グラフ】月別増減率～

調味料
* 4万347円　(第36位)

酒類
* 4万7,084円　(第17位)

調理食品
*14万1,503円(第10位)

外食
*13万3,007円(第20位)

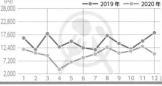

高知県民力

人 口

人口	70万9,230人	第45位
人口増減数	-8,250人	第21位
人口密度	103人／㎢	第44位
出生率	6.2人／千人	第41位
死亡率	14.9人／千人	第2位
外国人の割合	0.69%	第44位
交通事故死亡者数	4.87人／10万人	第3位
自殺者数	18.3人／10万人	第15位
婚姻率	3.8人／千人	第43位
離婚率	1.79人／千人	第7位

暮らし

貯蓄額*	1,160万円	第44位
負債総額*	394万円	第39位
持ち家率*	74.3%	第41位
延べ床面積*	107.4㎡	第31位
水道高熱費*	24万8,911円	第32位
保健医療費*	1万2,135円	第40位
大学進学率	52.5%	第23位
高卒の割合	17.7%	第36位
犯罪認知件数	2,719件	第42位
少年犯罪数	2.05人／千人	第18位

*は高知市の値

経済・労働

average

県内総生産	2兆3,243億円　第46位	11兆6,058億円
県民所得	265万円／人　第37位	330.4万円
物価価格差	99.8　第11位	100.0

就 職

第39位	第29位	第13位
1.03	0.54人	2.74%
有効求人倍率	正社員新規求人数	失業率
1.19	0.51人	2.8%

仕 事

第33位	第42位	第36位
19.37万円	997円	11.9年
大卒初任給	パート時給	勤続年数
21.02万円	1,081円	12.4年

産 業

製 造

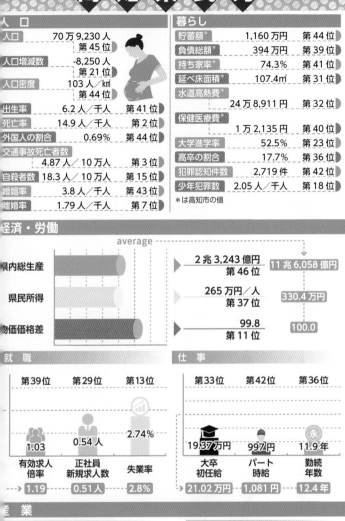

	2010年	2016年	2017年	2018年	2019年
事業所数	1,080	1,156	935	1,125	1,081
製造品出荷額	4,681	5,678	5,810	5,945	5,853

流通・企業

年間商品販売額	1兆3,978億円	46
年間商品販売額のうち卸売販売額	7,032億円	45
年間商品販売額のうち小売販売額	6,946億円	45
上場企業数	6	35
企業倒産数	31件	45
代表取締役出身者数	8,713人	46

□は全国順位

Data で見る 高知県

世 帯

他 8.7%
高齢者世帯 13.2%

35万1,666世帯 42位

単身者世帯 36.4%

核家族世帯 54.9%

- 平均人員 2.02人（44位）
- 世帯主年齢 57.2歳（34位）
- 子どもの人員 0.75人（11位）
- 高齢者の人員 0.70人（37位）
- 生活保護世帯数 16.3世帯／千世帯（10位）

気 候

項目	値	全国順位
35℃以上の日数	8日	全国で 32位
平均気温	17.8℃	全国で 6位
日照時間	2,310時間	全国で 1位
降水量	3,239mm	全国で 1位
平均相対湿度	71.1%	全国で 25位

（高知管区気象台 2020年）

最低気温 -1.0℃／最高気温 37.8℃

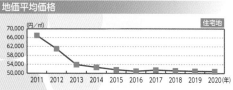

	男		女	
初婚年齢	（24位）	30.9歳	29.5歳	（35位）
寿命	（37位）	80.26歳	87.01歳	（26位）
月額給与	（31位）	29.33万円	23.07万円	（23位）
身長	（43位）	169.7cm	156.9cm	（41位）
体重	（34位）	62.1kg	52.6kg	（33位）

地 価

地価平均価格

住宅地
（円／㎡）
70,000
66,000
62,000
58,000
54,000
50,000
2011 2012 2013 2014 2015 2016 2017 2018 2019 2020（年）

商業地
（円／㎡）
115,000
109,000
103,000
97,000
91,000
85,000
2011 2012 2013 2014 2015 2016 2017 2018 2019 2020（年）

用途別の平均変動率

住宅地	-0.5%	30位
商業地	-0.5%	35位
工業地	0.6%	25位

住宅地の平均価格*
7万1,500円／㎡ 21位
（-100円）

商業地の最高値*
26万9,000円／㎡ 36位
（+8,000円）

*は高知市の値

旅行者（対前年同月比）

月別の宿泊者数

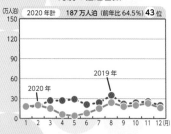

（万人泊） 2020年計 187万人泊（前年比64.5%）43位
150
120
90
60
30
0
1 2 3 4 5 6 7 8 9 10 11 12（月）

2019年
2020年

月別の客室稼働率

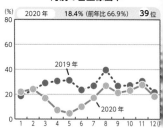

（%） 2020年 18.4%（前年比66.9%） 39位
80
60
40
20
0
1 2 3 4 5 6 7 8 9 10 11 12（月）

2019年
2020年

学校・施設

医師数 316.9 人／10 万人（3 位）
病院数 17.8 施設／10 万人（1 位）
一般診療所数
78.7 施設／10 万人（28 位）
児童福祉施設数
56.3 施設／10 万人（3 位）
老人福祉センター数
8.17 施設／10 万人（5 位）
小学校数 228 校（35 位）
高校数 46 校（41 位）

- 大学数 5 校（38 位）
- 博物館数 1.98 施設／10 万人（7 位）
- 映画館数 1.43 施設／10 万人（47 位）
- 図書館数 5.81 施設／10 万人（4 位）
- 学校の IT 化 3.37 人／台（44 位）
- 保育所数 255 カ所（41 位）
- 幼稚園数 38 校（45 位）

消　費（高知市の 1 世帯当たりの年間支出金額）

年間消費支出
324 万 2,470 円 **32 位**
（対前年比 89.4%）

消費変化（対前年比較）

消費支出増減率（前年同月比）

(月)	1	2	3	4	5	6	7	8	9	10	11	12
	-8.98	-14.55	1.13	-24.61	-5.27	-23.80	-20.83	-2.25	-12.73	-4.45	-1.19	-5.19

衣 (-12.1)
(-9.7) 学
食 (-2.5)
(-34.0) 動
楽 (-21.6)
(-9.3) 通

※太線は前年。太線の外側は前年対比プラス、内側はマイナス

衣：被服・履物費	10 万 5,711 円	**31**
食：食費	92 万 8,464 円	**33**
楽：教養娯楽費	27 万 3,849 円	**37**
通：通信費	16 万 3,364 円	**30**
動：交通費	25 万 7,035 円	**36**
学：教育費	11 万 4,883 円	**23**

■は全国順位

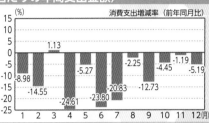

鮮 魚

3 万 7,918 円（24 位）

コツオ	7,362 円
マグロ	4,862 円
ブ リ	4,431 円
サ ケ	3,623 円
エ ビ	2,875 円

生鮮野菜

6 万 4,545 円（39 位）

トマト	8,719 円
キャベツ	3,264 円
きゅうり	3,203 円
たまねぎ	3,079 円
ね ぎ	3,007 円

飲 料

5 万 6,249 円（34 位）

実・野菜ジュース	8,808 円
コーヒー	6,509 円
茶飲料	6,097 円
炭酸飲料	5,835 円
コーヒー飲料	4,974 円

菓 子

8 万 2,075 円（36 位）

アイスクリーム	1 万 1,602 円
ケーキ	8,509 円
スナック菓子	6,854 円
チョコレート	6,054 円
ビスケット	4,440 円

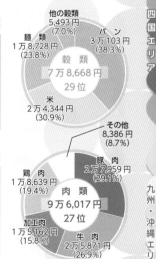

他の穀類
5,493 円
(7.0%)

パン
3 万 103 円
(38.3%)

麺 類
1 万 8,728 円
(23.8%)

穀 類
7 万 8,668 円
29 位

米
2 万 4,344 円
(30.9%)

その他
8,386 円
(8.7%)

豚 肉
2 万 7,959 円
(29.1%)

鶏 肉
1 万 8,639 円
(19.4%)

肉 類
9 万 6,017 円
27 位

加工肉
1 万 5,162 円
(15.8%)

牛 肉
2 万 5,871 円
(26.9%)

早わかり 2021 都道府県 Data Book

九州・沖縄

福岡県

県の　木：ツツジ　　　鳥：ウグイス
　　　花：ウメ　　　　県民歌：希望の

農業生産

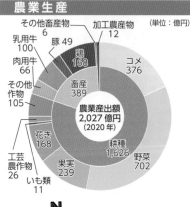

その他畜産物 6
乳用牛 100
肉用牛 66
その他作物 105
工芸農作物 26
いも類 11
果実 239
花き 168
加工農産物 12
豚 49
鶏 168
コメ 376

畜産 389
野菜 702
耕種 1,626

農業産出額 2,027億円 (2020年)

（単位：億円）

凡例
― ― ― 新幹線
━ ━ ━ J　R
――――― 国　道
━━━━━ 高速・有料道路

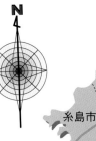

N

宗像市　芦屋町　水巻町　遠賀町　岡垣町　宗像市　中間市　鞍手町　福津市　小竹町　宮若市　新宮町　古賀市　久山町　篠栗町　飯塚市　粕屋町　須恵町　桂川町　志免町　宇美町　筑前町　福岡市　春日市　大野城市　太宰府市　筑紫野市　那珂川市　小郡市　大刀洗町　久留米市　大木町　広川町　筑後市　大川市　八女市　柳川市　みやま市　大牟田市

E

農業物産出額上位 **10** 品目

①	米	376 億円
②	いちご	220 億円
③	鶏卵	111 億円

④	生乳 82 億円	⑧	ねぎ 50 億円
⑤	ぶどう 74 億円	⑨	トマト 50 億円
⑥	肉用牛 66 億円	⑩	豚 49 億円
⑦	なす 62 億円		

とよみつひめ／県内広域
福岡県オリジナルブランド
のイチジク。肉厚な白い果
肉でイチゴにも勝る高糖度。

A豊前本ガニ／豊前海沿岸
ガザミ（ワタリガニ）のなか
でも、とくに身入りの良い
もの。身は甘くミソは濃厚。

B合馬たけのこ／北九州市
小倉南区の合馬（おうま）地
区で採れる孟宗竹。関西の
一流料亭で使われる高級品。

C若松潮風キャベツ
／北九州市
玄界灘に面する地域で栽
培。ミネラルを含む潮風を
絶えず受け、甘みが強い。

博多蕾菜（つぼみな）
／県内広域
大型のからし菜の一種で、
わき芽の部分。コリコリし
た食感と、ほどよい辛み。

博多な花おいしい菜
東部、南部
菜の花の葉の部分を食用に
品種改良した菜花。全国的
に数少ない産地の一つ。

D博多万能ねぎ／朝倉市ほか
朝倉町発祥の青ネギ。万能
ねぎと呼べるのは、この博
多万能ねぎだけ。

博多なす
／福岡地域、筑後地域
ナス栽培に適した風土で、
50年以上前から栽培。アク
が少ない中長サイズ。

E博多すぎたけ／大木町ほか
ヌメリスギタケという珍し
いキノコの野生種から栽培
に成功した希少品種。

北九州市
B
C
直方市
苅田町
A
行橋市
糸田町
香春町
田川市
みやこ町
赤村
築上町
吉富町
豊前市
上毛町
大任町
添田町
嘉麻市
東峰村
朝倉市
D
うきは市

259

近畿エリア

中国エリア

四国エリア

九州・沖縄エリア

福岡県 の 食

※福岡市の1世帯当たりの年間支出金額

耕地面積(田畑計)
7万9,700ha
(第15位)

コメの作付面積(水稲延べ)

3万4,900ha
(第14位)

コメの収穫量(水稲)
14万5,200t
(第19位)

肉用牛(飼育頭数)
2万2,100頭
(第26位)

養豚(飼育頭数)

8万2,300頭
(第26位)

ブロイラー(飼育頭数)
126万3,000羽
(第19位)

漁獲量・天然(海面漁業)

1万8,283t
(第26位)

漁獲量・養殖(海面養殖)

4万1,237t
(第10位)

食料自給率(カロリーベース)

20%
(第37位)

エンゲル係数*
23.8
(第47位)

食品出荷額
1兆755億5,500万円
(第10位)

コロナ禍での消費変化～【グラフ】月別増減率～

調味料
* 4万1,573円 (第27位)

(円)
5,000 / 4,400 / 3,800 / 3,200 / 2,600 / 2,000
1 2 3 4 5 6 7 8 9 10 11 12 (月)
―●― 2019年 ―●― 2020年

酒類
* 4万5,193円 (第18位)

(円)
9,000 / 7,400 / 5,800 / 4,200 / 2,600 / 1,000
1 2 3 4 5 6 7 8 9 10 11 12 (月)
―●― 2019年 ―●― 2020年

調理食品
* 11万9,666円 (第39位)

(円)
20,000 / 17,200 / 14,400 / 11,600 / 8,800 / 6,000
1 2 3 4 5 6 7 8 9 10 11 12 (月)
―●― 2019年 ―●― 2020年

外食
* 14万9,880円 (第7位)

(円)
28,000 / 22,800 / 17,600 / 12,400 / 7,200 / 2,000
1 2 3 4 5 6 7 8 9 10 11 12 (月)
―●― 2019年 ―●― 2020年

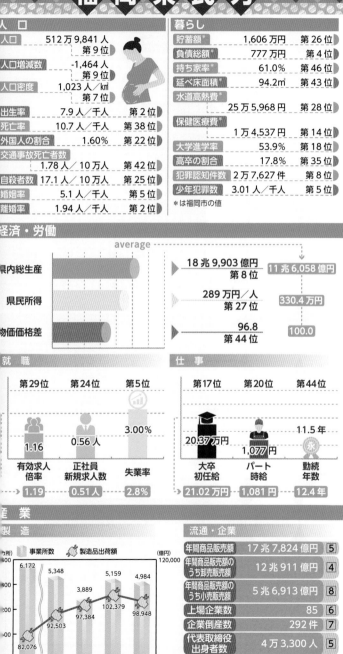

福岡県民力

人口

人口	512万9,841人	第9位
人口増減数	-1,464人	第9位
人口密度	1,023人／k㎡	第7位
出生率	7.9人／千人	第2位
死亡率	10.7人／千人	第38位
外国人の割合	1.60%	第22位
交通事故死亡者数	1.78人／10万人	第42位
自殺者数	17.1人／10万人	第25位
婚姻率	5.1人／千人	第5位
離婚率	1.94人／千人	第2位

暮らし

貯蓄額*	1,606万円	第26位
負債総額*	777万円	第4位
持ち家率*	61.0%	第46位
延べ床面積*	94.2㎡	第43位
水道高熱費*	25万5,968円	第28位
保健医療費*	1万4,537円	第14位
大学進学率	53.9%	第18位
高卒の割合	17.8%	第35位
犯罪認知件数	2万7,627件	第8位
少年犯罪数	3.01人／千人	第5位

＊は福岡市の値

経済・労働

average

項目	値	順位	
県内総生産	18兆9,903億円	第8位	11兆6,058億円
県民所得	289万円／人	第27位	330.4万円
物価価格差	96.8	第44位	100.0

就職

	第29位	第24位	第5位
	1.16	0.56人	3.00%
	有効求人倍率	正社員新規求人数	失業率
	1.19	0.51人	2.8%

仕事

	第17位	第20位	第44位
	20.37万円	1,077円	11.5年
	大卒初任給	パート時給	勤続年数
	21.02万円	1,081円	12.4年

工業

製造

事業所数　製造品出荷額

	2010年	2016年	2017年	2018年	2019年
事業所数	6,172	5,348	3,889	5,159	4,984
製造品出荷額	82,076	92,503	97,384	102,379	98,948

流通・企業

項目	値	全国順位
年間商品販売額	17兆7,824億円	5
年間商品販売額のうち卸売販売額	12兆911億円	4
年間商品販売額のうち小売販売額	5兆6,913億円	8
上場企業数	85	6
企業倒産数	292件	7
代表取締役出身者数	4万3,300人	5

□は全国順位

261

Data で見る 福岡県

世 帯

- 他 8.1%
- 高齢者世帯 10.7%
- 単身者世帯 37.4%
- 核家族世帯 54.5%

245万270世帯
9位

- 平均人員 2.09 人 (38 位)
- 世帯主年齢 57.3 歳 (32 位)
- 子どもの人員 0.69 人 (13 位)
- 高齢者の人員 0.74 人 (31 位)
- 生活保護世帯数 15.4 世帯／千世帯 (13 位)

気 候

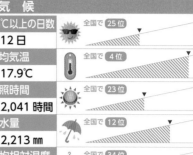

35℃以上の日数	全国で 25 位	12 日
平均気温	全国で 4 位	17.9℃
日照時間	全国で 23 位	2,041 時間
降水量	全国で 12 位	2,213 mm
平均相対湿度	全国で 34 位	68.9%

(福岡管区気象台 2020 年)

最低気温 1.0℃／最高気温 38.0℃

(24 位)	30.9 歳	初婚年齢	29.5 歳	(35 位)
(25 位)	80.66 歳	寿命	87.14 歳	(21 位)
(14 位)	31.94 万円	月額給与	23.85 万円	(12 位)
(17 位)	170.7cm	身長	157.1cm	(37 位)
(21 位)	62.6kg	体重	52.1kg	(44 位)

地 価

地価平均価格

住宅地

(円／㎡)
85,000
81,000
77,000
73,000
69,000
65,000

2011 2012 2013 2014 2015 2016 2017 2018 2019 2020(年)

(円／㎡)
450,000
400,000
350,000
300,000
250,000
200,000

商業地

2011 2012 2013 2014 2015 2016 2017 2018 2019 2020(年)

用途別の平均変動率

住宅地	3.5%	2 位
商業地	6.7%	5 位
工業地	3.9%	5 位

住宅地の平均価格*
16 万 1,800 円／㎡ 8 位
(＋ 11,700 円)

商業地の最高値*
1,100 万円／㎡ 5 位
(＋120 万円)

*は福岡市の値

旅行者 (対前年同月比)

月別の宿泊者数

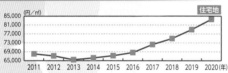
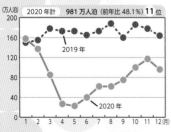

(万人泊) 2020 年計 981 万人泊 (前年比 48.1%) 11 位

200
160
120
80
40
0
1 2 3 4 5 6 7 8 9 10 11 12(月)

2019 年
2020 年

月別の客室稼働率

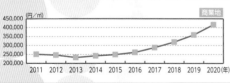
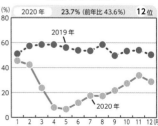

(%) 2020 年 23.7% (前年比 43.6%) 12 位

80
60
40
20
0
1 2 3 4 5 6 7 8 9 10 11 12(月)

2019 年
2020 年

学校・施設

- 医師数 302.6 人／10 万人（8 位）
- 病院数 9.0 施設／10 万人（14 位）
- 一般診療所数
  92.3 施設／10 万人（9 位）
- 児童福祉施設数
  30.0 施設／10 万人（41 位）
- 老人福祉センター数
  4.02 施設／10 万人（34 位）
- 小学校数 729 校（9 位）
- 高校数 164 校（9 位）

- 大学数 34 校（6 位）
- 博物館数 0.61 施設／10 万人（42 位）
- 映画館数 3.47 施設／10 万人（11 位）
- 図書館数 2.23 施設／10 万人（41 位）
- 学校の IT 化 6.15 人／台（5 位）
- 保育所数 1,021 カ所（8 位）
- 幼稚園数 422 校（7 位）

消費（福岡市の 1 世帯当たりの年間支出金額）

年間消費支出
380 万 4,569 円 **3 位**
（対前年比 105.8%）

消費支出増減率（前年同月比）

月	増減率(%)
1	3.91
2	-1.17
3	-17.69
4	-0.76
5	-13.13
6	11.12
7	8.68
8	23.75
9	3.52
10	17.90
11	30.07
12	7.18

衣 (-20.6)
(-19.6) 学
食 (0.5)
(26.6) 動
楽 (-10.3)
(5.0) 通

※太線は前年。
太線の外側は
前年対比プラス、
内側はマイナス

衣：被服・履物費	13 万 1,026 円	6
食：食費	94 万 3,666 円	28
楽：教養娯楽費	33 万 4,853 円	9
通：通信費	16 万 9,080 円	22
動：交通費	45 万 5,569 円	6
学：教育費	14 万 634 円	14

■は全国順位

鮮魚
3 万 7,365 円（29 位）

サ ケ	4,078 円
ブ リ	3,274 円
エ ビ	3,137 円
マグロ	1,936 円
タ イ	1,730 円

生鮮野菜
7 万 4,580 円（24 位）

トマト	7,577 円
たまねぎ	3,761 円
キャベツ	3,502 円
ね ぎ	3,400 円
きゅうり	3,268 円

飲料
5 万 4,192 円（38 位）

コーヒー	7,296 円
果実・野菜ジュース	6,715 円
炭酸飲料	6,649 円
乳飲料	4,600 円
ミネラルウォーター	4,274 円

菓子
8 万 3,840 円（29 位）

アイスクリーム	1 万 861 円
ケーキ	8,552 円
チョコレート	6,147 円
スナック菓子	5,558 円
せんべい	3,793 円

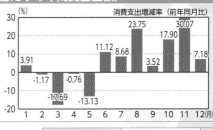

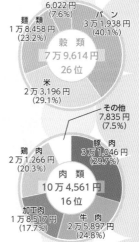

他の穀類
6,022 円
(7.6%)

パン
3 万 1,938 円
(40.1%)

麺 類
1 万 8,458 円
(23.2%)

穀 類
7 万 9,614 円
26 位

米
2 万 3,196 円
(29.1%)

その他
7,835 円
(7.5%)

鶏 肉
2 万 1,266 円
(20.3%)

豚 肉
3 万 1,046 円
(29.7%)

肉 類
10 万 4,561 円
16 位

加工肉
1 万 8,517 円
(17.7%)

牛 肉
2 万 5,897 円
(24.8%)

佐賀県

県の	木：クスの木	ふるさとの歌：
	花：クスの花	栄の国か
	鳥：カササギ	準県歌：
	歌：佐賀県民の歌	風はみらい

農業生産

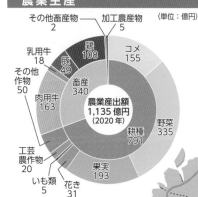

その他畜産物 2
加工農産物 5
（単位：億円）

鶏 108
コメ 155
豚 49
乳用牛 18
畜産 340
その他作物 50
肉用牛 163
農業産出額 1,135億円（2020年）
耕種 791
野菜 335
工芸農作物 20
いも類 5
花き 31
果実 193

A 呼子のイカ／唐津市
呼子町は「イカの活造り」が生まれたイカの町。生干しのイカは朝市でも買える。

温州ミカン
／天山山麓、多良岳山麓
オレンジベルトと呼ばれる山間部でのマルチ被覆栽培により、糖分が果実に凝縮。

玄海町
唐津市
伊万里市
多久市
武雄市
有田町
嬉野市
鹿島

農業物産出額上位 **10** 品目

① **肉用牛　163 億円**

② **米　　　155 億円**

③ **みかん　136 億円**

④ ブロイラー 92 億円	⑧ きゅうり 32 億円
⑤ いちご 91 億円	⑨ アスパラガス 28 億円
⑥ たまねぎ 79 億円	⑩ 二条大麦 19 億円
⑦ 豚 49 億円	

Bシロウオ／唐津市
伝統的な仕掛けによる玉島川のシロウオ漁が春を告げる。おどり食いで味わう。

Cサザエ／唐津市
素潜り漁で岩場に潜むサザエを1つずつ漁獲。サザエのつぼ焼きは波戸岬の名物。

アイスプラント／県内広域
有明海沿岸の塩害対策に1985年佐賀大学が持ちこみ、栽培が始まる。

D清水の鯉／小城市
清水の鯉は全国名水百選にも選ばれた清流にさらされ、とくに寒鯉は脂がのる。

Eクチゾコ／有明海沿岸
有明海に生息するシタビラメの仲間。煮つけや唐揚げ、ムニエルなどで食される。

F佐賀海苔有明海一番／有明海沿岸
生産量日本一の佐賀海苔のなかでも、おいしさの評価基準を満たした貴重な海苔。

凡例
新幹線 ── JR ── 国道 ── 主要・県道

Gしろいしレンコン／白石町
ミネラル豊富な重粘土質がレンコン栽培に適す。糸ひきが良く、やわらかな食感。

Hタマネギ／白石町ほか
春夏タマネギの出荷量全国一。極早生の「さが春一番たまねぎ」はサラダに最適。

※佐賀市の1世帯当
たりの年間支出金額

耕地面積 (田畑計)

5万
800ha

(第 **29** 位)

コメの作付面積 (水稲延べ)

2万
3,900ha

(第 **24** 位)

コメの収穫量 (水稲)

10万
4,200t

(第 **26** 位)

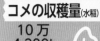

肉用牛 (飼育頭数)

5万
2,300頭

(第 **13** 位)

養豚 (飼育頭数)

8万
1,600頭

(第 **27** 位)

ブロイラー (飼育頭数)

393万
5,000羽

(第 **7** 位)

漁獲量・天然 (海面漁業)

9,724t

(第 **34** 位)

漁獲量・養殖 (海面養殖)

6万
6,913t

(第 **5** 位)

食料自給率
(カロリーベース)

95%

(第 **7** 位)

エンゲル係数*

25.5

(第 **42** 位)

食品出荷額

3,494億
400万円

(第 **27** 位)

コロナ禍での消費変化～【グラフ】月別増減率～

調味料

* 4万3,754円 (第 **11** 位)

酒 類

* 4万3,471円 (第 **22** 位)

調理食品

* 12万9,693円 (第 **21** 位)

外 食

* 12万7,761円 (第 **24** 位)

佐賀県民力

人 口

人口	82万3,810人	第42位
人口増減数	-4,971人	第11位
人口密度	341人／km²	第16位
出生率	7.7人／千人	第4位
死亡率	12.3人／千人	第25位
外国人の割合	0.87%	第35位
交通事故死亡者数	4.05人／10万人	第5位
自殺者数	14.6人／10万人	第38位
婚姻率	4.2人／千人	第31位
離婚率	1.64人／千人	第23位

暮らし

貯蓄額*	1,424万円	第34位
負債総額*	699万円	第6位
持ち家率*	75.7%	第39位
延べ床面積*	117.5m²	第23位
水道高熱費*	27万3,234円	第12位
保健医療費*	1万5,933円	第8位
大学進学率	43.6%	第45位
高卒の割合	32.8%	第1位
犯罪認知件数	3,069件	第39位
少年犯罪数	1.46人／千人	第34位

*は佐賀市の値

経済・労働

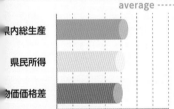

average

県内総生産	2兆8,588億円 第44位	11兆6,058億円
県民所得	263万円／人 第38位	330.4万円
物価価格差	97.5 第41位	100.0

就 職

第32位	第21位	第37位
1.09	0.59人	2.01%
有効求人倍率	正社員新規求人数	失業率
1.19	0.51人	2.8%

仕 事

第41位	第36位	第33位
19.16万円	1,033円	12.0年
大卒初任給	パート時給	勤続年数
21.02万円	1,081円	12.4年

産 業

製 造

事業所数　製造品出荷額

(億円)

2010年	2016年	2017年	2018年	2019年
1,487	1,350	951	1,311	1,300
16,670	17,909	18,656	20,649	20,639

流通・企業

年間商品販売額	1兆5,986億円	43
年間商品販売額のうち卸売販売額	7,936億円	42
年間商品販売額のうち小売販売額	8,050億円	43
上場企業数	4	41
企業倒産数	42件	36
代表取締役出身者数	1万617人	41

□は全国順位

Data で見る 佐賀県

世 帯

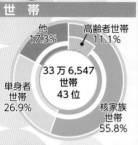

- 他 17.3%
- 高齢者世帯 11.1%
- 単身者世帯 26.9%
- 核家族世帯 55.8%

33万6,547世帯 43位

- 平均人員 2.45 人 (5 位)
- 世帯主年齢 59.1 歳 (22 位)
- 子どもの人員 0.57 人 (30 位)
- 高齢者の人員 0.81 人 (22 位)
- 生活保護世帯数 18.8 世帯／千世帯 (5 位)

気 候

		全国で	
35℃以上の日数	**17 日**	12 位	
平均気温	**17.5℃**	11 位	
日照時間	**2,095 時間**	20 位	
降水量	**2,876 mm**	3 位	
平均相対湿度	**71.1%**	26 位	

(佐賀管区気象台 2020 年)

最低気温 -1.0℃／最高気温 37.9℃

(6 位)	30.4 歳	初婚年齢	29.0 歳	(7 位)
(26 位)	80.65 歳	寿命	87.12 歳	(22 位)
(41 位)	27.56 万円	月額給与	20.55 万円	(44 位)
(35 位)	170.2cm	身長	157.1cm	(37 位)
(17 位)	62.8kg	体重	52.9kg	(25 位)

地 価

地価平均価格

住宅地
(円／㎡)
40,000 36,000 32,000 28,000 24,000 20,000
2011 2012 2013 2014 2015 2016 2017 2018 2019 2020(年)

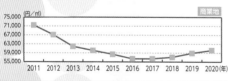

商業地
(円／㎡)
75,000 71,000 67,000 63,000 59,000 55,000
2011 2012 2013 2014 2015 2016 2017 2018 2019 2020(年)

用途別の平均変動率

住宅地	0.6%	14 位
商業地	0.6%	21 位
工業地	9.2%	2 位

住宅地の平均価格*
4 万 100 円／㎡ 42位
(＋ 900 円)

商業地の最高値*
24 万 5,000 円／㎡ 40位
(＋1 万 2,000 円)

*は佐賀市の値

旅行者 （対前年同月比）

月別の宿泊者数

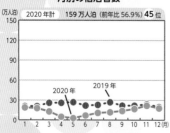

(万人泊) 2020 年計 **159 万人泊** (前年比 56.9%) **45 位**
150 120 90 60 30 0
2020 年　2019 年
1 2 3 4 5 6 7 8 9 10 11 12(月)

月別の客室稼働率

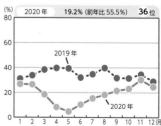

(%) 2020 年 **19.2%** (前年比 55.5%) **36 位**
80 60 40 20 0
2019 年
2020 年
1 2 3 4 5 6 7 8 9 10 11 12(月)

学校・施設

- 医師数 280.0 人／10 万人（14 位）
- 病院数 12.4 施設／10 万人（6 位）
- 一般診療所数
  84.8 施設／10 万人（21 位）
- 児童福祉施設数
  44.5 施設／10 万人（15 位）
- 老人福祉センター数
  7.12 施設／10 万人（8 位）
- 小学校数 164 校（45 位）
- 高校数 46 校（41 位）

- 大学数 2 校（46 位）
- 博物館数 1.59 施設／10 万人（14 位）
- 映画館数 2.58 施設／10 万人（30 位）
- 図書館数 3.66 施設／10 万人（15 位）
- 学校の IT 化 1.81 人／台（47 位）
- 保所数 256 カ所（40 位）
- 幼稚園数 53 校（42 位）

消 費（佐賀市の 1 世帯当たりの年間支出金額）

消費変化（対前年比較）

年間消費支出
346 万 3,248 円 **19 位**
（対前年比 97.8%）

消費支出増減率（前年同月比）

月	%
1	-3.98
2	-1.16
3	-2.39
4	-2.54
5	-7.48
6	11.41
7	-4.88
8	5.75
9	-12.42
10	1.15
11	14.41
12	-18.89

衣 (-17.7)
(-33.3) 学
食 (3.0)
(-12.0) 動
楽 (-9.8)
(0.6) 通

※太線は前年。太線の外側は前年対比プラス、内側はマイナス

衣：被服・履物費	12 万 231 円	**14**
食：食費	94 万 4,947 円	**27**
楽：教養娯楽費	30 万 2,034 円	**24**
通：通信費	18 万 952 円	**8**
動：交通費	29 万 7,148 円	**29**
学：教育費	9 万 2,309 円	**35**

■は全国順位

鮮 魚

3 万 9,063 円（22 位）

サ ケ	6,316 円
エ ビ	4,645 円
ブ リ	3,806 円
タ イ	2,378 円
イ カ	1,814 円

飲 料

6 万 427 円（20 位）

炭酸飲料	7,852 円
果実・野菜ジュース	6,869 円
乳飲料	6,635 円
コーヒー	5,450 円
茶	5,265 円

生鮮野菜

7 万 69 円（32 位）

トマト	8,011 円
きゅうり	3,635 円
たまねぎ	3,488 円
じゃがいも	3,384 円
キャベツ	3,315 円

菓 子

8 万 4,093 円（28 位）

アイスクリーム	9,394 円
ケーキ	7,671 円
チョコレート	6,663 円
スナック菓子	6,166 円
ビスケット	5,090 円

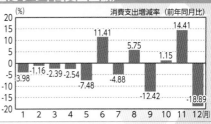

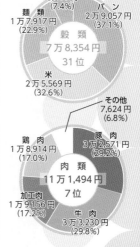

穀 類
7 万 8,354 円
31 位

- 他の穀類 5,811 円（7.4%）
- パン 2 万 9,057 円（37.1%）
- 麺類 1 万 7,917 円（22.9%）
- 米 2 万 5,569 円（32.6%）

肉 類
11 万 1,494 円
7 位

- その他 7,624 円（6.8%）
- 豚 肉 3 万 2,571 円（29.2%）
- 鶏 肉 1 万 8,914 円（17.0%）
- 加工肉 1 万 9,156 円（17.2%）
- 牛 肉 3 万 3,230 円（29.8%）

長崎県

県の
木：ヒノキ、ツバキ　サキ、アワビ （秋）サ
花：雲仙ツツジ　トビウオ、ヒラメ、（冬）
鳥：オシドリ　ブリ、イワシ、フグ
魚：（春）タイ、イカ、獣：九州シカ
アマダイ （夏）アジ、イ　歌：南の風

農業生産

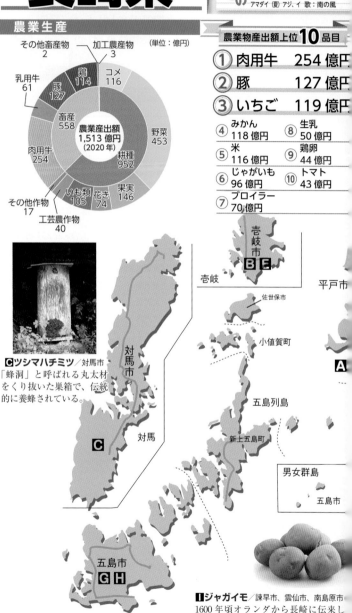

その他畜産物 2　加工農産物 3

（単位：億円）

乳用牛 61
鶏 114
コメ 116
豚 127
畜産 558
野菜 453
肉用牛 254
農業産出額 1,513 億円 （2020年）
耕種 952
いも類 105
花き 74
果実 146
その他作物 17
工芸農作物 40

農業物産出額上位 10 品目

① 肉用牛　254 億円
② 豚　127 億円
③ いちご　119 億円

④ みかん 118 億円
⑤ 米 116 億円
⑥ じゃがいも 96 億円
⑦ ブロイラー 70 億円
⑧ 生乳 50 億円
⑨ 鶏卵 44 億円
⑩ トマト 43 億円

壱岐市
B **E**

壱岐

平戸市

佐世保市

小値賀町

A

五島列島

新上五島町

男女群島

五島市

対馬市

対馬

C

五島市
G **H**

Cツシマハチミツ／対馬市
「蜂洞」と呼ばれる丸太材をくり抜いた巣箱で、伝統的に養蜂されている。

Iジャガイモ／諫早市、雲仙市、南島原市
1600年頃オランダから長崎に伝来し現在も北海道に次ぐ生産量。

A長崎とらふぐ／松浦地区、
九十九島地区、長崎地区
長崎県の養殖トラフグ生産
量は、全国の5割のシェア。
認定業者により養殖。

B壱岐のうに
／壱岐市
ウニの名産地。ムラサキウ
ニ、ガゼウニ、赤ウニの3種
類が素潜り漁で漁獲される。

D赤マテ貝／佐世保市
「マテ貝突き漁」と呼ばれ
る独特な漁業が行われ、地
元で消費されている。

E長崎びわ／長崎市、西海市、
南島原市、壱岐市
江戸時代から栽培されてき
た長崎県の特産品で、初夏
の味覚。生産量は全国一。

F大島トマト／西海市
原産地南米アンデスの厳し
い環境を再現し、トマト本
来のうまみを引き出す。

Gミズイカ
／五島市、長崎市ほか
イカの王様アオリイカ。身
は厚く弾力があり、濃厚な
甘み。刺身が最高。

Hキビナゴ／五島市ほか
メイワシ科の魚で主に刺網
漁で漁獲される。ほかの産
地のキビナゴよりも大きい。

A

松浦市

佐々町

佐世保市

D

波佐見町

川棚町 ── 東彼杵町

西海市
EF

長崎市
EG

大村市

時津町 長与町

N

諫早市 I

雲仙市 I

島原市

A

南島原市
E I

凡　　例
━━━ 新幹線
─── JR
─── 国 道
─── 謎・解題

長崎県 の 食

*長崎市の1世帯当たりの年間支出金額

耕地面積（田畑計）
4万6,100ha
（第31位）

コメの作付面積（水稲延べ）

1万1,100ha
（第39位）

コメの収穫量（水稲）
4万6,800t
（第40位）

肉用牛（飼育頭数）
8万4,100頭
（第6位）

養豚（飼育頭数）
20万1,100頭
（第14位）

ブロイラー（飼育頭数）
301万1,000羽
（第10位）

漁獲量・天然（海面漁業）

25万771t
（第3位）

漁獲量・養殖（海面養殖）

2万4,468t
（第12位）

食料自給率（カロリーベース）
45%
（第24位）

エンゲル係数*
26.6
（第28位）

食品出荷額
3,009億1,100万円
（第32位）

コロナ禍での消費変化 ～【グラフ】月別増減率～

調味料
* 4万971円 （第30位）

（円）
- 2019年 - 2020年
5,000
4,400
3,800
3,200
2,600
2,000
1 2 3 4 5 6 7 8 9 10 11 12（月）

酒類
* 3万5,071円 （第43位）

（円）
- 2019年 - 2020年
9,000
7,400
5,800
4,200
2,600
1,000
1 2 3 4 5 6 7 8 9 10 11 12（月）

調理食品
*12万1,856円 （第36位）

（円）
- 2019年 - 2020年
20,000
17,200
14,400
11,600
8,800
6,000
1 2 3 4 5 6 7 8 9 10 11 12（月）

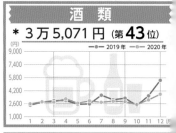

外食
* 9万6,032円 （第47位）

（円）
- 2019年 - 2020年
28,000
22,800
17,600
12,400
7,200
2,000
1 2 3 4 5 6 7 8 9 10 11 12（月）

長崎県民力

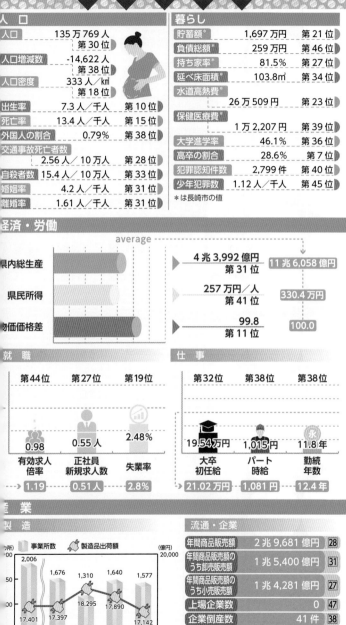

人口

人口	135万769人	第30位
人口増減数	-14,622人	第38位
人口密度	333人／km	第18位
出生率	7.3人／千人	第10位
死亡率	13.4人／千人	第15位
外国人の割合	0.79%	第38位
交通事故死亡者数	2.56人／10万人	第28位
自殺者数	15.4人／10万人	第33位
婚姻率	4.2人／千人	第31位
離婚率	1.61人／千人	第31位

暮らし

貯蓄額*	1,697万円	第21位
負債総額*	259万円	第46位
持ち家率*	81.5%	第27位
延べ床面積*	103.8㎡	第34位
水道高熱費*	26万509円	第23位
保健医療費*	1万2,207円	第39位
大学進学率	46.1%	第36位
高卒の割合	28.6%	第7位
犯罪認知件数	2,799件	第40位
少年犯罪数	1.12人／千人	第45位

＊は長崎市の値

経済・労働

average

県内総生産	4兆3,992億円 第31位	11兆6,058億円
県民所得	257万円／人 第41位	330.4万円
物価価格差	99.8 第11位	100.0

就職

第44位	第27位	第19位
0.98	0.55人	2.48%
有効求人倍率	正社員新規求人数	失業率
1.19	0.51人	2.8%

仕事

第32位	第38位	第38位
19.54万円	1,015円	11.8年
大卒初任給	パート時給	勤続年数
21.02万円	1,081円	12.4年

工業

製造

（所）	事業所数	製造品出荷額	（億円）
	2,006		20,000
	1,676	1,310	1,640	1,577
	17,401	17,397	18,295	17,890	17,142
	2010年	2016年	2017年	2018年	2019年	15,000

流通・企業

年間商品販売額	2兆9,681億円	28
年間商品販売額のうち卸売販売額	1兆5,400億円	31
年間商品販売額のうち小売販売額	1兆4,281億円	27
上場企業数	0	47
企業倒産数	41件	38
代表取締役出身者数	1万5,456人	28

□は全国順位

Data で見る 長崎県

世 帯

63万3,853世帯 28位

- 他 11.0%
- 高齢者世帯 12.9%
- 単身者世帯 31.9%
- 核家族世帯 57.1%

- ・平均人員 2.13人（36位）
- ・世帯主年齢 61.9歳（5位）
- ・子どもの人員 0.43人（44位）
- ・高齢者の人員 0.96人（4位）
- ・生活保護世帯数 12.6世帯／千世帯（22位）

気 候

35℃以上の日数		全国で 41位	2日
平均気温		全国で 7位	17.7℃
日照時間		全国で 26位	1,974時間
降水量		全国で 4位	2,710㎜
平均相対湿度		全国で 15位	74.8%

（長崎管区気象台 2020年）

最低気温 -0.3℃／最高気温 36.1℃

（3位）	30.3歳	初婚年齢	29.1歳	（12位）
（31位）	80.38歳	寿命	86.97歳	（28位）
（38位）	28.23万円	月額給与	21.05万円	（41位）
（10位）	171.0cm	身長	158.0cm	（12位）
（15位）	63.1kg	体重	53.8kg	（7位）

地 価

地価平均価格

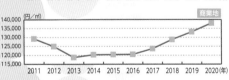

住宅地

50,000 46,000 42,000 38,000 34,000 30,000 (円/㎡)
2011 2012 2013 2014 2015 2016 2017 2018 2019 2020(年)

商業地

140,000 135,000 130,000 125,000 120,000 115,000 (円/㎡)
2011 2012 2013 2014 2015 2016 2017 2018 2019 2020(年)

用途別の平均変動率

住宅地	0.2%	19位
商業地	1.2%	17位
工業地	-0.5%	43位

―― 住宅地の平均価格* ――
6万900円／㎡ 24位
（＋2,100円）

―― 商業地の最高値* ――
94万4,000円／㎡ 19位
（＋9,000円）

＊は長崎市の値

旅行者 （対前年同月比）

月別の宿泊者数

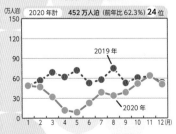

2020年計 452万人泊（前年比62.3%）24位

(万人泊) 150 120 90 60 30 0
2019年 2020年
1 2 3 4 5 6 7 8 9 10 11 12(月)

月別の客室稼働率

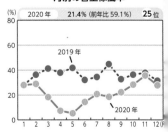

2020年 21.4%（前年比59.1%）25位

(%) 80 60 40 20 0
2019年 2020年
1 2 3 4 5 6 7 8 9 10 11 12(月)

学校・施設

- 医師数 306.3 人／10 万人（6 位）
- 病院数 11.2 施設／10 万人（8 位）
- 一般診療所数
  103.3 施設／10 万人（3 位）
- 児童福祉施設数
  48.2 施設／10 万人（10 位）
- 老人福祉センター数
  6.86 施設／10 万人（11 位）
- 小学校数 327 校（24 位）
- 高校数 79 校（21 位）

- 大学数 8 校（27 位）
- 博物館数 1.19 施設／10 万人（23 位）
- 映画館数 1.88 施設／10 万人（42 位）
- 図書館数 2.83 施設／10 万人（30 位）
- 学校の IT 化 4.06 人／台（36 位）
- 保育所数 488 カ所（19 位）
- 幼稚園数 107 校（29 位）

消費（長崎市の 1 世帯当たりの年間支出金額）

年間消費支出
304 万 5,764 円 **41 位**
（対前年比 93.6%）

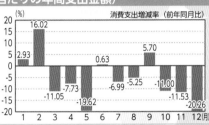

消費支出増減率（前年同月比）

月	1	2	3	4	5	6	7	8	9	10	11	12
(%)	2.93	16.02	-11.05	-7.73	-19.62	0.63	-6.99	-5.25	5.70	-11.00	-11.53	-20.26

消費変化（対前年比較）

衣 (-19.1)
(-21.3) 学
(-26.9) 動
食 (-4.7)
楽 (-18.4)
(8.6) 通

※太線は前年。
太線の外側は
前年対比プラス、
内側はマイナス

衣：被服・履物費	9 万 1,329 円	44
食：食費	84 万 8,004 円	44
楽：教養娯楽費	23 万 8,546 円	44
通：通信費	14 万 6,809 円	43
動：交通費	24 万 6,071 円	38
学：教育費	5 万 7,116 円	44

■は全国順位

鮮魚

3 万 6,372 円（33 位）

サケ	4,045 円
ブリ	3,708 円
エビ	3,119 円
アジ	2,471 円
マイ	1,677 円

生鮮野菜

6 万 5,796 円（38 位）

トマト	7,227 円
たまねぎ	3,717 円
きゅうり	3,680 円
キャベツ	3,602 円
じゃがいも	3,076 円

飲料

5 万 2,142 円（46 位）

果実・野菜ジュース	6,391 円
茶	5,951 円
コーヒー	5,861 円
飲料	5,760 円
炭酸飲料	5,739 円

菓子

7 万 6,010 円（45 位）

アイスクリーム	9,043 円
ケーキ	5,495 円
チョコレート	5,310 円
スナック菓子	4,080 円
せんべい	3,553 円

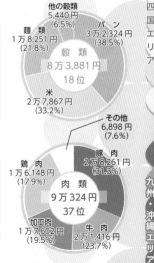

穀類
8 万 3,881 円
18 位

- 他の穀類 5,440 円（6.5%）
- パン 3 万 2,324 円（38.5%）
- 米 2 万 7,867 円（33.2%）
- 麺類 1 万 8,251 円（21.8%）
- その他 6,898 円（7.6%）

肉類
9 万 324 円
37 位

- 豚肉 2 万 8,261 円（31.3%）
- 鶏肉 1 万 6,148 円（17.9%）
- 牛肉 2 万 1,416 円（23.7%）
- 加工品 1 万 7,602 円（19.5%）

熊本県

県の
木：クスノキ 魚：クルマエビ
花：リンドウ 歌：熊本県民の
鳥：ヒバリ

農業生産

（単位：億円）

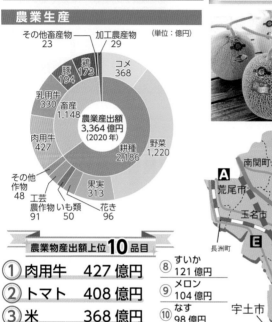

- その他畜産物 23
- 加工農産物 29
- 鶏 173
- 豚 194
- コメ 368
- 乳用牛 330
- 畜産 1,148
- 肉用牛 427
- その他作物 48
- 工芸農作物 91
- いも類 50
- 花き 96
- 果実 313
- 野菜 1,220
- 耕種 2,186

農業産出額 3,364 億円（2020年）

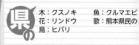

■七城メロン／菊池市
「道の駅七城メロンドーム」で販売するブランドメロン。時期により3品種がある。

農業物産出額上位 **10** 品目

① 肉用牛 427 億円
② トマト 408 億円
③ 米 368 億円
④ 生乳 276 億円
⑤ 豚 194 億円
⑥ みかん 153 億円
⑦ いちご 138 億円
⑧ すいか 121 億円
⑨ メロン 104 億円
⑩ なす 98 億円

南関町 山鹿市 **E**

A 荒尾市 和水町

玉名市 **C** **E** 菊池市

E 玉東町 合志市

長洲町 **B**

E 益城町

熊本市

宇土市 御船町 甲佐町

上天草市 宇城市

氷川町 美里

天草諸島

苓北町

天草市 上天草市

F

G 芦北町 山江村 相良村 **H**

津奈木町 球磨村

水俣市 人吉市 錦町

八代市

五木村

凡 例

- ━━━ 新幹線
- ─ ─ J R
- ─── 国 道
- ━━━ 鉄道・軌道線

コノシロ／沿岸部
少し成長したコハダで出世魚。頭つきの姿寿司は江戸時代から伝わる郷土料理。

Ａマジャク／荒尾市
ヤドカリの仲間のアナジャコ。荒尾干潟では、珍しいマジャク漁が行われる。

Ｂハニーローザ／玉東町
スモモの一種で玉東町の特産物。生果として出回るのは、わずか10日間ほど。

小国町

南小国町

産山村

阿蘇市

Ｄ

高森町

南阿蘇村

都町

町

N

Ｃヤーコン／菊池市
キクイモとともに菊池市の特産品。フラクトオリゴ糖が豊富な健康食品。

Ｄ阿蘇高菜／阿蘇市
9～10世紀に中国から日本に伝わったとされる。有名な高菜漬の材料。

Ｅスイカ／熊本市、玉名市、
山鹿市、菊池市、上益城郡
1735年の文書にも記載があるように古くから栽培され、出荷量は全国1位。

Ｆきだこ／天草市
天草地方では昔からウツボをきだこと呼ぶ。湯引きや鍋ものは郷土の味。

Ｇアシアカエビ／芦北町
「うたせ船」で漁をする。身が太く甘いが、漁獲量が少なくあまり出回らない。

Ｈやまえ栗／山江村
古くからの和栗の名産地で、皇室にも献上された。栗まんじゅうが人気。

277

熊本県 の 食

※熊本市の1世帯当りの年間支出金額

耕地面積（田畑計）
10万9,100ha
（第13位）

コメの作付面積（水稲延べ）

3万3,300ha
（第15位）

コメの収穫量（水稲）
15万6,500t
（第17位）

肉用牛（飼育頭数）

13万2,300頭
（第4位）

養豚（飼育頭数）
27万7,100頭
（第11位）

ブロイラー（飼育頭数）

323万5,000羽
（第8位）

漁獲量・天然（海面漁業）
1万5,323t
（第29位）

漁獲量・養殖（海面養殖）
4万9,449t
（第8位）

食料自給率（カロリーベース）
59%
（第18位）

エンゲル係数*
24.6
（第46位）

食品出荷額
3,847億2,500万円
（第24位）

コロナ禍での消費変化～【グラフ】月別増減率～

調味料
* 4万2,234円 （第21位）

酒類
* 4万7,103円 （第16位）

調理食品
* 12万510円 （第37位）

外食
* 13万6,836円 （第18位）

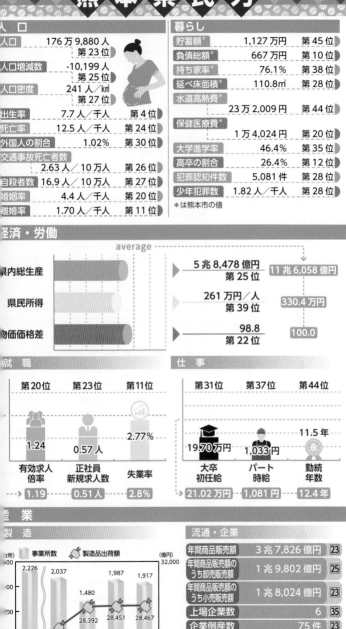

熊本県民力

人 口

人口	176万9,880人	第23位
人口増減数	-10,199人	第25位
人口密度	241人/km	第27位
出生率	7.7人/千人	第4位
死亡率	12.5人/千人	第24位
外国人の割合	1.02%	第30位
交通事故死亡者数	2.63人/10万人	第26位
自殺者数	16.9人/10万人	第27位
婚姻率	4.4人/千人	第20位
離婚率	1.70人/千人	第11位

暮らし

貯蓄額*	1,127万円	第45位
負債総額*	667万円	第10位
持ち家率*	76.1%	第38位
延べ床面積*	110.8m	第28位
水道高熱費*	23万2,009円	第44位
保健医療費*	1万4,024円	第20位
大学進学率	46.4%	第35位
高卒の割合	26.4%	第12位
犯罪認知件数	5,081件	第28位
少年犯罪数	1.82人/千人	第28位

*は熊本市の値

経済・労働

average

県内総生産	5兆8,478億円 第25位	11兆6,058億円
県民所得	261万円/人 第39位	330.4万円
物価価格差	98.8 第22位	100.0

就 職

第20位	第23位	第11位
1.24	0.57人	2.77%
有効求人倍率	正社員新規求人数	失業率
1.19	0.51人	2.8%

仕 事

第31位	第37位	第44位
19.70万円	1,033円	11.5年
大卒初任給	パート時給	勤続年数
21.02万円	1,081円	12.4年

産 業

製 造

事業所数　製造品出荷額

2010年	2016年	2017年	2018年	2019年
2,226	2,037	1,480	1,987	1,917
25,209	26,722	28,392	28,451	28,467

(億円)

流通・企業

年間商品販売額	3兆7,826億円	23
年間商品販売額のうち卸売販売額	1兆9,802億円	25
年間商品販売額のうち小売販売額	1兆8,024億円	23
上場企業数	6	35
企業倒産数	75件	23
代表取締役出身者数	1万8,253人	21

□は全国順位

Data で見る　熊本県

世 帯

78万7,675世帯　24位

- 他 13.0%
- 高齢者世帯 12.2%
- 単身者世帯 30.9%
- 核家族世帯 56.1%

- 平均人員 2.25人（24位）
- 世帯主年齢 55.2歳（45位）
- 子どもの人員 0.82人（2位）
- 高齢者の人員 0.68人（41位）
- 生活保護世帯数　9.3世帯／千世帯（29位）

気 候

	35℃以上の日数	19日	全国で 11位
	平均気温	17.6℃	全国で 10位
	日照時間	2,131時間	全国で 18位
	降水量	2,468mm	全国で 9位
	平均相対湿度	72.3%	全国で 21位

（熊本管区気象台 2020年）

最低気温 -2.7℃／最高気温 37.8℃

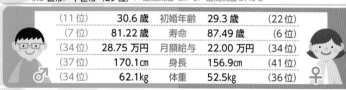

（11位）	30.6歳	初婚年齢	29.3歳	（22位）
（7位）	81.22歳	寿命	87.49歳	（6位）
（34位）	28.75万円	月額給与	22.00万円	（34位）
（37位）	170.1cm	身長	156.9cm	（41位）
（34位）	62.1kg	体重	52.5kg	（36位）

地 価

地価平均価格

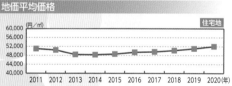

住宅地

(円/㎡)										
60,000 56,000 52,000 48,000 44,000 40,000	2011	2012	2013	2014	2015	2016	2017	2018	2019	2020(年)

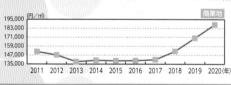

商業地

(円/㎡)										
195,000 183,000 171,000 159,000 147,000 135,000	2011	2012	2013	2014	2015	2016	2017	2018	2019	2020(年)

用途別の平均変動率

住宅地	1.1%	9位
商業地	3.5%	10位
工業地	2.0%	12位

住宅地の平均価格*
6万9,400円／㎡ 22位
（＋1,400円）

商業地の最高値*
247万円／㎡ 12位
（＋34万円）

*は熊本市の値

旅行者（対前年同月比）

月別の宿泊者数

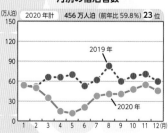

(万人泊)　2020年計　456万人泊（前年比 59.8%）23位

2019年
2020年

1 2 3 4 5 6 7 8 9 10 11 12(月)

月別の客室稼働率

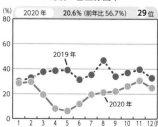

(%)　2020年　20.6%（前年比 56.7%）　29位

2019年
2020年

1 2 3 4 5 6 7 8 9 10 11 12(月)

学校・施設

- 医師数 289.8 人／10 万人（10 位）
- 病院数 12.1 施設／10 万人（7 位）
- 一般診療所数 84.0 施設／10 万人（22 位）
- 児童福祉施設数 47.6 施設／10 万人（11 位）
- 老人福祉センター数 6.52 施設／10 万人（16 位）
- 小学校数 340 校（23 位）
- 高校数 73 校（27 位）

- 大学数 9 校（24 位）
- 博物館数 0.97 施設／10 万人（34 位）
- 映画館数 3.32 施設／10 万人（14 位）
- 図書館数 2.96 施設／10 万人（25 位）
- 学校の IT 化 3.23 人／台（46 位）
- 保育所数 622 カ所（13 位）
- 幼稚園数 101 校（30 位）

消　費（熊本市の 1 世帯当たりの年間支出金額）

左側：**消費変化（対前年比較）**

年間消費支出
350 万 813 円 **16 位**
（対前年比 100.6%）

消費支出増減率（前年同月比）

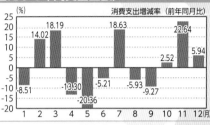

月	1	2	3	4	5	6	7	8	9	10	11	12
(%)	-8.51	14.02	18.19	-13.30	-20.36	-5.21	18.63	-5.93	-9.27	2.52	22.64	5.94

衣 (-0.3)
食 (2.7)
楽 (-4.1)
(-5.7) 通
(35.3) 動
(-31.4) 学

※太線は前年。
太線の外側は
前年対比プラス、
内側はマイナス

衣：被服・履物費	13 万 1,509 円	**5**
食：食費	91 万 6,899 円	**36**
楽：教養娯楽費	29 万 5,301 円	**28**
通：通信費	18 万 6,972 円	**6**
動：交通費	40 万 2,973 円	**10**
学：教育費	12 万 9,056 円	**17**

■は全国順位

鮮　魚

3 万 5,950 円（38 位）

サケ	4,976 円
ブリ	3,480 円
エビ	3,317 円
タイ	2,206 円
マグロ	1,842 円

生鮮野菜

6 万 2,388 円（43 位）

トマト	7,480 円
きゅうり	3,668 円
キャベツ	3,652 円
たまねぎ	3,419 円
じゃがいも	2,787 円

飲　料

5 万 5,318 円（37 位）

茶飲料	7,675 円
炭酸飲料	6,690 円
果実・野菜ジュース	6,130 円
コーヒー	5,564 円
乳酸菌飲料	5,177 円

菓　子

8 万 2,214 円（35 位）

アイスクリーム	1 万 1,241 円
ケーキ	7,998 円
スナック菓子	6,337 円
チョコレート	6,140 円
ビスケット	3,565 円

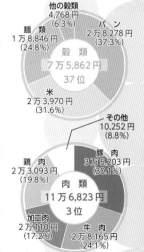

他の穀類 4,768 円（6.3%）
パン 2 万 8,278 円（37.3%）
麺類 1 万 8,846 円（24.8%）
穀類 7 万 5,862 円 37 位
米 2 万 3,970 円（31.6%）

その他 10,252 円（8.8%）
鶏肉 2 万 3,093 円（19.8%）
豚肉 3 万 5,203 円（30.1%）
肉類 11 万 6,823 円 3 位
加工肉 2 万 110 円（17.2%）
牛肉 2 万 8,165 円（24.1%）

大分県

農業生産

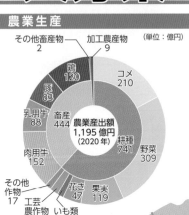

（単位：億円）

- その他畜産物 2
- 加工農産物 9
- 鶏 120
- コメ 210
- 豚 83
- 乳用牛 88
- 畜産 444
- 農業産出額 1,195億円（2020年）
- 耕種 741
- 肉用牛 152
- 野菜 309
- その他作物 17
- 工芸農作物 23
- いも類 18
- 花き 47
- 果実 119

Ａ ぶんご合鴨／豊後高田市、竹田市
特産の白ネギに合わせるために生産された県独自の合鴨。合鴨米作りにも貢献。

Ｂ ハ モ／中津市ほか
豊前海産は「つの字鱧」「真鱧」などと呼ばれ骨がやわらかく、細かく骨切りされる。

中津市

Ｂ

Ｃ
Ｅ
宇佐市

玖珠町

日田市

別府市

九重町

由布市

竹田市

Ａ Ｇ
Ｈ

豊後大野市

Ｎ

農業物産出額上位 10 品目

① 米　　210 億円
② 肉用牛　152 億円
③ 豚　　　83 億円
④ 生乳 76 億円
⑤ ねぎ 57 億円
⑥ ブロイラー 57 億円
⑦ 鶏卵 46 億円
⑧ みかん 32 億円
⑨ トマト 31 億円
⑩ いちご 30 億円

凡　例	
━ ━ ━	新幹線
━ Ｊ Ｒ ━	ＪＲ
───	国　道
盛土・高架道	

Cスッポン
／宇佐市

天然仕上げ飼料と、温泉を利用した冬期加温での養殖による全国有数の産地。

D豊後別府湾ちりめん
／別府湾

別府湾で獲れたカタクチイワシの稚魚を無添加・無漂白で天日干ししたブランド。

Eドジョウ
／大分市、宇佐市

全国で初めてコンクリート水槽の「無泥養殖」を開発。肉厚で骨もやわらかい。

Fクロメ／大分市ほか

粘りの強い海藻。丸めて刻み、ご飯にかけたり味噌汁の具にしたりする。

G荻トマト／竹田市

西日本有数の夏秋トマト産地。栽培地は標高が高く、昼夜の温度差が大きい。

Hサフラン／竹田市

独特の栽培方法と農家の繊細な手作業によって収穫され、海外でも高評価。

Iトヨノホシ
／豊後大野市、佐伯市

麦焼酎生産量トップの大分県で平成30年品種登録された、大麦の焼酎専用品種。

国東市

■市

■町

D

J

E F
大分市

臼杵市

津久見市

佐伯市

J関サバ／大分市

関アジとともに、瀬戸の荒波で関の漁師により一本釣りされた「関もの」。

大分県 の 食

*大分市の1世帯当たりの年間支出金額

耕地面積(田畑計)

5万4,700ha

(第26位)

コメの作付面積(水稲延べ)

2万200ha

(第27位)

コメの収穫量(水稲)

8万1,400t

(第29位)

肉用牛(飼育頭数)

5万1,200頭

(第14位)

養豚(飼育頭数)

13万2,300頭

(第19位)

ブロイラー(飼育頭数)

247万1,000羽

(第12位)

漁獲量・天然(海面漁業)

3万830t

(第22位)

漁獲量・養殖(海面養殖)

2万4,195t

(第13位)

食料自給率(カロリーベース)

47%

(第22位)

エンゲル係数*

26.2

(第34位)

食品出荷額

1,539億3,500万円

(第41位)

コロナ禍での消費変化～【グラフ】月別増減率～

調味料

* 3万8,785円 (第42位)

(円)
―●―2019年 ―●―2020年
5,000
4,400
3,800
3,200
2,600
2,000
1 2 3 4 5 6 7 8 9 10 11 12 (月)

酒類

* 4万1,918円 (第30位)

(円)
―●―2019年 ―●―2020年
9,000
7,400
5,800
4,200
2,600
1,000
1 2 3 4 5 6 7 8 9 10 11 12 (月)

調理食品

*12万2,269円 (第33位)

(円)
―●―2019年 ―●―2020年
20,000
17,200
14,400
11,600
8,800
6,000
1 2 3 4 5 6 7 8 9 10 11 12 (月)

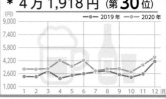

外食

*11万6,028円 (第35位)

(円)
―●―2019年 ―●―2020年
28,000
22,800
17,600
12,400
7,200
2,000
1 2 3 4 5 6 7 8 9 10 11 12 (月)

大分県民力

人口

人口	115万1,229人	第33位
人口増減数	-8,989人	第23位
人口密度	184人/km	第33位
出生率	6.8人/千人	第21位
死亡率	13.0人/千人	第16位
外国人の割合	1.21%	第28位
交通事故死亡者数	3.79人/10万人	第7位
自殺者数	16.8人/10万人	第28位
婚姻率	4.4人/千人	第20位
離婚率	1.73人/千人	第10位

暮らし

貯蓄額*	1,174万円	第43位
負債総額*	452万円	第32位
持ち家率*	69.0%	第45位
延べ床面積*	110.2㎡	第30位
水道高熱費*	23万5,082円	第41位
保健医療費*	1万3,617円	第23位
大学進学率	48.8%	第31位
高卒の割合	25.5%	第13位
犯罪認知件数	3,087件	第37位
少年犯罪数	1.11人/千人	第46位

*は大分市の値

経済・労働

average

項目	値	順位	average値
県内総生産	4兆2,966億円	第32位	11兆6,058億円
県民所得	271万円/人	第34位	330.4万円
物価価格差	97.7	第37位	100.0

就職

	第24位	第12位	第38位
	1.20	0.66人	1.99%
	有効求人倍率	正社員新規求人数	失業率
	1.19	0.51人	2.8%

仕事

	第42位	第43位	第40位
	19.14万円	993円	11.6年
	大卒初任給	パート時給	勤続年数
	21.02万円	1,081円	12.4年

産業

製造

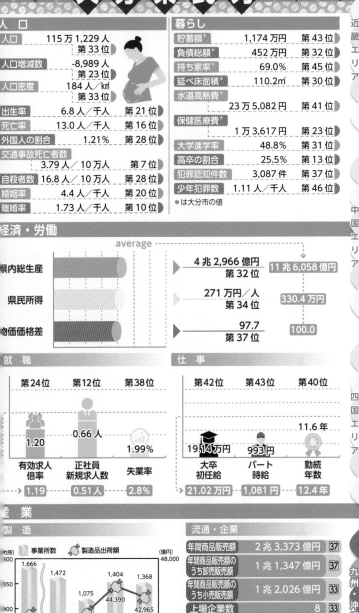

事業所数　製造品出荷額

	2010年	2016年	2017年	2018年	2019年
事業所数	1,666	1,472	1,075	1,404	1,368
製造品出荷額（億円）	40,791	36,949	40,950	44,390	42,965

流通・企業

項目	値	全国順位
年間商品販売額	2兆3,373億円	37
年間商品販売額のうち卸売販売額	1兆1,347億円	37
年間商品販売額のうち小売販売額	1兆2,026億円	33
上場企業数	8	33
企業倒産数	52件	31
代表取締役出身者数	1万3,760人	33

□は全国順位

Data で見る 大分県

世　帯

他	10.4%
高齢者世帯	13.9%
単身者世帯	33.2%
核家族世帯	56.4%

53万9,959世帯 32位

- 平均人員 2.13人（35位）
- 世帯主年齢 58.0歳（30位）
- 子どもの人員 0.65人（19位）
- 高齢者の人員 0.78人（26位）
- 生活保護世帯数 16.5世帯／千世帯（8位）

気　候

35℃以上の日数	8日	全国で 32位
平均気温	17.4℃	全国で 15位
日照時間	2,166時間	全国で 13位
降水量	1,860mm	全国で 21位
平均相対湿度	71.4%	全国で 23位

（大分管区気象台 2020年）

最低気温 -1.3℃／最高気温 36.5℃

（16位）	30.7歳	初婚年齢	29.4歳	（28位）
（9位）	81.08歳	寿命	87.31歳	（12位）
（37位）	28.60万円	月額給与	22.26万円	（32位）
（46位）	169.5cm	身長	156.8cm	（44位）
（13位）	63.3kg	体重	52.4kg	（38位）

地　価

地価平均価格

住宅地

（円／㎡）
50,000 46,000 42,000 38,000 34,000 30,000
2011 2012 2013 2014 2015 2016 2017 2018 2019 2020（年）

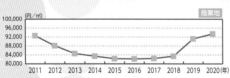

商業地

（円／㎡）
100,000 96,000 92,000 88,000 84,000 80,000
2011 2012 2013 2014 2015 2016 2017 2018 2019 2020（年）

用途別の平均変動率

住宅地	1.3%	7位
商業地	1.1%	18位
工業地	-0.1%	34位

住宅地の平均価格*
5万3900円／㎡ 30位
（＋1,300円）

商業地の最高値*
65万円／㎡ 22位
（＋3万5,000円）

*は大分市の値

旅行者（対前年同月比）

月別の宿泊者数

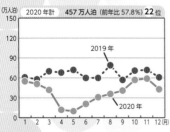

（万人泊）
2020年計　457万人泊（前年比 57.8%）22位
150 120 90 60 30 0
2019年
2020年
1 2 3 4 5 6 7 8 9 10 11 12（月）

月別の客室稼働率

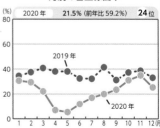

（%）
2020年　21.5%（前年比 59.2%）24位
80 60 40 20 0
2019年
2020年
1 2 3 4 5 6 7 8 9 10 11 12（月）

学校・施設

- 医師数 275.2 人／10 万人（16 位）
- 病院数 13.7 施設／10 万人（4 位）
- 一般診療所数
  83.6 施設／10 万人（24 位）
- 児童福祉施設数
  38.7 施設／10 万人（21 位）
- 老人福祉センター数
  3.88 施設／10 万人（37 位）
- 小学校数 266 校（31 位）
- 高校数 55 校（34 位）

- 大学数 5 校（38 位）
- 博物館数 1.14 施設／10 万人（25 位）
- 映画館数 3.88 施設／10 万人（4 位）
- 図書館数 2.88 施設／10 万人（27 位）
- 学校の IT 化 3.24 人／台（45 位）
- 保育所数 332 カ所（31 位）
- 幼稚園数 166 校（19 位）

消費（大分市の 1 世帯当たりの年間支出金額）

消費変化（対前年比較）

年間消費支出
325 万 6,427 円 29 位
（対前年比 108.9％）

消費支出増減率（前年同月比）

(%)		
2.84	-2.74	28.61

値: 2.84　-2.74　28.61　8.35　-0.28　18.52　17.52　15.71　0.25　6.62　11.23　4.70（月）1〜12

衣：被服・履物費	10 万 2,835 円	35
食：食費	88 万 9,036 円	43
楽：教養娯楽費	30 万 2,672 円	23
通：通信費	17 万 6,726 円	11
動：交通費	32 万 4,394 円	22
学：教育費	7 万 9,955 円	40

■は全国順位

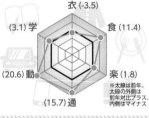

衣 (-3.5)
(3.1) 学
食 (11.4)
(20.6) 動
楽 (1.8)
(15.7) 通

※太線は前年。
太線の外側は
前年対比プラス、
内側はマイナス

鮮 魚
3 万 7,616 円（28 位）

サ ケ	4,586 円
ブ リ	3,799 円
エ ビ	3,035 円
ア ジ	2,232 円
マグロ	2,033 円

飲料
5 万 7,863 円（28 位）

茶飲料	8,177 円
果実・野菜ジュース	7,465 円
コーヒー	6,935 円
炭酸飲料	6,240 円
コーヒー飲料	4,783 円

生鮮野菜
6 万 3,817 円（40 位）

トマト	7,333 円
たまねぎ	3,395 円
きゅうり	3,375 円
キャベツ	3,059 円
ね ぎ	2,865 円

菓子
8 万 2,021 円（37 位）

アイスクリーム	1 万 178 円
チョコレート	6,971 円
スナック菓子	6,772 円
ケーキ	6,506 円
せんべい	4,723 円

穀 類
7 万 3,863 円
44 位

- 他の穀類 5,172 円（20.2%）
- パン 3 万 1,235 円（36.3%）
- 麺 類 1 万 6,829 円（19.5%）
- 米 2 万 627 円（24.0%）

肉 類
10 万 1,792 円
19 位

- その他 7,931 円（7.8%）
- 豚 肉 2 万 9,900 円（29.4%）
- 鶏 肉 1 万 9,966 円（19.6%）
- 加工肉 1 万 6,067 円（15.8%）
- 牛 肉 2 万 7,927 円（27.4%）

宮崎県

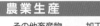

農業生産

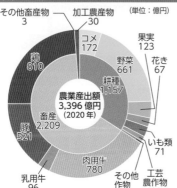

（単位：億円）

その他畜産物 3
加工農産物 30
コメ 172
鶏 810
果実 123
野菜 661
花き 67
耕種 1,157
農業産出額 3,396億円（2020年）
畜産 2,209
豚 521
いも類 71
肉用牛 780
その他作物 17
工芸農作物 44
乳用牛 96

農業物産出額上位 **10** 品目

① 肉用牛　780 億円
② ブロイラー　687 億円
③ 豚　521 億円

④ きゅうり 178 億円
⑤ 米 172 億円
⑥ ピーマン 113 億円
⑦ 鶏卵 89 億円
⑧ 生乳 79 億円
⑨ さつまいも 64 億円
⑩ トマト 61 億円

みやざき地頭鶏／県内広域
天然記念物「地頭鶏」を県独自に改良した地鶏。4〜5カ月間のびのび飼養。

キンカン／県内広域
宮崎県は生産量全国一。完熟きんかん「たまたま」はとくに大きくて甘い。

高千穂町
五ヶ瀬町
日之影
諸塚村
椎葉村
美郷町
A
西米良村
西都市
D
えびの市　小林市
C
綾町
宮
高原町
都城市
三股町
串間

凡 例
新幹線
JR
国 道
高速・有料道路

延岡市

門川町

日向市 **B**

都農町 **D**

川南町 **D**

高鍋町

新富町

E

A五ヶ瀬やまめ／五ヶ瀬町
無投薬で飼育管理し、出荷3日以上前からエサを与えずに蓄養させている。

Bへべす／日向市ほか
平兵衛酢（へべす）は、日向市発祥の香酸かんきつ。果汁が多くスダチより大きい。

C京いも／小林市ほか
宮崎県特産のサトイモで京都の海老イモとは別。その形から筍イモとも呼ばれる。

D黒皮かぼちゃ／宮崎市、国富町、川南町、都農町
日向かぼちゃとも呼ばれる宮崎の伝統野菜。希少な日本カボチャの一種。

E北浦灘アジ／日向灘
まき網で漁獲した後1週間以上給餌せず蓄養させるため、脂が全身に回る。

宮崎ブランドポーク／県内広域
宮崎を代表するブランド豚肉で、一定の基準をクリアした県内生産者のみが生産。

みやざきビタミンピーマン／県内広域
全国トップクラスの日射量の下で栽培され、ビタミンC量は通常の約1.3倍。

みやざき乾しいたけ／県内広域
寒風や雨から守るため袋がけするなど工夫して栽培されたブランド原木シイタケ。

289

宮崎県 の 食

※宮崎市の1世帯当りの年間支出金額

耕地面積 (田畑計)
6万 5,200ha
(第 20 位)

コメの作付面積 (水稲延べ)
1万 6,000ha
(第 31 位)

コメの収穫量 (水稲)
7万 6,000t
(第 31 位)

肉用牛 (飼育頭数)
24万 4,100頭
(第 3 位)

養豚 (飼育頭数)
83万 5,700頭
(第 2 位)

ブロイラー (飼育頭数)
2,823万 6,000羽
(第 1 位)

漁獲量・天然 (海面漁業)
10万 130t
(第 8 位)

漁獲量・養殖 (海面養殖)
1万 3,038t
(第 19 位)

食料自給率 (カロリーベース)
64%
(第 16 位)

エンゲル係数*
27.2
(第 20 位)

食品出荷額
3,240億 7,600万円
(第 30 位)

コロナ禍での消費変化～【グラフ】月別増減率～

調味料
* 4万2,350円 (第 19 位)

酒 類
* 4万7,955円 (第 15 位)

調理食品
* 12万2,236円 (第 35 位)

外 食
* 12万1,527円 (第 33 位)

宮崎県民力

人 口

人口	109 万 5,903 人	第 35 位
人口増減数	-7,852 人	第 18 位
人口密度	143 人／㎢	第 39 位
出生率	7.6 人／千人	第 7 位
死亡率	12.9 人／千人	第 17 位
外国人の割合	0.72%	第 43 位
交通事故死亡者数	3.36 人／10 万人	第 12 位
自殺者数	21.2 人／10 万人	第 7 位
婚姻率	4.4 人／千人	第 20 位
離婚率	1.92 人／千人	第 3 位

暮らし

貯蓄額*	1,189 万円	第 42 位
負債総額*	437 万円	第 37 位
持ち家率*	79.5%	第 33 位
延べ床面積*	96.9㎡	第 41 位
水道高熱費*	22 万 3,166 円	第 46 位
保健医療費*	1 万 1,260 円	第 46 位
大学進学率	44.9%	第 43 位
高卒の割合	28.7%	第 6 位
犯罪認知件数	3,694 件	第 33 位
少年犯罪数	1.42 人／千人	第 36 位

* は宮崎市の値

経済・労働

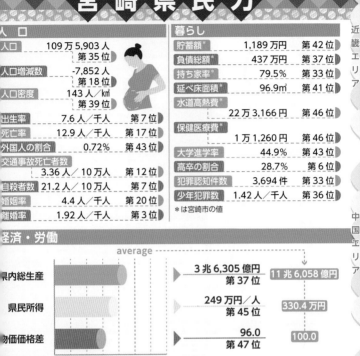

average

県内総生産	3 兆 6,305 億円　第 37 位	11 兆 6,058 億円
県民所得	249 万円／人　第 45 位	330.4 万円
物価価格差	96.0　第 47 位	100.0

就 職

第25位	第6位	第39位
1.19	0.69 人	1.95%
有効求人倍率	正社員新規求人数	失業率
1.19	0.51 人	2.8%

仕 事

第46位	第43位	第40位
18.80 万円	993 円	11.6 年
大卒初任給	パート時給	勤続年数
21.02 万円	1,081 円	12.4 年

産 業

製 造

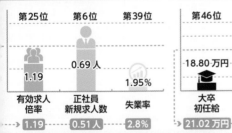

事業所数　　製造品出荷額　　(億円)

	2010年	2016年	2017年	2018年	2019年
事業所数	1,556	1,424	1,030	1,396	1,330
製造品出荷額	13,120	16,166	16,917	17,140	16,322

流通・企業

年間商品販売額	2 兆 5,133 億円	34
年間商品販売額のうち卸売販売額	1 兆 4,272 億円	32
年間商品販売額のうち小売販売額	1 兆 861 億円	39
上場企業数	5	38
企業倒産数	33 件	43
代表取締役出身者数	1 万 3,989 人	32

□は全国順位

Data で見る 宮崎県

世 帯

他 8.6%
高齢者世帯 14.1%

52 万 7,570 世帯 34 位

単身者世帯 32.1%
核家族世帯 59.3%

- 平均人員 2.08 人（40 位）
- 世帯主年齢 56.8 歳（40 位）
- 子どもの人員 0.76 人（8 位）
- 高齢者の人員 0.62 人（46 位）
- 生活保護世帯数 13.7 世帯／千世帯（17 位）

気 候

35℃以上の日数	全国で 31 位	
9 日		
平均気温	全国で 3 位	
18.3℃		
日照時間	全国で 6 位	
2,208 時間		
降水量	全国で 10 位	
2,280 mm		
平均相対湿度	全国で 10 位	
75.7%		

（宮崎管区気象台 2020 年）

最低気温 -1.7℃／最高気温 37.2℃

（1 位）	30.1 歳	初婚年齢	28.9 歳	（2 位）
（32 位）	80.34 歳	寿命	87.12 歳	（22 位）
（44 位）	27.02 万円	月額給与	20.50 万円	（45 位）
（39 位）	170.0cm	身長	157.1cm	（37 位）
（11 位）	63.4kg	体重	53.5kg	（11 位）

地 価

地価平均価格

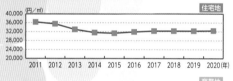

住宅地

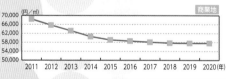

商業地

用途別の平均変動率

住宅地	-0.2%	27 位
商業地	-0.7%	39 位
工業地	-0.3%	42 位

住宅地の平均価格*
4 万 7,900 円／m² 36 位
（＋ 300 円）

商業地の最高値*
28 万 8,000 円／m² 35 位
（＋2,000 円）

*は宮崎市の値

旅行者 （対前年同月比）

月別の宿泊者数

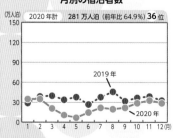

2020 年計 281 万人泊（前年比 64.9%）36 位

月別の客室稼働率

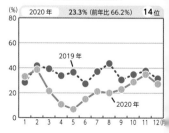

2020 年 23.3%（前年比 66.2%）14 位

学校・施設

- 医師数 246.6 人／10 万人（25 位）
- 病院数 12.8 施設／10 万人（5 位）
- 一般診療所数 83.8 施設／10 万人（23 位）
- 児童福祉施設数 60.1 施設／10 万人（2 位）
- 老人福祉センター数 6.15 施設／10 万人（21 位）
- 小学校数 238 校（34 位）
- 高校数 52 校（38 位）

- 大学数 7 校（30 位）
- 博物館数 0.74 施設／10 万人（40 位）
- 映画館数 2.33 施設／10 万人（35 位）
- 図書館数 2.96 施設／10 万人（24 位）
- 学校の IT 化 4.57 人／台（24 位）
- 保育所数 425 カ所（26 位）
- 幼稚園数 93 校（31 位）

消　費（宮崎市の 1 世帯当たりの年間支出金額）

年間消費支出
314 万 522 円 **39 位**
（対前年比 105.0%）

消費支出増減率（前年同月比）

月	1	2	3	4	5	6	7	8	9	10	11	12
(%)	-10.81	15.52	15.67	-10.48	8.97	0.69	-3.41	-18.39	-23.49	14.79	2.86	8.98

衣 (-5.9)
(108.4) 学
(-14.7) 動
(11.9) 通
食 (5.9)
楽 (3.4)

※太線は前年。
太線の外側は
前年対比プラス、
内側はマイナス

衣：被服・履物費	10 万 526 円	**37**
食：食費	89 万 4,630 円	**42**
楽：教養娯楽費	28 万 380 円	**34**
通：通信費	17 万 4,647 円	**13**
動：交通費	35 万 7,068 円	**17**
学：教育費	14 万 3,364 円	**11**

■は全国順位

鮮　魚　3 万 5,829 円（39 位）

サ ケ	3,844 円
エ ビ	3,283 円
ブ リ	3,176 円
マグロ	2,875 円
カツオ	1,861 円

生鮮野菜　6 万 3,449 円（42 位）

トマト	6,755 円
たまねぎ	3,595 円
キャベツ	3,370 円
きゅうり	3,163 円
ね ぎ	2,840 円

飲　料　5 万 5,757 円（36 位）

炭酸飲料	7,480 円
茶飲料	6,765 円
果実・野菜ジュース	6,230 円
コーヒー	5,523 円
コーヒー飲料	4,756 円

菓　子　8 万 2,319 円（33 位）

アイスクリーム	1 万 1,718 円
ケーキ	7,139 円
チョコレート	6,968 円
スナック菓子	5,536 円
せんべい	4,239 円

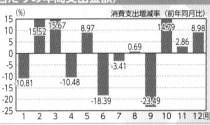

他の穀類
5,270 円
(23.0%)

パン
2 万 6,920 円
(31.3%)

穀類
7 万 1,552 円
46 位

麺 類
1 万 8,374 円
(21.3%)

米
2 万 989 円
(24.4%)

その他
7,887 円
(7.5%)

鶏 肉
2 万 2,678 円
(21.5%)

豚 肉
3 万 3,292 円
(31.5%)

肉 類
10 万 5,599 円
12 位

加工肉
1 万 7,561 円
(16.6%)

牛 肉
2 万 4,180 円
(22.9%)

鹿児島県

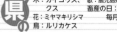
県の
木：カイコウズ、クス
花：ミヤマキリシマ
鳥：ルリカケス
歌：鹿児島県民の
畜産の日：
毎月 29 日

農業生産

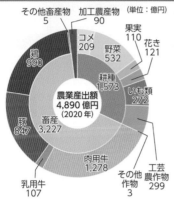

（単位：億円）

農業産出額
4,890 億円
（2020 年）

耕種 1,573
- コメ 209
- 野菜 532
- 果実 110
- 花き 121
- いも類 272
- 工芸農作物 299
- その他作物 3

畜産 3,227
- 鶏 990
- 豚 847
- 肉用牛 1,278
- 乳用牛 107

その他畜産物 5
加工農産物 90

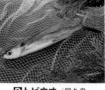

Dトビウオ／屋久島、沖永良部島、与論島ほか
漁獲量は全国の 7 割以上。大型のものは刺身にすると弾力のある歯ごたえ。

長島町 **A**
阿久根市 **A**
薩摩川内市
いちき串木野市
甑島列島

農業物産出額上位 **10** 品目

① 肉用牛 1,278 億円

② 豚　847 億円

③ ブロイラー　695 億円

④ 鶏卵 263 億円
⑤ 米 209 億円
⑥ 茶（生葉）163 億円
⑦ さつまいも 157 億円
⑧ じゃがいも 115 億円
⑨ さとうきび 109 億円
⑩ 荒茶 89 億円

南さつま市 **B**

奄美市
龍郷町
大和村
宇検村
奄美大島
瀬戸内町
E
F

喜界島
喜界町

与論島
与論町 **D**

沖永良部島
和泊町
知名町 **D**

徳之島
天城町
徳之島町
伊仙町

N

Eパッションフルーツ／大島地域など
サマークイーン種は甘みが強い。ルビースター種は糖度も酸味もあり濃密。

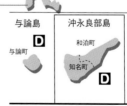

F黒糖／奄美大島
1600 年代初期に奄美大島で製造が始められたサトウキビが原料の伝統食品。

A 大将季
/阿久根市、出水市、長島町

大将季（だいまさき）は不知火の一種で県オリジナル品種。紅い果皮と果肉が特徴。

ソラマメ／北薩、南薩

鹿児島県はソラマメの生産額が圧倒的シェアで全国トップ。大粒で甘みがある。

ウナギ／大隅地区ほか

シラス台地での豊富な地下水と温暖な気候により、ウナギの養殖量日本一。

マンゴー／県内広域

「夏姫」は県産マンゴーのなかでも外見、大きさ、糖度に優れた特級品。

水市　伊佐市

さつま町　湧水町

薩摩川内市　霧島市

姶良市

鹿児島市

鹿児島市

曽於市

垂水市　志布志市

大崎町

C　鹿屋市　東串良町

指宿市

肝付町

錦江町

南大隅町

西之表市

中種子町

種子島

南種子町

大隅諸島

D

屋久島町

屋久島

B ラッキョウ／南さつま市

吹上浜沿岸は全国有数のラッキョウ産地。大玉の「砂丘らっきょう」が収穫できる。

C オクラ／指宿市ほか

鹿児島県はオクラの生産量全国1位。指宿では、栽培にテントウ虫など益虫も活用。

凡　例
- ━ ━ ━ 新幹線
- J　R
- ─── 国　道
- ━━━ 謎・䋈選道

鹿児島県 の 食

＊鹿児島市の1世帯当たりの年間支出金額

耕地面積（田畑計）
11万4,800ha
（第12位）

コメの作付面積（水稲延べ）
1万9,300ha
（第28位）

コメの収穫量（水稲）
8万8,400t
（第27位）

肉用牛（飼育頭数）
34万1,000頭
（第2位）

養豚（飼育頭数）
126万9,000頭
（第1位）

ブロイラー（飼育頭数）
2,797万羽
（第2位）

漁獲量・天然（海面漁業）
5万8,928t
（第17位）

漁獲量・養殖（海面養殖）
4万8,942t
（第9位）

食料自給率（カロリーベース）
79%
（第8位）

エンゲル係数＊
26.5
（第29位）

食品出荷額
6,861億6,400万円
（第14位）

コロナ禍での消費変化～【グラフ】月別増減率～

調味料
＊4万2,691円（第17位）

酒類
＊3万8,323円（第37位）

調理食品
＊11万4,933円（第44位）

外食
＊12万5,769円（第29位）

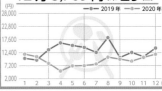

鹿児島県民力

人 口

人口	163万146人	第24位
人口増減数	-13,291人	第36位
人口密度	179人／㎢	第36位
出生率	7.5人／千人	第9位
死亡率	13.7人／千人	第13位
外国人の割合	0.76%	第40位
交通事故死亡者数	3.31人／10万人	第13位
自殺者数	18.1人／10万人	第18位
婚姻率	4.3人／千人	第29位
離婚率	1.82人／千人	第6位

暮らし

貯蓄額*	1,351万円	第38位
負債総額*	482万円	第28位
持ち家率*	77.0%	第36位
延べ床面積*	99.9㎡	第40位
水道高熱費*	22万8,780円	第45位
保健医療費*	1万4,356円	第17位
大学進学率	43.5%	第46位
高卒の割合	27.5%	第10位
犯罪認知件数	5,113件	第27位
少年犯罪数	1.61人／千人	第29位

*は鹿児島市の値

経済・労働

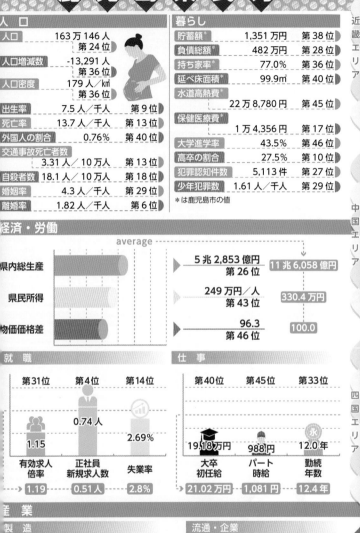

average

県内総生産	5兆2,853億円 第26位	11兆6,058億円
県民所得	249万円／人 第43位	330.4万円
物価価格差	96.3 第46位	100.0

就 職

第31位	第4位	第14位
1.15	0.74人	2.69%
有効求人倍率	正社員新規求人数	失業率
1.19	0.51人	2.8%

仕 事

第40位	第45位	第33位
19.18万円	988円	12.0年
大卒初任給	パート時給	勤続年数
21.02万円	1,081円	12.4年

産 業

製 造

■事業所数　🐢製造品出荷額

	2010年	2016年	2017年	2018年	2019年
事業所数	2,337	2,094	1,580	2,027	1,940
製造品出荷額	18,145	19,579	20,676	20,699	19,883

流通・企業

年間商品販売額	3兆7,880億円	22
年間商品販売額のうち卸売販売額	2兆2,361億円	22
年間商品販売額のうち小売販売額	1兆5,519億円	24
上場企業数	10	28
企業倒産数	53件	30
代表取締役出身者数	1万8,686人	20

□は全国順位

Data で見る 鹿児島県

世 帯

80万9,530世帯 21位

- 他 5.8%
- 高齢者世帯 14.0%
- 単身者世帯 35.7%
- 核家族世帯 58.6%

- 平均人員 2.01人（45位）
- 世帯主年齢 58.5歳（28位）
- 子どもの人員 0.67人（16位）
- 高齢者の人員 0.76人（28位）
- 生活保護世帯数 14.5世帯／千世帯（16位）

気 候

35℃以上の日数	13日	全国で 22位
平均気温	19.2℃	全国で 2位
日照時間	2,041時間	全国で 22位
降水量	2,978mm	全国で 2位
平均相対湿度	72.8%	全国で 19位

（鹿児島管区気象台 2020年）

最低気温 0.9℃／最高気温 37.0℃

(16位)	30.7歳	初婚年齢	29.5歳	(35位)
(43位)	80.02歳	寿命	86.78歳	(36位)
(36位)	28.71万円	月額給与	21.32万円	(39位)
(40位)	169.9cm	身長	158.0cm	(12位)
(38位)	62.0kg	体重	53.4kg	(15位)

地 価

地価平均価格

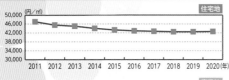

住宅地

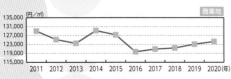

商業地

用途別の平均変動率

住宅地	-0.9%	44位
商業地	-0.9%	44位
工業地	0.4%	28位

―― 住宅地の平均価格* ――
8万9,800円／㎡ 16位
（+600円）

―― 商業地の最高値* ――
115万円／㎡ 17位
（+3万円）

*は鹿児島市の値

旅行者 （対前年同月比）

月別の宿泊者数

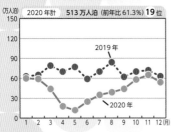

2020年計 513万人泊（前年比 61.3%）19位

月別の客室稼働率

2020年 22.6%（前年比 60.3%）20位

学校・施設

- 医師数 270.8 人／10 万人（17 位）
- 病院数 15.0 施設／10 万人（2 位）
- 一般診療所数
  85.8 施設／10 万人（18 位）
- 児童福祉施設数
  45.8 施設／10 万人（13 位）
- 老人福祉センター数
  7.55 施設／10 万人（6 位）
- 小学校数 507 校（11 位）
- 高校数 89 校（18 位）

- 大学数 6 校（34 位）
- 博物館数 1.05 施設／10 万人（30 位）
- 映画館数 2.43 施設／10 万人（33 位）
- 図書館数 3.90 施設／10 万人（10 位）
- 学校の IT 化 3.46 人／台（42 位）
- 保育所数 568 カ所（17 位）
- 幼稚園数 146 校（23 位）

消　費（鹿児島市の 1 世帯当たりの年間支出金額）

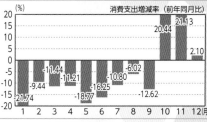

年間消費支出
319 万 4,732 円 **35 位**
（対前年比 93.1%）

消費支出増減率（前年同月比）

月	値
1	-21.74
1	-9.44
2	-11.44
3	-11.21
4	-18.77
5	-16.25
6	-10.80
7	-6.02
8	-12.62
10	20.44
11	21.13
12	2.10

衣：被服・履物費	10 万 928 円	**36**
食：食費	90 万 46 円	**41**
楽：教養娯楽費	27 万 2,421 円	**38**
通：通信費	17 万 5,885 円	**12**
動：交通費	26 万 781 円	**35**
学：教育費	10 万 6,850 円	**27**

■は全国順位

衣 (-15.1)
(7.0) 学
食 (-4.0)
(-19.1) 動
楽 (-21.6)
(0.4) 通

※太線は前年。
太線の外側は
前年対比プラス、
内側はマイナス

消費変化（対前年比較）

鮮 魚
3 万 7,906 円（25 位）

ナ ケ	5,532 円
エ ビ	3,293 円
ブ リ	3,211 円
マグロ	3,174 円
フ イ	2,207 円

生鮮野菜
6 万 9,575 円（34 位）

トマト	7,101 円
たまねぎ	3,729 円
きゅうり	3,689 円
キャベツ	3,593 円
ね ぎ	3,090 円

飲料
6 万 599 円（18 位）

実・野菜ジュース	8,327 円
乳酸菌飲料	7,469 円
茶飲料	6,579 円
コーヒー	6,157 円
炭酸飲料	5,945 円

菓子
7 万 6,832 円（44 位）

アイスクリーム	9,088 円
ケーキ	6,832 円
チョコレート	6,226 円
スナック菓子	4,765 円
せんべい	3,535 円

他の穀類
5,480 円
(18.5%)

パン
2 万 6,885 円
(31.2%)

穀 類
7 万 5,621 円
39 位

麺 類
1 万 8,495 円
(21.5%)

米
2 万 4,761 円
(28.8%)

その他
7,240 円
(7.1%)

鶏 肉
2 万 1,812 円
(21.5%)

豚 肉
3 万 1,748 円
(31.2%)

肉 類
10 万 1,628 円
20 位

加工肉
1 万 5,626 円
(15.4%)

牛 肉
2 万 5,202 円
(24.8%)

沖縄県

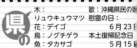

県の
木： リュウキュウマツ
花： デイゴ
鳥： ノグチゲラ
魚： タカサゴ

歌： 沖縄県民の歌
慰霊の日： 6月23日
本土復帰記念日 5月15日

農業生産

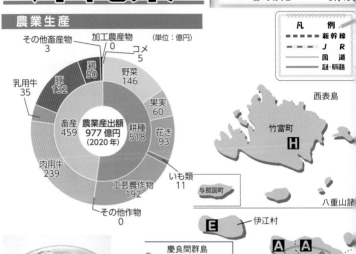

（単位：億円）

- その他畜産物 3
- 加工農産物 0
- コメ 5
- 鶏 50
- 野菜 146
- 乳用牛 35
- 豚 132
- 果実 60
- 畜産 459
- 農業産出額 977億円（2020年）
- 耕種 518
- 花き 93
- 肉用牛 239
- いも類 11
- 工芸農作物 192
- その他作物 0

Ⓗパパイヤ／石垣島、八重山諸島、読谷村ほか
未熟果は、葉野菜が少なくなる暑い夏の貴重な野菜。熟せば果物として食べる。

農業物産出額上位 **10** 品目

① 肉用牛 **239** 億円
② さとうきび **152** 億円
③ 豚 **132** 億円

④ きく 70億円
⑤ 葉たばこ 39億円
⑥ 鶏卵 36億円
⑦ 生乳 34億円
⑧ マンゴー 25億円
⑨ にがうり 19億円
⑩ ブロイラー 14億円

凡 例
- 新幹線
- J R
- 国 道
- 鉄道・軽便鉄道

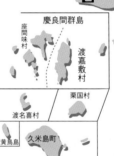

西表島
竹富町 Ⓗ

与那国町

八重山諸島

伊江村 Ⓔ

Ⓐ Ⓐ
本部町
今帰仁村
名護

慶良間群島
座間味村
渡嘉敷村
栗国村
渡名喜村
久米島町
硫黄鳥島

恩納村
宜野座村
金武町

Ⓗ
読谷村
嘉手納町
北谷町
北中城村
中城村

うるま市
沖縄市

宜野湾市
浦添市
西原町
那覇市
南風原町 Ⓑ Ⓕ
Ⓖ豊見城市
南城市
糸満市
八重瀬町 Ⓒ Ⓓ Ⓕ
Ⓕ Ⓖ

与那原町

N

尖閣諸島

石垣市

石垣島

石垣市

H

国頭村

味村

東村

北大東村

大東島

南大東村

宮古島

宮古島市

E G

旬村

伊平屋島　伊是名島

伊平屋村

伊是名村

ミーバイ／県内広域
ハタ類の総称。なかでもアカジンミーバイは、沖縄の三大高級魚の一つ。

Aアセロラ／本部町、今帰仁村
紫外線の強い沖縄では、アセロラを食べると肌が若くなるともいわれている。

Bスターフルーツ／南風原町ほか
熱帯果物のゴレンシ。ブランド化した「美（ちゅ）ら星」は、甘酸っぱく形が良い。

Cハンダマ／八重瀬町ほか
石川県では金時草といわれる。古くから血の葉・不老長寿の葉として重宝された。

Dフーチバー／八重瀬町ほか
ニシヨモギ。一般的なヨモギより苦みが少なく、炊き込みご飯や薬味などに利用。

E島らっきょう／伊江村、宮古島市ほか
香りと辛みが強い在来種。エシャロットのように細長い状態で早掘りされる。

Fナーベーラー／糸満市、南風原町、八重瀬町ほか
ヘチマのことで若い実を食す。沖縄ではゴーヤと並ぶメジャーな夏野菜。

Gシブイ／宮古島市、糸満市、豊見城市ほか
熱帯アジア原産のトウガンのこと。沖縄の定番食材で、ソーキ汁にも欠かせない。

沖縄県 の 食

＊那覇市の1世帯当りの年間支出金額

耕地面積(田畑計)
3万7,000ha
(第35位)

コメの作付面積(水稲延べ)
650ha
(第46位)

コメの収穫量(水稲)
2,090t
(第46位)

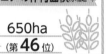

肉用牛(飼育頭数)
7万9,700頭
(第9位)

養豚(飼育頭数)
20万9,800頭
(第13位)

ブロイラー(飼育頭数)
70万7,000羽
(第28位)

漁獲量・天然(海面漁業)
1万5,685t
(第28位)

漁獲量・養殖(海面養殖)
1万7,977t
(第18位)

食料自給率(カロリーベース)
27%
(第33位)

エンゲル係数*
30.6
(第3位)

食品出荷額
1,835億700万円
(第39位)

コロナ禍での消費変化～【グラフ】月別増減率～

調味料
* 3万6,374円 (第47位)

(円)
5,000
4,400
3,800
3,200
2,600
2,000
━●━ 2019年 ━●━ 2020年
1 2 3 4 5 6 7 8 9 10 11 12 (月)

酒類
* 3万6,319円 (第42位)

(円)
9,000
7,400
5,800
4,200
2,600
1,000
━●━ 2019年 ━●━ 2020年
1 2 3 4 5 6 7 8 9 10 11 12 (月)

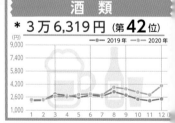

調理食品
*12万8,198円 (第24位)

(円)
20,000
17,200
14,400
11,600
8,800
6,000
━●━ 2019年 ━●━ 2020年
1 2 3 4 5 6 7 8 9 10 11 12 (月)

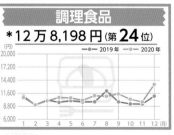

外食
*10万1,834円 (第43位)

(円)
28,000
22,800
17,600
12,400
7,200
2,000
━●━ 2019年 ━●━ 2020年
1 2 3 4 5 6 7 8 9 10 11 12 (月)

沖縄県民力

人口

人口	148 万 1,547 人	第 25 位
人口増減数	+5,369 人	第 6 位
人口密度	628 人／k㎡	第 9 位
出生率	10.4 人／千人	第 1 位
死亡率	8.7 人／千人	第 47 位
外国人の割合	1.42%	第 25 位
交通事故死亡者数	1.51 人／10 万人	第 45 位
自殺者数	13.8 人／10 万人	第 40 位
婚姻率	5.6 人／千人	第 2 位
離婚率	2.52 人／千人	第 1 位

暮らし

貯蓄額*	772 万円	第 47 位
負債総額*	277 万円	第 45 位
持ち家率*	57.1%	第 47 位
延べ床面積*	79.5㎡	第 47 位
水道高熱費*	23 万 2,285 円	第 42 位
保健医療費*	9,325 円	第 47 位
大学進学率	40.8%	第 47 位
高卒の割合	16.6%	第 38 位
犯罪認知件数	5,998 件	第 25 位
少年犯罪数	3.89 人／千人	第 1 位

*は那覇市の値

経済・労働

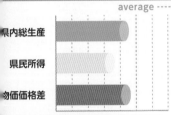

average

県内総生産	4 兆 2,664 億円	第 34 位	11 兆 6,058 億円
県民所得	235 万円／人	第 47 位	330.4 万円
物価価格差	98.4	第 30 位	100.0

就職

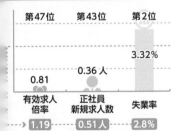

第47位	第43位	第2位
0.81	0.36 人	3.32%
有効求人倍率	正社員新規求人数	失業率
1.19	0.51 人	2.8%

仕事

第47位	第39位	第47位
17.50 万円	1,003 円	10.6 年
大卒初任給	パート時給	勤続年数
21.02 万円	1,081 円	12.4 年

産業

製造

	2010年	2016年	2017年	2018年	2019年
事業所数	1,262	1,116	928	1,113	1,047
製造品出荷額	5,655	4,485	4,799	4,986	4,830

流通・企業

年間商品販売額	2 兆 6,223 億円	33
年間商品販売額のうち卸売販売額	1 兆 2,720 億円	34
年間商品販売額のうち小売販売額	1 兆 3,503 億円	31
上場企業数	6	35
企業倒産数	34 件	42
代表取締役出身者数	1 万 4,101 人	31

□は全国順位

Data で見る　沖縄県

世　帯

他 9.1%
高齢者世帯 7.3%

66 万 6,861 世帯
25 位

単身者世帯 32.4%

核家族世帯 58.6%

- 平均人員 2.22 人（26 位）
- 世帯主年齢 59.6 歳（17 位）
- 子どもの人員 0.67 人（16 位）
- 高齢者の人員 0.87 人（11 位）
- 生活保護世帯数 28.0 世帯／千世帯（3 位）

気　候

35℃以上の日数	全国で 45 位	
0 日		
平均気温	全国で 1 位	
23.8℃		
日照時間	全国で 37 位	
1,737 時間		
降水量	全国で 8 位	
2,481 ㎜		
平均相対湿度	全国で 4 位	
76.9%		

（那覇管区気象台 2020 年）

最低気温 10.6℃／最高気温 34.7℃

（11 位）	30.6 歳	初婚年齢	29.3 歳	（22 位）
（36 位）	80.27 歳	寿命	87.44 歳	（7 位）
（43 位）	27.23 万円	月額給与	22.07 万円	（33 位）
（47 位）	168.6cm	身長	156.8cm	（44 位）
（45 位）	61.6kg	体重	52.5kg	（37 位）

地　価

地価平均価格

住宅地

（円／㎡）
110,000
102,000
94,000
86,000
78,000
70,000
2011 2012 2013 2014 2015 2016 2017 2018 2019 2020（年）

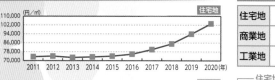

商業地

（円／㎡）
220,000
200,000
180,000
160,000
140,000
120,000
2011 2012 2013 2014 2015 2016 2017 2018 2019 2020（年）

用途別の平均変動率

住宅地	9.5%	1 位
商業地	13.3%	1 位
工業地	20.9%	1 位

住宅地の平均価格*
17 万 7,000 円／㎡ 7 位
（＋ 16,800 円）

商業地の最高値*
198 万円／㎡ 13 位
（＋58 万円）

*は那覇市の値

旅行者 （対前年同月比）

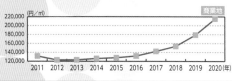

月別の宿泊者数

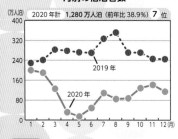

（万人泊）
2020 年計 1,280 万人泊（前年比38.9%）7 位
400

320

240

160

80

0
1 2 3 4 5 6 7 8 9 10 11 12（月）

2019 年
2020 年

月別の客室稼働率

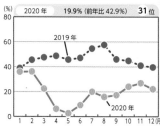

（%）
2020 年 19.9%（前年比42.9%）31 位
80

60

40

20

0
1 2 3 4 5 6 7 8 9 10 11 12（月）

2019 年
2020 年

学校・施設

- 医師数 240.7 人／10 万人（27 位）
- 病院数 6.3 施設／10 万人（30 位）
- 一般診療所数
  62.0 施設／10 万人（44 位）
- 児童福祉施設数
  61.5 施設／10 万人（1 位）
- 老人福祉センター数
  2.68 施設／10 万人（45 位）
- 小学校数 268 校（30 位）
- 高校数 64 校（30 位）

- 大学数 8 校（27 位）
- 博物館数 1.04 施設／10 万人（31 位）
- 映画館数 3.65 施設／10 万人（5 位）
- 図書館数 2.76 施設／10 万人（34 位）
- 学校の IT 化 4.72 人／台（20 位）
- 保育所数 591 カ所（15 位）
- 幼稚園数 185 校（17 位）

消　費（那覇市の 1 世帯当たりの年間支出金額）

消費変化（対前年比較）

年間消費支出	
259 万 4,427 円	47 位
（対前年比 102.7%）	

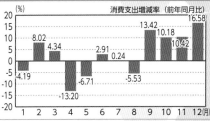

消費支出増減率（前年同月比）

(%)
- 1: -4.19
- 2: 8.02
- 3: 4.34
- 4: -13.20
- 5: -6.71
- 6: 0.24
- 7: 2.91
- 8: -5.53
- 9: 13.42
- 10: 10.18
- 11: 10.42
- 12: 16.58

衣 (-7.2)
(19.4) 学
食 (6.7)
(1.7) 動
楽 (-13.9)
(9.6) 通

※太線は前年。
太線の外側は前年対比プラス、内側はマイナス

衣：被服・履物費	6 万 6,742 円	47
食：食費	83 万 1,311 円	47
楽：教養娯楽費	18 万 1,796 円	47
通：通信費	13 万 9,977 円	46
動：交通費	17 万 8,870 円	46
学：教育費	8 万 3,302 円	39

■は全国順位

鮮　魚

2 万 8,866 円（47 位）	
マグロ	5,876 円
サケ	4,946 円
エビ	2,424 円
イカ	1,025 円
サバ	892 円

飲　料

6 万 2,067 円（12 位）	
茶飲料	8,545 円
果実・野菜ジュース	7,887 円
ミネラルウォーター	6,895 円
炭酸飲料	6,108 円
コーヒー飲料	6,092 円

生鮮野菜

7 万 231 円（31 位）	
トマト	6,778 円
たまねぎ	4,056 円
にんじん	3,809 円
キャベツ	3,266 円
きゅうり	2,967 円

菓　子

7 万 758 円（47 位）	
アイスクリーム	9,386 円
ケーキ	6,977 円
チョコレート	6,260 円
スナック菓子	5,387 円
ビスケット	2,829 円

穀　類
7 万 8,108 円
32 位
- 他の穀類 5,329 円（15.5%）
- パン 2 万 6,233 円（30.5%）
- 麺類 1 万 6,582 円（19.3%）
- 米 2 万 9,964 円（34.8%）
- その他 5,425 円（6.5%）

肉　類
8 万 3,001 円
42 位
- 鶏肉 1 万 2,676 円（15.3%）
- 豚肉 3 万 588 円（36.9%）
- 加工肉 1 万 8,859 円（22.7%）
- 牛肉 1 万 5,453 円（18.6%）

統計 全国ランキング第 **1** 位の県

〔都道府県の食〕

耕地面積（田畑計）
………………… 114 万 3,000ha （北海道）

コメの作付面積（水稲延べ）
………………… 11 万 9,500ha （新潟県）

コメの収穫量（水稲）
………………… 66 万 6,800 t （新潟県）

牛の飼育頭数 ……… 52 万 4,700 頭 （北海道）

豚の飼育頭数 … 126 万 9,000 頭 （鹿児島県）

鶏（ブロイラー）の飼育頭数
………………… 2,823 万 6,000 羽 （宮崎県）

海面漁業漁獲量（天然）
………………… 88 万 2,301 t （北海道）

海面漁業漁獲量（養殖）
………………… 10 万 1,952 t （広島県）

食料自給率（カロリーベース）
………………… 196% （北海道）

エンゲル係数※ …………… 31.2 （大阪府）

食品出荷額
…… 2 兆 2,076 億 4,200 万円 （北海道）

調味料の年間支出金額※
………………… 4 万 8,132 円 （東京都）

酒類の年間支出金額※
………………… 6 万 3,985 円 （北海道）

調理食品の年間支出金額※
………………… 16 万 2,015 円 （東京都）

外食の年間支出金額※
………………… 19 万 4,094 円 （東京都）

〔都道府県の民力〕

◆人 口

人 口 ………… 1,383 万 4,925 人 （東京都）
人口増減数 ……… +9 万 4,193 人 （東京都）
人口密度 ………… 6,169 人／km² （東京都）
出生率 ………… 10.4 人／千人 （沖縄県）
死亡率 ………… 16.4 人／千人 （秋田県）
外国人の割合 ……………… 4.08% （東京都）
交通事故死亡者数
………………… 6.17 人／10 万人 （香川県）
自殺者数 ……… 80.9 人／10 万人 （福井県）
婚姻率 ………………… 6.4 人／千人 （東京都）
離婚率 ………………… 2.52 人／千人 （沖縄県）

◆暮らし

貯蓄現在高（平均値）※
………………… 2,463 万円 （東京都）
負債現在高（平均値）※
………………… 906 万円 （埼玉県）
延べ床面積※ ……………… 154.2m² （福井県）
持ち家率※ ………………… 96.4% （富山県）
水道光熱費※ ……… 35 万 5,080 円 （山形県）
保健医療費※ …… 1 万 8,723 円 （神奈川県）
大学進学率 ……………… 67.8% （京都府）

高卒の割合 …………… 32.8% （佐賀県）
犯罪認知件数 ……… 8 万 2,764 件 （東京都）
少年犯罪数 ………… 3.89 人／千人 （沖縄県）

◆経済・労働

県内総生産 …… 105 兆 3,768 億円 （東京都）
1 人当たり県民所得 …… 543 万円 （東京都）
物価地域差 ……………… 104.7 （東京都）
有効求人倍率 ……………… 1.65 （福井県）
正社員新規求人数 ……… 0.76 人 （島根県）
失業率 ………………… 3.36% （大阪府）
大卒初任給 …………… 22 万 500 円 （東京都）
パート時給 …………… 1,362 円 （東京都）
勤続年数 ……………… 13.6 年 （秋田県）

◆産 業

年間商品販売額
………………… 146 兆 776 億円 （東京都）
卸売販売額 …… 125 兆 9,443 億円 （東京都）
小売販売額 ……… 20 兆 1,333 億円 （東京都）
上場企業数 ……………… 2,040 （東京都）
企業倒産数 …………… 1,392 件 （東京都）
代表取締役出身数 … 8 万 7,058 人 （東京都）

〔Data で見る都道府県〕

◆世 帯

世帯数 ………… 729 万 8,690 世帯 （東京都）
平均人員 ……………… 2.63 人 （福井県）
世帯主年齢※ …………… 63.9 歳 （福島県）
子どもの人員※ ………… 0.83 人 （鳥取県）
高齢者の人員※ ………… 1.15 人 （福島県）
生活保護世帯数
………………… 31.20 世帯／千世帯 （徳島県）

◆気 候

35℃以上の日数 …………… 26 日 （京都府）
平均気温 …………………… 23.8℃ （沖縄県）
日照時間 …………… 2,310 時間 （高知県）
降水量 ………………… 3,239mm （高知県）
平均相対湿度 …………… 78.4% （富山県）

◆男 女

初婚年齢（男）………… 30.1 歳 （宮崎県）
初婚年齢（女）………… 28.8 歳 （岡山県）
寿命（男）…………… 81.78 歳 （滋賀県）
寿命（女）………… 87.675 歳 （長野県）
月額給与（男）……… 41.75 万円 （東京都）
月額給与（女）……… 30.58 万円 （東京都）
身長（男）…………… 171.7cm （福井県）
身長（女）…………… 158.8cm （石川県）
体重（男）…………… 65.5kg （青森県）
体重（女）…………… 54.8kg （岩手県）

地 価
宅地の平均変動率………… 9.5% （沖縄県）
業地の平均変動率……… 13.3% （沖縄県）
業地の平均変動率……… 20.9% （沖縄県）
宅地の平均価格
　　　………63万1,300円／㎡ （東京都）
業地の最高値
　　　…………… 5,770万円／㎡ （東京都）

旅行者
間宿泊者数
　　　……… 2,978万7,230人泊 （東京都）
室稼働率………………… 30.2% （埼玉県）

学校・施設
師数…………329.5人／10万人 （徳島県）
院数……… 17.8施設／10万人 （高知県）
般診療所数
　　　……110.8施設／10万人 （和歌山県）
童福祉施設数
　　　……… 61.5施設／10万人 （沖縄県）
人福祉センター数
　　　………11.40施設／10万人 （徳島県）
学校数………………… 1,328校 （東京都）
校数…………………… 428校 （東京都）
学数…………………… 143校 （東京都）
物館数…… 4.02施設／10万人 （長野県）
画館数…… 5.27施設／10万人 （石川県）
書館数…… 6.49施設／10万人 （山梨県）
校のIT化 ………… 6.60人／台 （千葉県）
育所数……………… 3,114カ所 （東京都）
稚園数………………… 984校 （東京都）

消 費
間消費支出* … 391万5,753円 （埼玉県）
服・履物費* ……… 15万31円 （東京都）
　費* ………… 115万4,526円 （東京都）
養娯楽費* ………38万8,174円 （東京都）
費* ………19万8,003円 （石川県）
用費* …………… 57万516円 （鳥取県）
費* …………27万9,397円 （埼玉県）
の年間支出金額*
　　　……………… 4万8,405円 （富山県）
lの年間支出金額*
　　　……………… 7万1,086円 （群馬県）
野菜の年間支出金額*
　　　……………… 9万6,354円 （東京都）
の年間支出金額*
　　　……………… 9万8,509円 （石川県）
の年間支出金額*
　　　………………9万43円 （石川県）
の年間支出金額*
　　　………………12万3,053円 （京都府）

統計 全国ランキング第47位の県

〔都道府県の食〕
耕地面積（田畑計）…… 6,530ha（東京都）
コメの作付面積（水稲延べ）
………………… 124ha（東京都）
コメの収穫量（水稲）…… 496 t（東京都）
牛の飼育頭数………………… 630 頭（東京都）
豚の飼育頭数………… 1,730 頭（和歌山県）
鶏（ブロイラー）の飼育頭数
………………一羽（東京都、神奈川県、
富山県、石川県、大阪府）
海面漁業漁獲量（天然）………0 t（栃木県、
群馬県、埼玉県、山梨県、長野県、
岐阜県、滋賀県、奈良県）
海面漁業漁獲量（養殖）………0 t（栃木県、
群馬県、埼玉県、山梨県、長野県、
岐阜県、滋賀県、奈良県）
食料自給率（カロリーベース）
………………… 1%（東京都、大阪府）
エンゲル係数※ ………………… 23.8（福岡県）
食品出荷額…… 582 億 8,300 万円（福井県）
調味料の年間支出金額※
………………… 3 万 6,374 円（沖縄県）
酒類の年間支出金額※
………………… 3 万 7 円（和歌山県）
調理食品の年間支出金額※
………………10 万 6,349 円（北海道）
外食の年間支出金額※
………………… 9 万 6,032 円（長崎県）

〔都道府県の民力〕
◆人 口
人 口…………56 万 1,175 人（鳥取県）
人口増減数………… -3 万 6,651 人（北海道）
人口密度……………… 68.6 人／㎢（北海道）
出生率………………… 4.9 人／千人（秋田県）
死亡率………………… 8.7 人／千人（沖縄県）
外国人の割合……………… 0.45%（秋田県）
交通事故死亡者数
………………… 1.11 人／10 万人（茨城県）
自殺者数………… 5.1 人／10 万人（埼玉県）
婚姻率………………… 3.3 人／千人（秋田県）
離婚率……………… 1.28 人／千人（新潟県）

◆暮らし
貯蓄現在高（平均値）※
………………… 772 万円（沖縄県）
負債現在高（平均値）※
………………… 237 万円（和歌山県）
延べ床面積※ ………………… 79.5㎡（沖縄県）
持ち家率※ …………………… 57.1%（沖縄県）
水道光熱費※ ……20 万 9,535 円（兵庫県）
保健医療費※ ……………… 9,325 円（沖縄県）

大学進学率………………… 40.8%（沖縄県）
高卒の割合………………… 6.2%（東京都）
犯罪認知件数……………… 1,814 件（鳥取県）
少年犯罪数…………… 1.03 人／千人（秋田県）

◆経済・労働
県内総生産………… 1 兆 8,556 億円（鳥取県）
1 人当たり県民所得…… 235 万円（沖縄県）
物価格差………………………… 96.0（宮崎県）
有効求人倍率…………………… 0.81（沖縄県）
正社員新規求人数……… 0.26 人（神奈川県）
失業率……………………… 1.40%（福井県）
大卒初任給…………17 万 5,000 円（沖縄県）
パート時給………………… 944 円（青森県）
勤続年数……………………… 10.6 年（沖縄県）

◆産 業
年間商品販売額
………………… 1 兆 2,864 億円（鳥取県）
卸売販売額…………… 6,314 億円（鳥取県）
小売販売額…………… 6,550 億円（鳥取県）
上場企業数……………………… 0（長崎県）
企業倒産数………………… 19 件（鳥取県）
代表取締役出身数……… 6,044 人（鳥取県）

〔Data で見る都道府県〕
◆世 帯
世帯数……………23 万 7,924 世帯（鳥取県）
平均人員…………………… 1.89 人（北海道）
世帯主年齢※ …… 55.2 歳（石川県、岡山県、熊本県）
子どもの人員※ ………… 0.32 人（秋田県）
高齢者の人員※ ………… 0.60 人（石川県）
生活保護世帯数
………… 3.33 世帯／千世帯（富山県）

◆気 候
35℃以上の日数
………………0 日（北海道、岩手県、沖縄県）
平均気温………………… 10.0℃（北海道）
日照時間……………… 1,536 時間（秋田県）
降水量……………………905㎜（北海道）
平均相対湿度……………… 61.0%（広島県）

◆男 女
初婚年齢（男）………… 32.3 歳（東京都）
初婚年齢（女）………… 30.5 歳（東京都）
寿命（男）…………… 78.67 歳（青森県）
寿命（女）…………… 85.93 歳（青森県）
月額給与（男）……… 26.52 万円（青森県）
月額給与（女）
……… 20.40 万円（青森県、山形県）

長（男）‥‥‥‥‥‥‥‥‥ 168.6cm（沖縄県）
長（女）‥‥‥‥ 156.8cm（香川県、愛媛県、
　　　　　　　　　　　大分県、沖縄県）
重（男）‥‥‥‥‥‥‥‥‥ 60.6kg（静岡県）
重（女）‥‥‥‥‥‥‥‥‥ 51.9kg（広島県）

地　価
宅地の平均変動率‥‥‥‥‥-1.2%（和歌山県）
業地の平均変動率‥‥‥‥‥‥-1.1%（島根県）
業地の平均変動率‥‥‥‥‥‥-0.9%（和歌山県）
宅地の平均価格
　‥‥‥‥‥‥ 3万2,300円／㎡（秋田県）
業地の最高値
　‥‥‥‥‥13万4,000円／㎡（鳥取県）

旅行者
間宿泊者数
　‥‥‥‥‥‥ 128万4,420人泊（奈良県）
室稼働率‥‥‥‥‥‥‥‥‥‥ 11.2%（山梨県）

学校・施設
師数‥‥‥‥‥‥169.8人／10万人（埼玉県）
院数‥‥‥‥‥ 3.7施設／10万人（神奈川県）
殺診療所数
　‥‥‥‥‥ 59.6施設／10万人（埼玉県）
童福祉施設数
　‥‥‥‥‥ 24.2施設／10万人（奈良県）
人福祉センター数
　‥‥‥ 1.40施設／10万人（神奈川県）
学校数‥‥‥‥‥‥‥‥‥‥‥ 118校（鳥取県）
交数‥‥‥‥‥‥‥‥‥‥‥‥‥ 32校（鳥取県）
学数‥‥‥‥‥‥‥‥2校（島根県、佐賀県）
勿館数‥‥‥ 0.34施設／10万人（埼玉県）
画館数‥‥‥ 1.43施設／10万人（高知県）
書館数‥‥ 0.93施設／10万人（神奈川県）
校のIT化 ‥‥‥‥‥ 1.81人／台（佐賀県）
育所数‥‥‥‥‥‥‥‥‥ 186カ所（鳥取県）
稚園数‥‥‥‥‥‥‥‥‥‥‥ 20校（鳥取県）

消　費
間消費支出※ ‥‥ 259万4,427円（沖縄県）
服・履物費※ ‥‥‥‥ 6万6,742円（沖縄県）
　費※ ‥‥‥‥‥‥‥83万1,311円（沖縄県）
養娯楽費※ ‥‥‥‥‥‥ 18.1796円（沖縄県）
通費※ ‥‥‥‥‥‥‥13万3,843円（京都府）
育費※ ‥‥‥‥‥‥‥14万9,249円（大阪府）
育費※ ‥‥‥‥‥‥‥ 4万6,146円（青森県）
魚の年間支出金額※
　‥‥‥‥‥‥‥‥‥ 2万8,866円（沖縄県）
肉の年間支出金額※
　‥‥‥‥‥‥‥‥‥ 5万297円（兵庫県）
野菜の年間支出金額※
　‥‥‥‥‥‥‥‥‥ 5万7,855円（香川県）

菓子の年間支出金額※
　‥‥‥‥‥‥‥‥‥ 7万758円（沖縄県）
穀類の年間支出金額※
　‥‥‥‥‥‥‥ 6万9,827円（秋田県）
肉類の年間支出金額※
　‥‥‥‥‥‥‥ 7万8,319円（岩手県）

写真出典一覧

〔北海道〕
- ◆ (公社) 北海道観光振興機構
  鵡川ししゃも／ハスカップ
- ◆ 十勝観光連盟
  ビート／ナチュラルチーズ／つぶつぶでんぷん／キレイマメ

〔青森県〕
- ◆ (公社) 青森県観光連盟

〔岩手県〕
- ◆ (公財) 岩手県観光協会
  ※「ヨーグルト」「ワラビ」を除く

〔宮城県〕
- ◆ 宮城県観光課
  サンマ／マボヤ／セリ
- ◆ 宮城県食産業振興課
  パプリカ／仙台白菜／仙台曲がりねぎ／ちぢみゆきな／ミョウガタケ／ツルムラサキ

〔秋田県〕
- ◆ (一社) 秋田県観光連盟
  山菜／真鯛／生保内たけのこ／平良かぶ
- ◆ 秋田県農林水産部
  とんぶり／からとり芋／チョロギ／三関せり／ひろっこ／ジュンサイ

〔山形県〕
- ◆ 山形県

〔福島県〕
- ◆ 福島県
  あづましずく／アスパラガス／あかつき／ナメコ／御前人参／メヒカリ
- ◆ うつくしま観光プロモーション推進機構
  ホッキガイ／サンショウウオ／赤かぼちゃ

〔茨城県〕
- ◆ 茨城県

〔栃木県〕
- ◆ (公社) 栃木県観光物産協会
  イチゴ／にっこり／カンピョウ／大田原とうがらし／ヒメマス／ブドウ
- ◆ 栃木県
  二条大麦

〔群馬県〕
- ◆ ググっとぐんま写真館
  ※「モロヘイヤ」を除く

〔埼玉県〕
- ◆ 埼玉県農林部

〔千葉県〕
- ◆ (公社) 千葉県観光物産協会
  ※「サツマイモ」「牛乳」「食用なばな」を除く

〔東京都〕
- ◆ (公財) 東京都農林水産振興財団

〔神奈川県〕
- ◆ 神奈川県環境農政局
  ※「ワカサギ」を除く

〔新潟県〕
- ◆ (公社) 新潟県観光協会
  ※「米粉」を除く

〔富山県〕
- ◆ (公社) とやま観光推進機構
  ベニズワイガニ／ひみ寒ぶり／シロエビ／羽梨／富山干柿／ホタルイカ
- ◆ 富山県農林水産部
  サトイモ／大カブ

〔石川県〕
- ◆ 石川県農林水産部
  ※「イシモズク」は池森貴彦
  ※「百万石乃白」は PIXTA

〔福井県〕
- ◆ (公社) 福井県観光連盟
  ※「越のリゾット」は福井県農林水産部

〔山梨県〕
- ◆ (公社) やまなし観光推進機構
  桃／ゴールドラッシュ／大塚にんじん／プ
  ※「大豆」は PIXTA

〔長野県〕
- ◆ 長野県農政部

〔岐阜県〕
- ◆ 岐阜県農政部
  高原山椒／弘法いも／沢あざみ／桑の木キクイモ／藤九郎ぎんなん
- ◆ 高山市
  すずらん大根
- ◆ (一社) 関市観光協会
  キウイフルーツ

〔静岡県〕
- ◆ (一社) 静岡県観光協会
  伊豆の地きんめ／緑米／遠州灘天然とら
- ◆ 沼津市
  タカアシガニ／プチヴェール
- ◆ (一社) 下田市観光協会
  カジキ

〔知県〕
　愛知県農業水産局
　※「ウズラ卵」を除く

〔重県〕
　(公社) 三重県観光連盟
　青さのり／あのりふぐ／エスカルゴ／松阪牛
　／たかな／桑名のはまぐり
　(公社) 伊勢志摩観光コンベンション機構
　伊勢茶／的矢かき

〔賀県〕
▶滋賀県農政水産部

〔都府〕
　(一社) 京都府北部地域連携都市圏振興社
　丹後とり貝／金樽イワシ／土エビ
　お茶の京都 DMO
　玉露

〔阪府〕
▶大阪府環境農林水産部農政室
　※「マアナゴ」を除く

〔庫県〕
　兵庫丹波観光ネットワーク推進委員会
　黒枝豆／丹波栗／丹波大納言小豆／黒ゴマ／
　猪肉
　(一財) 神戸観光局
　日本酒
　但東町シルクロード観光協会
　シルクコーン
　赤穂市
　塩

〔良県〕
奈良県食と農の振興部

〔歌山県〕
和歌山県

〔取県〕
鳥取県

〔根県〕
　(公社) 島根県観光連盟

〔山県〕
　(公社) 岡山県観光連盟
※「キャビア」「冬瓜」を除く

〔島県〕
広島県
※「青パパイヤ」「ワケギ」を除く

〔口県〕
山口県農林水産部
※「岩国れんこん」「瀬つきあじ」は (一社)
山口県観光連盟

〔徳島県〕
◆徳島県
　ボウゼ／阿波和三盆糖

〔香川県〕
◆ (一財) かがわ県産品振興機構

〔愛媛県〕
◆愛媛県

〔高知県〕
◆高知県産業振興推進部

〔福岡県〕
◆福岡県農林水産部
　※「豊前本ガニ」は (公社) 福岡県観光連盟

〔佐賀県〕
◆ (一社) 佐賀県観光連盟
　※「アイスプラント」「タマネギ」を除く

〔長崎県〕
◆ (一社) 長崎県観光連盟
　※「長崎びわ」「ジャガイモ」は (公財) 長
　崎県学校給食会

〔熊本県〕
◆熊本県
　※「ヤーコン」を除く

〔大分県〕
◆ (公社) ツーリズムおおいた
　※「スッポン」を除く
　※「ぶんご合鴨」は大分県

〔宮崎県〕
◆宮崎県農政水産部
　宮崎ブランドポーク／みやざきビタミンピー
　マン／へべす／京いも／黒皮かぼちゃ／みや
　ざき地頭鶏
◆ (公財) みやざき観光コンベンション協会
　キンカン／みやざき乾しいたけ／五ヶ瀬やま
　め／北浦灘アジ

〔鹿児島県〕
◆鹿児島県
　マンゴー／ウナギ／大将季／オクラ／トビウ
　オ／パッションフルーツ／黒糖
◆ (公社) 鹿児島県観光連盟
　ソラマメ／ラッキョウ

〔沖縄県〕
◆ (一財) 沖縄観光コンベンションビューロー

「2021 都道府県 Data Book」

定価 1,485 円（本体 1,350 円＋税 10%）

平成 28 年 4 月 27 日 2016 年版発行	平成 29 年 4 月 27 日 2017 年版発
平成 30 年 5 月 7 日 2018 年版発行	令和元年 5 月 7 日 2019 年版発
令和 2 年 5 月 7 日 2020 年版発行	令和 3 年 4 月 30 日 2021 年版発

発 行 人：杉 田　　尚
発 行 所：株式会社日本食糧新聞社
　　　　　〒 104-0032　東京都中央区八丁堀 2-14-4 ヤブ原ビル
編　　集：〒 101-0051　東京都千代田区神田神保町 2-5 北沢ビル
　　　　　電話 03-3288-2177　　FAX03-5210-7718
販　　売：〒 104-0032　東京都中央区八丁堀 2-14-4 ヤブ原ビル
　　　　　電話 03-3537-1311　　FAX03-3537-1071
印 刷 所：株式会社日本出版制作センター
　　　　　〒 101-0051　東京都千代田区神田神保町 2-5 北沢ビル
　　　　　電話 03-3234-6901　　FAX03-5210-7718

ISBN978-4-88927-276-5 C0033